山溪ハンディ図鑑

日本の淡水魚
第4版

編・監修／細谷和海
写真／内山りゅう
解説／藤田朝彦・川瀬成吾・井藤大樹

山と溪谷社

はじめに

本書が出版されて以来、おおむね 10 年も経ちました。幸いなことに、これまで一般へ
の普及はもとより、河川・湖沼など水辺の生物多様性の保全にかかわる公的機関や調
査会社でも活用されてきました。その背景には、地球温暖化など人為による地球規模の
自然破壊が直接、間接を問わず、日本列島の水辺にも大きな影響をもたらしていることが
あります。実際、この間に日本の淡水魚相はずいぶん変わってしまいました。外来魚の
侵入と拡散は依然歯止めが効かず、残念な報告ばかりなされています。一方、研究者に
よる地道な探求により、従来同一種と思われていた集団が実は種レベルの分化を遂げて
いることも明らかにされています。それを受け、皆さんに新たな情報をお伝えしなければ
ならなくなりました。今回出版された改訂版はいわば第 4 版に相当します。初版に比べて
情報量が 56 ページも増えています。写真も内山りゅうさんの東奔西走の現地撮影により
いくつも鮮明な写真に差し替え・追加されています。ですから第 4 版は、これらの最新
情報を取り入れ、全面的に刷新された新たな図鑑とお考え下さい。

たとえば、第 3 版 (増補改訂 2 版第 2 刷②) までページを違えて分散していた一部の
コラムを図鑑の冒頭にまとめて移動し、関連する情報を加えて「淡水魚類学ことはじめ」
として整理しました。さらにコラム集のまえに詳しく書いた「魚の形態」と合わせれば、
日本の淡水魚の実態を科学的に知る能力が養われるに違いありません。このように、第 4
版は単に調べるための図鑑にとどまらず、学ぶための図鑑としてもお役に立つことでしょう。

今回、あらたに執筆者に徳島県立博物館の井藤大樹博士にも加わっていただきました。
種苗生産の現場で手が回らない武内啓明博士の代役ですが、基本、お 2 人のご専門に
は共通するところが多いです。環境省の藤田朝彦博士は単に淡水魚の生息現況にとどま
らず、外来種問題や希少魚保全など行政の動きを熟知されています。琵琶湖博物館の
川瀬成吾博士は日本の淡水魚類相のへそともいえる琵琶湖において、分類学研究と保全
活動を精力的に展開されておられます。各著者はそれぞれ担当した解説において、自らあ
げた調査・研究の成果を惜しみなく盛り込んでおられます。

今や日本の淡水魚の種類数は約 500 種にも及ぼうとしています。熱帯魚に比べればど
れも地味な魚ばかりです。しかし、本当の魅力は外観の派手さではなく、彼らが内に秘
めた不思議な生態にあります。装いを新たにした本書は、きっと皆さんを日本の淡水魚が
醸しだす未知の世界へ惹きこむに違いありません。第 4 版を通じて皆さんに淡水魚にもっ
と関心を持っていただくことにより、日本の水辺の自然のすばらしさを再認識していただき、
ひいては自然を守ることに多少ともかかわっていただきたいと願っています。

本書の改訂には初版、旧版同様、多くの方々からご協力いただきました。山と溪谷社
自然図書出版部の神谷有二部長には本書改訂の企画にご賛同いただき、また編者作業
の実務において平野健太さんには、編者や著者の偏狭な提案にも最後まで忍耐強く対処
いただきました。合わせて、ご支援いただいたすべての皆様に心より御礼申し上げます。

2025 年 6 月 30 日

編者　細谷和海

目　次

本書の構成と使い方 …………………………………………………… 4
魚の形態 ……………………………………………………………… 6
日本の淡水魚類学ことはじめ ………………………………………11

■ ヤツメウナギ目 …………… 19	■ サケ目 ………………… 255
■ メジロザメ目 ……………… 27	■ トゲウオ目 …………… 311
■ トビエイ目 ………………… 29	■ ボラ目 ………………… 327
■ チョウザメ目 ……………… 31	■ トウゴロウイワシ目 …… 335
■ アロワナ目 ………………… 33	■ カダヤシ目 …………… 337
■ カライワシ目 ……………… 35	■ ダツ目 ………………… 341
■ ウナギ目 …………………… 37	■ スズキ目 ……………… 349
■ ニシン目 …………………… 47	■ タウナギ目 …………… 551
■ コイ目 ……………………… 51	■ カレイ目 ……………… 553
■ ナマズ目 ………………… 229	■ フグ目 ………………… 555

column

透明骨格標本 ………………………………………………………… 46
イシガイ類は生態系の豊かさの象徴 ……………………………… 67
カゼトゲタナゴ類の進化と多様性 ……………………………… 104
じつは特徴的で不思議なウグイの仲間たち ……………………… 132
タモロコに見られる地理的変異 ………………………………… 159
アユモドキはどうして減ったのか ……………………………… 189
環境 DNA で淡水魚を追う ………………………………………… 228
淡水魚の生息状況調査と記録の重要性 ………………………… 233
琵琶湖の淡水魚研究史 …………………………………………… 254
地球温暖化が淡水魚に与える影響 ……………………………… 334
ミナミメダカの地方集団 ………………………………………… 344
拡散が危惧される「怪魚」 ……………………………………… 367
特定外来生物に指定されたガー類 ……………………………… 392
淡水魚保護における自然史博物館の役割 ……………………… 407

付録

用語解説 ………………… 558	和名さくいん ………………… 576
日本産淡水魚類リスト …… 562	主な参考文献 ………………… 580
学名さくいん ……………… 572	

本書の構成と使い方

1．掲載順序

本書で取り上げる淡水魚は、中坊徹次編「日本産魚類検索 全種の同定 第三版」（東海大学出版会）に収録されている順番を参考に、おおむね系統順に掲載されている。読者に魚種ごとの特徴のみならず進化の流れをご理解いただくことも意図しているからである。また、本書では科や属などの分類群を定義する、すなわち名称の基となるタイプ種を最初に掲載することを原則としているが、近縁種との比較や識別をしやすくするため若干、配置を変えたところもある。

2．収録の範囲

淡水魚の定義はそれほど明確ではない。コイやナマズなど一生を淡水域で過ごす純淡水魚は議論の余地はないが、サケやウナギなど海洋と河川を往復する回遊魚、トビハゼのように淡水と海水の混じりあう水域に生息する汽水魚、それに本来は海産であるが環境条件に合わせて河川に侵入するスズキやクロダイのような魚も淡水魚に含めることが多い。

さらに本書には外来種も掲載してある。日本へは歴史的におびただしい数の外来魚が導入されてきた。このうち日本の淡水域に定着、すなわち継続的に繁殖が確認されている魚種だけを取り上げた。

本書ではこのうち情報に限りがあるものを除き、325種・亜種の淡水魚を掲載した。

3．写真

本書に掲載している写真は、内山りゅう氏が撮影した基準写真と生態写真に分けられる。一部、入手が困難であったものについては著者らが提供した。なお、各標本には産地の情報を都道府県単位で表記してあるが、絶滅危惧種については保全上、表記を避けたものもある。

（1）基準写真

基準写真とは各魚種の全体像を示すための標本写真のことで、多くは採集後間もない鮮魚である。紙面の許す限り、雌雄、幼魚といった変異形も追加した。識別形質を明示することで、野外でも一目で同定ができるよう工夫した。

（2）生態写真

基準写真では形態情報しか得られない。そこで野外における生息環境、および遊泳・摂餌・繁殖・発育などの生態特性がわかるよう生態写真を掲載し、注目すべき特徴について短い説明文をつけた。

4．解説内容

本書の解説は基本的に解説執筆者が持つ個人の情報に基づいているが、補足の情報源として中坊徹次（編）「日本産魚類検索 全種の同定 第三版」（東海大学出版会）、川那部・水野・細谷（編）「日本の淡水魚 改訂版」（山と渓谷社）、および環境省版レッドデータブック「日本の絶滅のおそれのある野生生物─汽水・淡水魚類」（ぎょうせい）に負うところが大きい。そのほか、参考にした主要文献を巻末に列挙した。

学名については、カワバタモロコやウシモツゴで示されるように、「日本産魚類検索」出版以降本書の発行までに新たに発表された知見を可能な限り反映させた。さらに英名については、本書において新たに提案させていただいた。本書の解説は、以下の項目に分かれている。また、執筆担当者を、欄外に示した。

【形態】：各魚種の同定に必要な形の特徴、近縁種・亜種との識別点
【生態】：生息場所、食性、繁殖を中心とした生活史
【分布】：国内と国外別の分布域
【特記事項】：各魚種を取り巻く環境、地方自治体など各種レッドリストにおけるカテゴリーや保護の現状、分類学的な課題など特に注目すべき情報を記した。

5．生物多様性に関する評価基準

淡水魚の保護を目的とした法令は複数あり、保全・防除を目的に特定の生物をカテゴリー化している。本書で掲載された淡水魚のなかにも、国レベルで生物多様性保全に関わる何らかの指定がなされている魚種がある。これを規定する評価基準は以下の通りである。なお、罰則等の付帯条項の詳細については、直接、官公庁のホームページにアクセス願いたい。

（1）環境省レッドリスト（2019）
レッドデータカテゴリー

絶滅（EX）
我が国ではすでに絶滅したと考えられる種
野生絶滅（EW）
飼育・栽培下、あるいは自然分布域の明らかに外側で野生化した状態でのみ存続している種
絶滅危惧Ⅰ類（CR+EN）
絶滅の危機に瀕している種
絶滅危惧ⅠA類（CR）
ごく近い将来における野生での絶滅の危険性が極めて高いもの
絶滅危惧ⅠB類（EN）
ⅠA類ほどではないが、近い将来における野生での絶滅の危険性が高いもの
絶滅危惧Ⅱ類（VU）
絶滅の危険が増大している種
準絶滅危惧（NT）
現時点での絶滅危険度は小さいが、生息条件の変化によっては「絶滅危惧」に移行する可能性のある種
情報不足（DD）
評価するだけの情報が不足している種
絶滅のおそれのある地域個体群（LP）
地域的に孤立している個体群で、絶滅のおそれが高いもの
（2）国内希少野生動植物種
絶滅のおそれのある野生動植物の種の保存に関する法律（種の保存法）において「国内希少野生動植物種」に指定されている魚種。指定されている種は、販売・頒布目的の陳列・広告、譲渡し、捕獲・採取、殺傷・損傷、輸出入などが原則として禁止されている。
（3）天然記念物
文部科学省の所轄する「文化財保護法」によって天然記念物に指定されている種。種指定と地域指定がある。種指定されている淡水魚にはミヤコタナゴ、イタセンパラ、アユモドキ、ネコギギがあり、日本中どこであっても許可なく採集することはできない。地域指定には宮城県魚取沼のテツギョ、北海道春採湖のヒブナ、福井県本願清水のイトヨ、和歌山県富田川のオオウナギなどが知られ、指定された地域内でしか採集できない。研究目的でこれらの淡水魚の採集が必要な場合、別途届出が必要である。

（4）特定外来生物
特定外来生物による生態系等に係る被害の防止に関する法律（外来生物法）によって指定されている種。指定種は、その飼養や栽培、保管、運搬、輸入といった取扱いが規制されている。
（5）我が国の生態系に被害を及ぼすおそれのある外来種リスト（生態系被害防止外来種リスト）の指定種
幅広く生態系等に被害を及ぼすおそれのある外来種を選定した、上記リストの指定種を明示した。
・「定着予防外来種」：国内に未定着のもので、侵入の予防が求められるもの
・「総合対策外来種」：既に国内に定着しており、防除、遺棄・導入・逸出防止等の普及啓発などの総合的に対策が求められるもの
・「産業管理外来種」：産業又は公益的役割において重要であるが、利用上の留意が求められるもの

6．分布図
各魚種の分布の実態を示した。地図のなかでは、自然分布している都道府県を青色、移殖・導入により人為分布している都道府県を赤色で表している。着色は都道府県単位でなされており、各都道府県の一部に局在している場合でも、その都道府県は全域が塗られている。
ただし、北方領土、南西諸島、小笠原諸島、対馬、壱岐、隠岐といった島嶼については、可能な限り島レベルで着色している。自然分布、人為分布の表示基準は以下の通りである。
（1）自然分布（青色）
在来種の本来の分布を意味し、青色で示している。黒潮や親潮によって運ばれた迷魚の記録も自然現象によるものとして自然分布と見なした。さらに現在は確認できないものの、かつて分布記録のある都道府県についてもとりあえず自然分布域として残しておいた。
（2）人為分布（赤色）
本来自然分布していなかった水域に移殖・導入により、現在定着している都道府県。継続的な繁殖が確認されていない記録種は除外した。

魚の形態（体の名称と測り方）

1．測り方

左体側を対象とし（p.7 図3）、長さはPoint to Pointの原則に従い、常に部位の明確な2点をつないで計測する（p.6, 図2）。

標準体長：
普通にいう体長のことで、吻または上唇の前端から尾びれ基底、すなわち下尾骨と尾びれの鰭条関節点まで。

全長：
体のもっとも長い線。すなわち体の前端からまっすぐに伸ばした（折りたたんだ）状態の尾びれ後端まで。

頭長：
吻または上唇の前端から鰓膜後縁まで。主鰓蓋骨の後縁ではない。

吻長：
吻または上唇の前端から眼窩（眼のくぼみ）前縁まで。鼻孔の前縁ではない。

両眼間隔：
両眼の間の最短幅。

体高：
体幹部（体の本体）のもっとも高い部分の鉛直高で測る。ひれは含めない。

体幅：
体幹部のもっとも幅広い部分の水平幅で表す。

尾柄長：
尾柄基底後端中央部から臀びれ基部後端まで。水平長ではなく斜めの長さであることに注意する。

尾柄高：
尾柄のもっとも低い部分の鉛直高で測る。

図1　体各部の呼び方（スズキ）

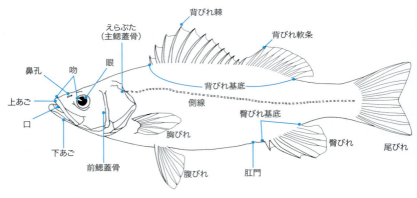

図2　長さの測り方（アユ）

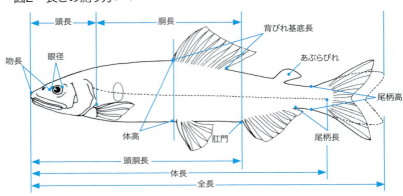

魚の形態(形と斑紋)

2. 数え方

整数で示すが、形状により表記方法が異なっている。

鰭条数:

棘(spine)と軟条(soft ray)を分けて表示する(p.8, 図6)。棘はローマ数字の大文字(時計文字)で、軟条はアラビヤ文字(算用数字)で表す。ただし、コイ科やサケ科の背びれと臀びれの前端部は棘状軟条(spiny soft ray)と呼ばれ、ローマ数字の小文字で表す。背びれにしろ臀びれにしろ、最後位にある2本の軟条は常に1本と見なす。これは根元で癒合しているか、または一つの担鰭骨によって支持されているからである。

鰭式:

背びれと臀びれでは、棘と軟条の間をカンマ(,)で区切り、背びれが2基あるものはハイフン(－)で区切る。ただし、棘状軟条は軟条の変形物であるので普通の軟条と＋でつなぐ。

鱗数:

肩帯に隣接する最前列の鱗から、側線に沿って、尾びれ基底、すなわち下尾骨と尾鰭鰭条関節点までを数える。すべてのうろこを数えるわけではない (p.9, 図7)。

側線上横列鱗数:

背びれ前端基部から斜め後方に並ぶ1横列のうろこを数える。側線鱗を含めない。

側線下横列鱗数:

臀びれ前端基部から斜め上方に並ぶ1横列のうろこを数える。側線鱗を含めない。

脊椎骨数:

脊椎を構成する椎体の総数。腹椎骨数＋尾椎骨数で示されることが多い(p.10, 図13)。

腹椎骨数:

体腔を支える脊椎骨の数。骨鰾類(コイ科・ドジョウ科・ナマズ科など)では前端の4つの椎体がウェーベル氏器官の形成に伴い変形しているので(p.9, 図12)、読み取りにくい。従って、背側に神経突起を備えた第5腹椎骨から数えるとよい。最後位の腹椎骨は腹側に先端が二叉した側突起を備える。二叉するのはあくまで体腔を支えているから。

尾椎骨数:

尾柄を支える脊椎骨の数。第1尾椎骨は腹側に先端が尖った血管棘を備える。後端に位置する側尾棒状部または尾部棒状骨も一つの尾椎骨として算定する。

咽頭歯数:

コイ科は口腔に歯がない代わりに下咽頭骨に発達した1～3列の咽頭歯を備えている。最大で第1列ひとつ、第2列3つ、第3列(主列)5つある(p.10, 図16)。

鰓耙数:

左側第1鰓弓前縁に並ぶ鰓耙の数をすべて数える (p.10, 図17)。計数は鰓弓の摘出を前提とするが、このとき鰓弓上部を途中で切ってしまうと数値が過小評価されてしまう。

図3 左右と縦横

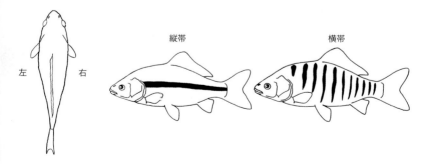

魚の形態(ひれとうろこ)

図4 魚の体形

図5 尾びれの形

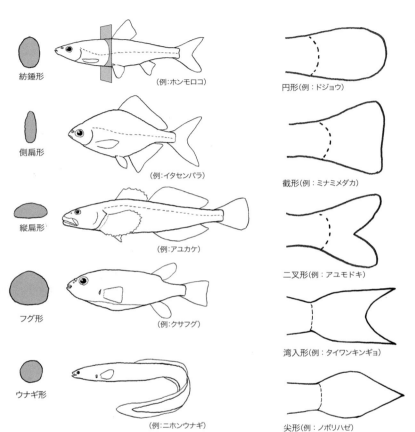

図6 背びれの鰭式

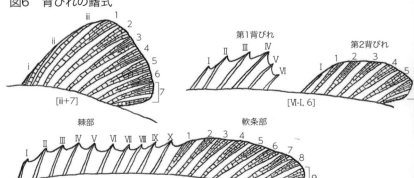

魚の形態（内部形態）

図7　側線鱗数

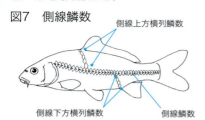

図8　側線の発達

側線は完全(ハス)

側線は不完全(ミヤコタナゴ)

図9　頭部側線系(コウライモロコ)

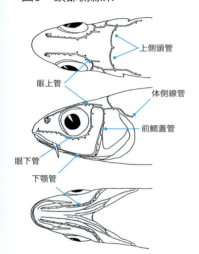

図10　ドジョウ類の胸びれ(左側)

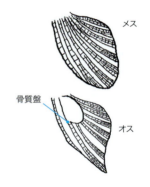

図11　骨格系(コイ)

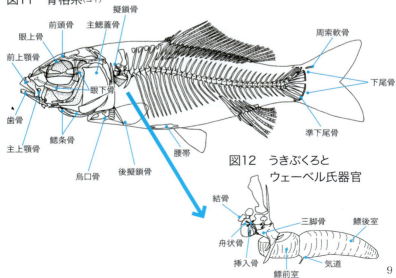

図12　うきぶくろとウェーベル氏器官

9

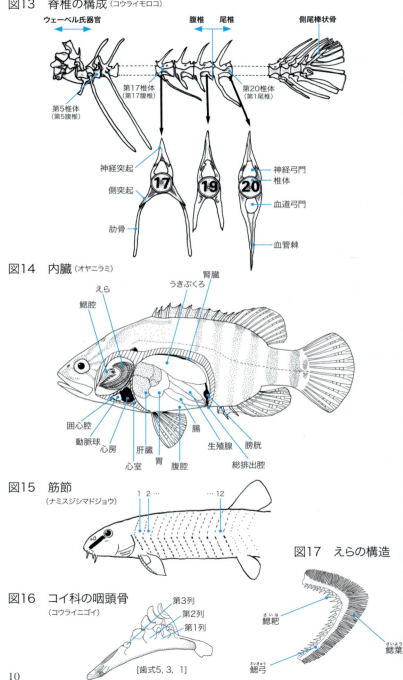

日本の淡水魚類学ことはじめ

　淡水魚とは文字通り真水にすむ魚類のことである。島国である日本には、海産魚に負けないくらいたくさんの淡水魚がいる。その理由として、日本列島が南北に長いため冷水魚から熱帯魚まで多種多様な淡水魚がいる。かつて日本列島が大陸と陸続きだったころに、朝鮮半島やサハリン（樺太）を介してコイの仲間など純淡水魚がやってきた種や、黒潮が運んでくる南方起源の沿岸魚もいる。このように日本の淡水魚類相はルーツの多重構造によって特徴づけられる。

淡水魚と回遊

　淡水魚のうち、多くの種が一生を河川や湖沼のような淡水域で終えるが、なかには繁殖や索餌を目的に海洋へ移動する種もある。反対に、水温や潮流の条件の違いによっては、本来海産魚であるはずの種が淡水域に浸入することも珍しくない。そのような移動は回遊と呼ばれている。魚類が生活環のなかで淡水域と海洋をどのように使い分けて回遊しているかによって分類整理したものが生態区分である。

純淡水魚　genuine freshwater fishes

　塩分耐性の強弱にかかわらず、一生を淡水域で過ごす淡水魚。河川から水田地帯へ、湖沼から河川へ、河川内の上下流を移動するなど淡水域内での回遊もみられる。塩分耐性が弱い第一次性淡水魚のコイ科、ドジョウ科、ナマズ科、ギギ科、スズキ科のオヤニラミ、外来魚のタイワンドジョウ科、キノボリウオ科、サンフィッシュ科のオオクチバス・コクチバス・ブルーギル。塩分耐性が強い第二次性淡水魚のメダカ科やカワスズメ科などがこのグループに該当する。

通し回遊魚　diadromous fishes

　生活環のどこかの時期に淡水域と海洋の間を往復する魚類。繁殖や発育・成長などの目的に応じて4つのパターンに分けられる。

①遡河性回遊魚　anadromous fishes

　淡水域で繁殖し、発育・成長のため生活環の長い期間を海洋で過ごす魚類。カワヤツメ、チョウザメ、サケ・マス類、キュウリウオ、シシャモ、ニホンイトヨなど。

②降河性回遊魚　catadromous fishes

　海洋で繁殖し、発育・成長のため生活環の長い期間を淡水域で過ごす魚類。繁殖場が沿岸性のヤマノカミ、遠洋性のニホンウナギなど。

③淡水性両側回遊魚
freshwater amphidromous fishes

　淡水域で繁殖し、生活環の短い期間だけ海洋で過ごし、発育・成長のため再び淡水域に戻る魚類。アユ、各種ヨシノボリ類、ウツセミカジカなど。

④海水性両側回遊魚
marine amphidromous fishes
海洋で繁殖し、生活環の短い期間だけ淡水域で過ごし、発育・成長のため再び海洋に戻る魚類。ボラ、スズキ、クロダイなど。

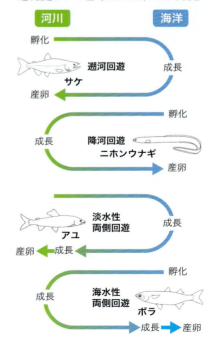

通し回遊の4つの型（McDowall, 1988を改変）

日本列島における淡水魚類相の生物地理区分

日本列島の淡水魚類相

日本列島は大陸に隣接するため、生物地理学的には旧北区に分類される。そのため大陸にルーツを持つ淡水魚では、北はシベリア系がサハリン経由で、南は中国系が朝鮮半島経由でそれぞれ時代を違えて日本列島に浸入している(図1)。

シベリア系と中国系の境界線は、かつては津軽海峡を通るブラキストン線とされてきたが、現在ではより北側に位置する石狩低地帯(黒松内帯)であると見なされている。本州以南の中国系は、フォッサマグナによりおおむね東西に二分されている。東側の淡水魚類相は西側に比べて貧弱ではあるが、構成する魚種の固有度は高い。東北地方は奥羽山脈により東西に分断されているため、太平洋側と日本海側の魚類相は相互に異なっている。東側はキンブナ・タナゴ・アカヒレタビラの分布に見られるように関東地方とのつながりが強く、西側はジュウサンウグイ・ウケクチウグイ・トミヨ属淡水型の分布に見られるように北陸地方や山陰地方との関連性が認められる。一方、フォッサマグナの西側では、濃尾平野・琵琶湖淀川水系・周瀬戸内海をつなぐ豊かな淡水魚類相からなるベルト地帯が見られる。有明海周辺では、ヒナモロコやムツゴロウのように大陸との関係が深い魚種が淡水・海水を問わず分布している。

図1　日本のコイ科魚類のルーツと分散経路

シベリア系と中国系の2つのルーツがある

南西諸島の淡水魚類相

九州より南に連なる南西諸島の淡水魚類相は、本土の魚類相と根本的に異なっている。その境界はトカラ海峡と重なる渡瀬線にある(図2)。それ以南の島々は生物地理学的には東洋区に分類される。その意味では日本列島を南北に二分する最大のバリアーともいえる。ただし、アユの分布南限でもある屋久島は、本土側すなわち旧北区に所属する。

渡瀬線以南の南西諸島の淡水魚類相は、奄美大島・徳之島・沖縄本島からなる中琉球と石垣島・西表島からなる南琉球に細分され、その境界はケラマ海裂に一致する。奄美大島と沖縄本島(絶滅)に分布するリュウキュウアユは、周辺のどの水域のアユとも遺伝的にも形態的にも分化しており、この地域を代表する固有種である。沖縄本島在来のタイワンキンギョやリュウキュウタウナギは中国大陸の集団の末裔、レリック(遺存種)と考えられる。そのほかに、沖縄本島固有のフナやミナミメダカ琉球型の分布もこの地域を特徴づける固有の要素である。しかし、この地域に分布する純淡水魚の由来については、稲作の伝播にともない移殖された可能性もあり、検討の余地がある。八重山列島、とりわけ西表島の陸水域では約500種もの魚類が確認されている。それらは海産由来の南方系魚種から構成されているが、それにはかなりの固有種が含まれており、我が国の魚類多様性において貴重なホットスポットと見なせる。

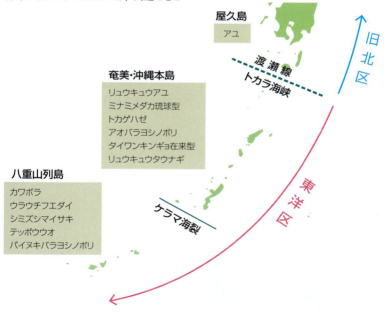

図2 南西諸島における生物地理的区分(通し回遊魚を含む)

魚類の種とは何か

近年、日本の淡水魚の新種が次々と発見されている。その多くは従来、同一種と思われていた魚を精査したところ、似てはいるものの別種と判断された結果である。この魚類における「種」はどのように定義されるのであろうか。

生物学的種概念

種の定義は、進化学の泰斗アメリカのエルンスト・メイヤー博士が提唱した生物学的種概念が一般的だ。これは「互いに潜在的または実質的に交配可能な個体の集団のことで、他の集団とは生殖的に隔離される」と定義されている。さらに生殖的隔離を通じてまとまりのある「遺伝的単位」であると同時に、固有の「生態的単位」として存在しているという。この2つの単位は種を考える上でのモノサシと言える。

魚類への応用

例として、ホトケドジョウ Lefua echigonia を挙げる。本種は分布が広く、かつて1種と考えられていたが、西日本の集団は著者らにより新種ナガレホトケドジョウ L. torrentis として分けられた。京都府や兵庫県では同一河川に共存している。両種は遺伝的に大きく異なり、生殖的隔離は成立している。加えて前者は開けた水田環境を好む昼行性で、後者は鬱蒼とした林間の渓流に潜む夜行性。生態的にも大きく分化している。両種間の遺伝的および生態的違いは、生物学的種概念のモノサシで測れば別種であることは明白である。

種判定の課題

上記の場合、同所的分布域があるために両種間に生殖的隔離が成立していることを直接、検証することができる。一方、多くの淡水魚では分布が重ならないので、種間に生殖的隔離が成立しているかを検証できない。その場合、人工交配などにより子孫を残さないことが確認できれば、2種は別種と断言できる。しかし、人為的に交配して子孫を残すことがあっても、2種が同種であるとは言い切れない。なぜなら、生物種は自然の環境条件下でこそ集団を維持しているからで、条件がくずれれば容易に近縁種と交雑する。実際、琵琶湖では沖合に棲むホンモロコは湖岸に棲むタモロコとはほぼ交雑しない。琵琶湖の多様な自然環境が両種の生態に見合う固有の生息場所を提供してきたからである。ところが、ホンモロコは環境が単純なダム湖やため池に移殖されると地づきのタモロコと容易に交雑する。

異所的に分布する近縁種の種判定には、メイヤー博士が述べているように、生殖的隔離の「潜在性」を証明していくことが不可欠である。難しい課題ではあるが、それに取り組むことこそ魚類学者にとって腕の見せどころである。

ホンモロコとタモロコの自然交雑と思われる個体。体形はホンモロコだが、口ひげが長く体側の縦帯が多いなど、タモロコの特徴が見られる。

学名から読み解くシーボルトの貢献

学名とは

生物種には固有の名前がある。日本人なら"アユ"といえば誰でもわかる。このような日本語の名前を和名と呼び、カタカナで表すことになっている。アユは東アジアの沿岸近くの淡水域に分布し、韓国ではウノ、中国では香魚とか銀口魚と呼ばれている。だから和名のまま"アユ"といっても外国人にはなかなか伝わらない。そこで、世界共通の名前を一定のルールのもとにつけようと提案したのがスウェーデンの学者、リンネである。世界共通の名前とは学名のことである。一定のルールは国際動物命名規約としてまとめられている。

学名は属名と種小名というふたつの要素からなり、いずれもラテン語で表記される。属名は名詞に相当し、大文字ではじめる。種小名は形容詞に相当し、小文字ではじめ、性や数を属名に合わさなければならない。国際動物命名規約に従えばアユの学名は *Plecoglossus altivelis* となる。

実際に魚類図鑑でアユを調べてみると *Plecoglossus altivelis* (Temminck andSchlegel) と記されていることがわかる。学名に続く (Temminck and Schlegel) は命名者すなわちアユに最初に学名をつけた人、テミンクとシュレーゲルのことを指し、カッコは後進の研究者によって属名が変更されたことを意味する。一般に、学名と命名者の違いを明確にするために、表記をそれぞれ斜体 (イタリック) と立体 (ローマン) で使い分ける。テミンクはオランダ王立ライデン自然史博物館の初代館長、シュレーゲルは第 2 代館長で、ともに日本の多くの生物種に学名を与えている。たとえばシュレーゲルアオガエルは外来種ではなく在来種で、献名されたものである。

シーボルトの貢献

新種記載を含むテミンクとシュレーゲルの分類学的論文は有名な日本動物誌 (Fauna Japonica) としてまとめられている。新種記載のもととなった標本は、当時オランダの医務官であったシーボルトと、彼の意思を強く受け継いだ後任のビュルガーが、1823 〜 1834 年、長崎出島に赴任中に収集した生物をオランダに持ち帰ったものである。つまり Temminck and Schlegel によって学名が与えられたすべての日本の生物種は、即シーボルトとビュルガーの収集物、いわゆるシーボルト標本に基づくものであり、それらがタイプ標本 (模式標本) となっていることを意味する。以来これらのタイプ標本は、ナチュラリス・ライデン自然史博物館に厳重に保管されている。

シーボルト標本には、長崎から江戸に向かう参府の途中で入手した多くの淡水魚が含まれている。そのうち琵琶湖を代表するニゴロブナやアユモドキなどは、現在いずれも激減している。シーボルトがたまたま寄り道した程度で入手できた普通種も、わずかな時間で絶滅危惧種となってしまった。日本の水辺環境の劣化をはたしてこのまま見過ごしておいてよいものだろうか。

シーボルト標本のアユの剥製 (ライデン自然史博物館所蔵)

淡水魚の保護・保全

淡水魚をどのように守るのか

わが国では水辺環境が著しく悪化した結果、河川や湖沼の水生生物は減少し、淡水魚のあるものは絶滅の危機にさらされている。ここでは、減少してしまった淡水魚をどのように守っていくか考えてみたい。

保護の方法

一般に、希少種を守ることを「保護」(Protection) と呼ぶ。保護の方法には、野外の生息地をそのまま保つ生息域内保全（In situ Conservation）と、希少魚を研究施設に隔離した状態で系統を維持する生息域外保存（Ex situ Preservation）がある。実効性のある保護を進めるためには、両者はどちらも欠かすことはできない。

生息域内保全

自然分布域内に生息する絶滅危惧種を自然の状態で保全することを指す。本来であれば人為活動の負の影響を遮断するために、フィッシュ・サンクチュアリーの中で個体群を隔離することが望ましい。しかし、野生魚の多くは保全されないまま、開放されている生息場所に偏在していることが多い。そのため、圃場整備、過度の農薬散布、ブラックバス類などの外来魚やヒメダカの無秩序な放流など、人為的影響を直接受けやすいのが現状である。野生魚を保全するためには、地方自治体で地域固有の集団に対して何らかの格付けを行い、法的規制をかける必要がある。

生息域外保存

希少種を、動物園、水族館、研究機関等に収容し、系統を維持させることを指し、いわば"ノアの方舟"の役割を担う。施設内系統保存に対する用語は国際的に混乱している。例えば、国際自然保護連合では一貫して「生息域外保全」という用語を当てているが、世界資源研究所や国連環境計画は「生息域外保存」を当てている。環境省は「生息域外保全」を使っているが、確かに「生息域内保全」と対比できる言葉だが、現実とは異なっている。なぜなら、生息域内から抽出できる特性は常に一部であり、精子の凍結保存で示されるように、その系統を保護する行為は「保存」そのものだからである。

保護に向けての課題

淡水魚を保護する方法といえば、自然分布する個体群を自力で増える環境を整えることが筋である。水産立国であるわが国は、これまで魚類の種苗放流をお家芸としてきた。その延長として、環境教育の名のもとに、魚がいなくなった水域にヒメダカなどを子どもたちに放流させ、そのことが微笑ましいニュースとして報道されることもある。他地域の野生魚や由来の明らかでない人工改良品種を安易に移殖することは、生物多様性保護の理念から明らかに外れる。今、求められるべきは、一般市民に日本の野生の淡水魚の固有性と多様性を正確に理解していただくことに尽きる。

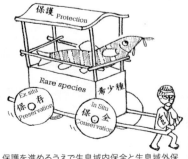

保護を進めるうえで生息域内保全と生息域外保存は車の両輪に例えられる

モラルある淡水魚採集

 近年、淡水魚のあるものは絶滅の危機にさらされている一方、私たちの生活水準が上がりゆとりが生まれるにつれ、一般市民の身近な生き物への関心は高まっている。さらに農業分野でも水田の多面的機能が見直され、希少淡水魚などを対象とした生物多様性の保護へ配慮するようになってきた。また、地方によっては自治体が積極的に希少淡水魚の保護に乗り出し、市民レベルの保護団体も各地で生まれている。

 このように、少なくなった淡水魚へのかかわりは、漁業者・行政担当者・一般市民を巻き込み、以前に比べればより多様で複雑となっている。このような社会情勢の変化を受け、淡水魚愛好家には、野外で淡水魚を採集するにあたり、従来以上に方法や個体数について、採集地域の状況に応じた配慮をすることが求められている。

ルールを守ろう

 淡水魚を採集するためには、決められたルールを守ることは当然のことである。国や地方自治体が定める関連法規を遵守すべきことは言うまでもない。淡水魚の採集に関連した主な規制は、希少な種の保全を目的とした採集の禁止と、漁業資源の保護を目的とした採集の制限である。前者には「種の保存法」（環境省所管）と「文化財保護法」（文化庁所管）が、後者には「漁業法」「水産資源保護法」（ともに水産庁所管）が関係している。

近年では、いわゆる「ガサガサ」でも淡水魚の採集には高いモラルが求められている。

 「種の保存法」の対象となる国内希少野生動植物種に指定されている淡水魚は、ミヤコタナゴ、イタセンパラ、スイゲンゼニタナゴ（カゼトゲタナゴ山陽集団）、アユモドキなど9種で、環境省の許可がなければ個体の採集は禁じられている。加えて、販売などを目的とした捕獲や譲渡などが規制される特定第二種国内希少野生動植物種にカワバタモロコとシナイモツゴが指定されている。

 国の天然記念物に指定されている淡水魚は、「文化財保護法」によって保護され、原則、採集することはできない。天然記念物は種指定と地域指定に分けられる。種指定されている淡水魚にはミヤコタナゴ、イタセンパラ、アユモドキ、ネコギギがあり、日本中どこであっても許可なく採集することはできない。地域指定には宮城県魚取沼のテツギョ、北海道春採湖のヒブナ、福井県本願清水のイトヨ、和歌山県富田川のオオウナギなどが知られ、指定された地域内では採集することができない。また、文化財保護法では、都道府県指定の天然記念物もあり、所管は各自治体となる。近年では、「ふるさと滋賀の野生動植物との共生に関する条例」など、都道府県や市町村などの自治体条例でも保護のために採集などを規制していることがある。

 漁業権が行使されている河川や湖沼では、できれば遊漁証（遊漁承認証）を購入することが望まれる。河川の遊漁証は内水面漁業協同組合が発行するもので、釣り道具屋、民宿、現地釣り場

17

で容易に購入できる。遊漁料は年券と日券とに分けられ、漁業権魚種の増殖のための資金源となる（第五種共同漁業権）。漁業権魚種は放流対象となるイワナ、ヤマメ、アマゴ、アユ、カジカなどが普通で、希少淡水魚の多くは漁業権魚種ではない「雑魚」として扱われる。しかし、漁協によっては雑魚券を設定しているところもあるので、たとえ採集対象が漁業権魚種でなくても、注意が必要である。電気ショッカーやモンドリ、それにスキューバダイビングによる採集行為などは原則、禁止されている。小河川のように漁業権が設定されていない水域でも、禁止漁法・魚種制限や体長制限など漁業調整規則による規制が及ぶ場合があるので、特別採捕許可の必要性について水産課に問い合わせておくべきである。

マナーを守ろう

河川や湖沼には、釣り人やその他レジャーを楽しむ人々や、何よりその地域に住んでいる住民への配慮が大切である。駐車場所の選定など採集に付随する行為についても、周囲の住民等に迷惑をかけないよう細心の注意を払う必要がある。

河川内で採集する場合、漁業協同組合によっては頭大の小岩を移動・反転されることにさえ神経を尖らせるところがあったり、繁殖期にアユ漁場となっている河川の瀬を胴長着用で歩けば、周辺住民から漁協へ通報されることもあるなど、地元の河川漁協の状況に関して事前に調べておこう。また、魚類以外の生物にも配慮が必要である。淡水魚愛好家は、希少な水生植物や底生動物を踏み荒らしている行為に概して無頓着である。

日本列島において元来湿地に生息していた淡水魚の多くは、現在では水田周辺域に残存している。これらの魚種は、里山の二次的自然環境にたくみに適応している。そのため、環境に配慮し、伝統的稲作を続ける農家の人たちはいわば淡水魚の保護の担い手とも言える。農業用ため池は多くの場合集落によって管理されているが、個人所有のものもある。中山間にあるため池では食用対象としてコイやフナを粗放的に養殖している場合がある。モツゴ類、タナゴ類、メダカなど所有者には価値がないと思われる小型魚であっても、池の管理者・所有者に無断で採集することは慎み、事前に連絡して、許可を得るべきである。また、勝手に水田の中に入り込んだり、畦畔を破壊したりするなど、生産活動に支障をきたす行為は行ってはならない。

また、愛好家にとって淡水魚の魅力とは、野外のガサガサ採集で水辺の自然に触れることにとどまらず、活魚で持ち帰り、実際に自宅の水槽でその生態を観察できることにある。しかし、何らかの事情で飼い切れなくなると、自然に帰すことが多い。その場合、生態系や同種で異なる集団への遺伝的攪乱を避ける意味でも、元居た場所に戻すことは鉄則である。

公共物としての理解を

淡水魚の保護に関しては幾つかの法律があるが、上記した漁業権魚種・天然記念物種・種の保存法対象種を除けば、淡水魚を採集する法的な制約は大きくない。それには、わが国では法制度上、海水魚、淡水魚を問わず野生の魚類を従来から無主物として取り扱ってきた背景がある。そのため、"採集物は採集者に帰属する"という社会通念ができ上がってしまっている。

しかし、日本の在来淡水魚の多くが絶滅危惧種に指定されるようになった今日、時代の流れは環境権を唱えるまでに変わってきている。かつては単なる雑魚に過ぎなかった普通の淡水魚までもが、環境指標や文化財でもある公共物としての価値が徐々に認められるようになっている。そのため、"採ったもの勝ち"といった意識を持ったまま他地域から採集に来れば、郷土を愛する地元の人との間でおのずとトラブルが起こるだろう。淡水魚愛好家は、ルールに従い、マナーを守るのはもちろんのこと、地元の人たちとの間で意思の疎通をはかることが肝要である。淡水魚愛好家は、今後、より高いモラルを持って責任ある採集を心がけるべきである。

最後に、野外で淡水魚に触れる時もっとも注意すべきことは、自身の身の安全を最優先に確保することに尽きる。水辺は予測不能な危険要素がいくつも潜んでいることを銘記すべきである。

ヤツメウナギ目

Petromyzontiformes

目の学名は、petro がギリシャ語で「石」、myzo が「吸う」または「抱く」という意味で、この類が口の吸盤で石に吸着して定位する習性を表現している。成魚はこの習性を転用して他魚を吸血する。腐肉食性のヌタウナギ目とともに原始的な無顎類に属し、古生代石炭紀の地層から化石種 *Mayomyzon pieckoensis* が得られており、いわば生きた化石と言える。特異な食性を持っていたことが、真の魚類・顎口類に淘汰されずに現在まで生き延びられたものと考えられる。硬骨魚類の真のウナギ類とは、えらあなが7対あること(目を合わせると8つ目)、胸びれを欠き、骨格が軟骨、外鼻孔が1つで頭頂に開くことで区別される。現生種は3科10属40種、そのうち日本では1科2属6種が知られる。川で繁殖し海で成長する遡河回遊を基本とするが、スナヤツメ類のような陸封種も存在する。

ヤツメウナギ目　ヤツメウナギ科
カワヤツメ
Arctic lamprey

学　名 *Lethenteron camtschaticum*
　　　　　(Tilesius, 1811)

全長(cm)	30～60
筋節数	68～77

絶滅危惧Ⅱ類（VU）

成体は眼が発達する　／　ひれに暗色斑がある
39.5cm 新潟県産

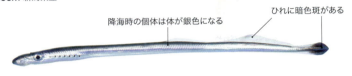

降海時の個体は体が銀色になる　／　ひれに暗色斑がある
20.0cm 富山県産

幼生は眼が発達していない　／　ひれに暗色斑がある
アンモシーテス 12.0cm 富山県産

【形態】ウナギ形の体形を持ち、幼生期（アンモシーテス）を経て、変態し成体になる。成魚は鶯色の体色を持つが、降海時の若魚は、体色が銀毛化して、銀白色になる。尾びれ後縁が黒く染まることで、日本産の他種とは区別できる。成魚の全長は30～50cm。最大で60cm。

【生態】遡河回遊を行う。幼生は河川中・上流域の流れの緩やかな場所で生息し、初秋頃海に下る。2～3年を海中で過ごした後は夏に河川に遡上し、越冬した後、春季に河川中流域の礫帯で産卵する。寄生性で、幼生期は川底の有機物を摂餌するが、変態後の海中生活期には魚類に吸血して成長する。降海しない河川残留型の存在も報告されている。

【分布】山口県・千葉県以北の本州、北海道。九州日本海側での採捕例もある。国外では朝鮮半島東岸から日本海沿岸、オホーツク海・アラスカ周辺。

【特記事項】水産上重要な種であり、各地域で食用に供されるが、資源量の減少が著しい。漁獲は河口域を中心に河川内で行われる。

（藤田朝彦）

成魚 体をくねらせて遊泳する。胸びれや腹びれはない。

頭部 1対の眼と7対の鰓孔で「八つ目」に見える。頭頂部にあるのは鼻孔で、1つしかない。

吸盤 魚体に吸着して体液を吸う。

アンモシーテス 尾部が黒くなる。

21

ヤツメウナギ目　ヤツメウナギ科
キタスナヤツメ
Northern Sand lamprey
学　名　*Lethenteron mitsukurii*
　　　　(Hatta, 1901)

全長(cm)	15〜25
筋節数	59〜65

絶滅危惧Ⅱ類（VU）

成体は眼が発達する

ひれに暗色斑はない

ほかのヤツメウナギ類に比べ歯が発達してしない

9.8cm 滋賀県産（写真提供／金尾滋史）

【形態】終生を通じ、ウナギ形の体形である。幼生期（アンモシーテス）の体色は白色から肌色で、眼が未発達である。口は裂溝状になっており、泥中で生活する。変態後は吸盤状の口を持つが、ほかのヤツメウナギ類に比べ歯が発達しておらず、皮下に埋没していることも多い。ミナミスナヤツメとは1〜6鰓孔のそれぞれの間の下側に感丘群がないことで区別できる。
【生態】一生を純淡水域で過ごし、主に河川中流部の流れの緩やかな場所に生息する。ヤツメウナギの仲間は魚類に寄生（吸血）して成長する行動が有名だが、本種群は吸血をせず、泥中の有機物を食べて成長する。変態後は摂餌を行わないとされる。
【分布】滋賀県以北の本州から北海道にかけて生息する。
【特記事項】スナヤツメ類は最初1種とされていたが、その後北方種と南方種が存在することが判明し、近年の研究でキタスナヤツメとミナミスナヤツメの2種に分類学的に整理された。北方種は、キタスナヤツメ *Lethenteron mitsukurii* Hatta, 1901）として再記載された。

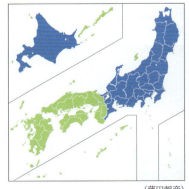

（藤田朝彦）

ヤツメウナギ目　ヤツメウナギ科
ミナミスナヤツメ
Southern Sand lamprey

学　名　*Lethenteron hattai*
　　　　Iwata, Sakai and Goto, 2024

全長(cm)	15～25
筋節数	53～60

絶滅危惧Ⅱ類（VU）

成体は眼が発達する／ひれに暗色斑はない／感丘群がある

14.2cm 愛知県産

幼生は眼が発達していない／ひれに暗色斑はない

アンモシーテス 10.2cm 岡山県産

【形態】白～肌色で眼が未発達、口が裂溝状の幼生期（アンモシーテス）を経て、成体に変態する。成体は吸盤状の口を持つ。形態的な特徴はキタスナヤツメとほぼ同じであるが、1～6鰓孔の下側に明瞭な感丘群があることで区別できる。
【生態】キタスナヤツメと差異はないと考えられる。
【分布】朝鮮半島南部、本州、四国、九州。
【特記事項】ミナミスナヤツメとキタスナヤツメは別種であると考えられていたものの、区別が困難であることから長らくスナヤツメ種群（北方種、南方種）とされてきたが、2024年に別種として本種が新種記載された。また、北海道石狩川水系では別種の**ウチワスナヤツメ** *Lethenteron satoi* Sakai, Iwata and Watanabe, 2024 が生息していることが確認されている。ウチワスナヤツメは、成魚の尾びれの形がうちわ状に丸いこと（他種はひし形）、そして口盤の歯の角質化（硬化）が弱く、口の孔の上下にある歯が丸いことで区別される。

（藤田朝彦）

23

成魚 愛知県産の個体。採集地からミナミスナヤツメと思われる。

頭部 吸盤で礫に吸いついて体を固定する。

吸盤 魚に付着して体液を吸うことはない。

アンモシーテス 幼生の口は裂溝状。

24

ヤツメウナギ目　ヤツメウナギ科
シベリアヤツメ
Landlocked Siberian lamprey

学　名　*Lethenteron reissneri*
　　　　（Dybowski, 1869）

全長(cm)	15～30
筋節数	57～78

準絶滅危惧（NT）

成体は眼が発達する

背びれに黒斑はない

尾びれ後端は黒くなる

16.7cm 北海道産

幼生は眼が発達していない

尾びれ後端は黒くなる

アンモシーテス 18.3cm 北海道産

【形態】ほかのヤツメウナギ類と同様に、アンモシーテスを経て成体に変態する。成魚の体色は暗褐色で、銀毛化して体色が強い銀色になることはない。小型種で、成魚の全長は15～20cm程度。最大で30cm。
【生態】スナヤツメ同様、一生を純淡水域で過ごし、主に河川中流部の流れの緩やかな場所に生息する。非寄生性で、幼生期は泥中の有機物を摂食する。変態後は消化器官も糸状になっており、摂餌は行わない。繁殖期は3～5月頃に平瀬の礫河床帯で行われ、親魚は産卵後に死亡する。
【分布】北海道に分布。本州では絶滅したが1965年に岩手県から確認記録があり、東北地方のほかの河川に生息する可能性は示唆されている。国外ではオビ川（カザフスタンからロシア）以東のユーラシア大陸の北極海沿岸からサハリンに分布。

吸盤で礫に吸いつく成体。体色は変異に富む。

（藤田朝彦）

ヤツメウナギ目　ヤツメウナギ科
ミツバヤツメ
Pacific lamprey

学　名 *Entosphenus tridentatus*
(Richardson, 1836)

全長(cm)	40～90
筋節数	57～78

絶滅のおそれのある地域個体群（LP）

上口歯板は 3 尖頭

42.5cm 栃木県産
（写真提供／栃木県水産試験場）

上口歯板の 3 枚の歯が特徴

【形態】外見的にはカワヤツメなどに類似するが、上口歯板上の歯が 3 本あることでほかのヤツメウナギと区別でき、和名の由来ともなっている。別名ユウフツヤツメとして呼称されたこともある。

【生態】遡河回遊を行う。河川では流れの緩やかな砂泥質の場所に生息する。孵化後 5～6 年程度河川で生息した後、海へ下り、1～2 年程度生活して、産卵のため河川を遡上する。海では寄生性の生活を送り、大型魚類やクジラの体液を吸う。繁殖期は 4 月～5 月頃とされる。

【分布】日本、ロシア（アリューシャン列島）からメキシコ（バハ・カリフォルニア半島）にかけて、北太平洋周縁に幅広く生息する。日本では北海道、栃木県、および高知県で報告がある。

【特記事項】北太平洋における広域分布種であるが、日本における報告は少なく、その生息実態は不明な点が多く、環境省レッドリストでは栃木県のミツバヤツメが絶滅のおそれのある地域個体群（LP）となっている。そのため、上記の生態情報も主に北アメリカ産の集団を対象とした文献に拠る。近年の確認は那珂川水系におけるものが主で、産卵も確認されている。

（藤田朝彦）

メジロザメ目

Carcharhiniformes

軟骨魚類は板鰓亜綱（サメ・エイ類）と全頭亜綱（ギンザメ類）に分けられ、メジロザメ目は現存の板鰓亜綱のなかでもっとも多様で、12科52属約300種が知られる。タイプ科はメジロザメ科 Carcharhinidae で、分子系統によれば姉妹群はシュモクザメ科 Sphyrnidae である。骨格が軟骨、楯鱗（歯と相同）、角質鰭条（コラーゲン繊維からなるのでふかひれスープの材料となる）、5対の鰓裂を備え、腸にラセン弁が発達し、鰾を欠くなど軟骨魚類としての一般的特徴のほか、噴水孔が閉じているなど固有の特徴を備える。繁殖様式は多様で、卵生から胎生まで知られる。サメ類は海産種から構成されるが、唯一ガンジスザメ *Glyphis gangeticus* とオオメジロザメ *Carcharhinus leucas* だけが淡水域に浸入する。

メジロザメ目　メジロザメ科
オオメジロザメ
Bull shark

学　名　*Carcharhinus leucas*
(Müller and Henle, 1839)

全長(cm)	オス 200
	メス 350

尾びれの先が長く伸びる

吻は丸く短い

胸びれや腹びれの先端が黒い

130cm 沖縄県産（写真提供／鈴木寿之）

【形態】がっしりした体形を備え性質が荒いため、英語圏では牡牛にたとえられ、和名もこれに準じてウシザメと称されることがある。吻は丸く短い。体色は青みがかった灰色で濁った水域に適応している。歯は三角形でナイフのように鋭く、のこぎり状に並ぶ。
【生態】オオメジロザメは海産のサメに比べて20倍もの尿を排出することにより淡水に適応している。胎生で、胎盤を介して母親から栄養をもらう。妊娠期間は約1年。アマゾン川では河口から3700kmまでの遡上記録がある。ニカラグア湖では淡水で再生産するが、西表島の浦内川では1m前後の個体が多くみられ、海洋性両側回遊の生活史を持つものと考えられる。寿命は長く最大約30年。
【分布】熱帯域を中心とする全世界の水深30m以浅の沿岸域、河川、湖沼。

【特記事項】20～1,000Hzの音に反応することができ、怪我を負った餌生物の不規則な低周波に敏感であると言われる。過去にサメによる人的被害のうち、オオメジロザメによる事故例は8％。

(細谷和海)

トビエイ目

Myliobatiformes

トビエイ目は10科29属221種が知られる。体はよく縦扁して体盤を形成、5対の鰓裂を備えるが、ムツエラエイ科 Hexatrygonidae だけは6対。一般に、エイ類は海産であるが、淡水域に生息または侵入する種は、サメ類に比べてエイ類の方がずっと多い。それらは淡水エイと呼ばれ、観賞魚として人気が高い。アマゾンタンスイエイ科 Potamotrygonidae や、東南アジアに分布するアカエイ科のオトメエイ属 *Himantura* やイバラエイ属 *Urogymnus* の種などがその例である。そのうち *H. chaophraya* は、体盤長2m（尾部を含めると5m以上）にもなることが知られている。浸透圧調整の仕組みは、体液中に尿素やTMO（トリメチルアミンオキサイド）を多く含んで高張を維持するサメ類とは異なる。たとえばアカエイが淡水域に侵入できる理由として、腎臓で塩分の吸収率を高めていることが確かめられている。

トビエイ目　アカエイ科
アカエイ
Red stingray

学　名　*Hemitrygon akajei*
　　　　　(Bürger, 1841)

体盤幅(cm)　50 ～ 70

体盤幅 17.4cm 和歌山県産　　　　　腹面

【形態】体は縦扁し、ひし形の体盤を形成。尾は鞭状。尾部背面には 1 ～ 2 本の毒棘がある。体盤背面の正中線上から尾の毒棘まで 1 列に並ぶ小棘があり、多くの個体で、毒棘前方に数個の斜め上向きの大きな棘が 1 列に並ぶ。オスの腹鰭は交接器に変形。

【生態】浅い海の砂泥底に生息し、大河川の河口や下流域にも侵入する。泳ぐ時は左右の胸鰭を波打たせ、海底近くを羽ばたくように泳ぐ。ベントス食性で、貝類、頭足類、多毛類、甲殻類、小魚などを食する。卵胎生で、春から夏にかけて、5~10 尾の親魚と同じ体形の幼魚を出産する。

【分布】北海道南部から東南アジアまでの沿岸域に広く分布。日本列島沿岸域でもっとも一般的に目にするエイ類で河口域では釣りの対象となる。

【特記事項】エイ類のなかでもっとも美味とされる。毒棘に刺されると数週間程度、痛みが引かない。毒はタンパク毒で、アレルギー体質の人はアナフィラキシーショックで死亡することもある。

普段は砂に浅く潜っていることが多い。

（細谷和海）

チョウザメ目

Acipenseriformes

古生代に繁栄し、大半が末期に絶滅したいわば古代魚の一つ。現生種はチョウザメ科（4属25種）とヘラチョウザメ科（2属2種）がある。吻が突出し、異尾を備えるため外見がサメに似ているが、1対の鰓裂・2対の口ひげ・大きなうきぶくろを備えるなどれっきとした硬骨魚類の一員(軟質下綱)である。卵巣はキャビアとして珍重され需要が多いため、世界中で乱獲が進み、生息環境の悪化などにともないどの種も保護を必要としている。近年、中国の揚子江（長江）と黄河に生息していたハシナガチョウザメ *Psephurus gladius* は絶滅した。わが国では沿岸域で大陸からの迷魚が混獲されることはあるが、河川に遡上するチョウザメ個体群はもはや存在しない。養殖品種のベステルは、旧ソビエト連邦で作出されたオオチョウザメとコチョウザメの交雑種である。

チョウザメ目　チョウザメ科
チョウザメ
Green sturgeon

学　名　*Acipenser medirostris*
　　　　　Ayres, 1854

全長(m)	1.0〜2.7	背部鱗数	7〜11
背鰭条数	33〜40	体側鱗数	22〜36
臀鰭条数	22〜30	腹側鱗数	6〜10

絶滅（EX）

背部に1本、両体側にそれぞれ2本の鱗板列がある
ひげが目立つ

108.0cm 北海道産

体側の鱗板列

背部の鱗板列

【形態】硬骨魚類としては原始的な軟質亜綱に属し、骨格は大半が軟骨で構成されている。体形は紡錘形で、吻は突出し下部に2対のひげがある。背部、体側部、腹部に蝶形のうろこによる鱗板列があり、和名の由来になっている。体色は緑がかった褐色で、ミドリチョウザメとも呼ばれる。成魚の全長は1〜1.5m。最大で2.7m。

【生態】沿岸の砂底に生息し、水底の小動物を捕食していると考えられる。秋に河口部から下流域で越冬した後、春から夏に遡上し、河川中・下流域の礫底で産卵する。ふ化後、稚魚はしばらく河川で生活した後、秋から冬に降海する。寿命は長く、60年生きた記録がある。

【分布】かつては天塩川、石狩川で大規模な遡上が見られたが、現在は絶滅。新潟県、福島県以北の本州・北海道の沿岸域でも確認例がある。国外では北太平洋沿岸に分布。

北海道大学で養殖・系統保存中の個体

（藤田朝彦）

アロワナ目

Osteogrossiformes

アロワナ上科とナギナタナマズ上科に二分され、5科31属244種が知られる。口腔を支える副蝶形骨と舌に歯が密生し、摂食に関与することが大きな特徴であることから、オステオグロッスム目（骨咽目）ともよばれる。多くが肺を備え、空気呼吸をする。南米、アフリカ、オーストラリア、東南アジアの淡水域に生息する淡水魚群で、その分布パターンは、かつてゴンドワナ大陸が分裂・移動したという大陸移動説の傍証となっている。特異な形態を備えるアロワナ類は古代魚と評され、観賞魚として古くから人気が高い。とりわけアジアアロワナは高価で取引されるため、乱獲が進み自然下では激減している。現在ではIUCNレッドリスト絶滅危惧(EN)に、ワシントン条約(CITES)により附属書Iに指定され、養殖魚を除き、国際取引が規制されている。

アロワナ目　アロワナ科
シルバーアロワナ
Silver arowana

学　名 *Osteoglossum bicirrhosum*
　　　　(Cuvier, 1829)

全長(cm)	60～90	側線鱗数	30～37
背鰭条数	42～50	脊椎骨数	84～92
臀鰭条数	49～58		

繁殖個体。アロワナの仲間のなかでも大きく成長する

【形態】側編かつ細長い体形をしており、体表は大きなうろこで覆われる。下顎の先端に2本のひげがあり、成魚は銀色、幼魚は青と黄橙色の縞模様がある。本種を含むアロワナ（オステオグロッスム）目に属する魚類は、口腔内の骨に歯を持つことが目の名前の由来となっており、大きな特徴である。

【生態】口が上位であり、水面の魚類を捕食したり、水面から飛び出して陸生や樹上の大型昆虫を捕食するなど、水面下から泳ぎながら獲物を捕らえることができる。雄は卵～幼魚の口内保育を6週間程度行う。酸素濃度の低い環境にも適応できる。原産地では洪水期の初期に産卵する。

【分布】原産地は南米アマゾン川流域およびギアナ。本種の飼育個体の投棄による野外確認はアメリカ、香港など、日本以外でも多くの国で確認されている。本邦では、近年沖縄本島で定着している。

【特記事項】釣りの対象魚としても人気が高い。観賞魚として国内でも多く流通している。沖縄県では、沖縄県対策外来種リストにおいて本種を「沖縄県に定着しており、生態系に影響があると考えられる外来種」として、防除対策外来種に指定している。IUCNレッドリストでは低危険種（LC）に位置づけられている。

（藤田朝彦）

34

カライワシ目

Elopiformes

体形がやや側偏した紡錘形で体色が銀白色を呈するためニシン・イワシ類を思わせるが、成長・発育の過程で葉形仔魚レプトケファルスを経ることから、むしろウナギ類に近縁である。下顎縫合部の直後に鰓条骨が変形してできた喉板と呼ばれる骨板をもっている。暖海沿岸性の表層魚で2科2属9種が知られる。このうちわが国では、カライワシとイセゴイの葉形仔魚〜幼魚が黒潮の影響を受ける河川の河口域に出現する。その個体数はかつて少なかったが、近年、地球温暖化の影響による海水温の上昇にともない、珍しくなくなってきている。大西洋に生息するイセゴイの近縁種ターポンは、釣りの好対象とされるが、一般的にカライワシ目の魚は不味とされる

カライワシ目　イセゴイ科
イセゴイ
Indo-Pacific tarpon

学　名　*Megalops cyprinoides*
　　　　　(Broussonet, 1782)

全長(cm)	50～150
背鰭条数	16～20
臀鰭条数	23～31
側線鱗数	30～40
鰓耙数	46～52

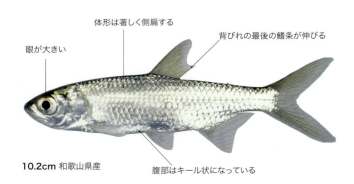

眼が大きい
体形は著しく側扁する
背びれの最後の鰭条が伸びる
腹部はキール状になっている
10.2cm 和歌山県産

【形態】体は側扁し、体色は背側が濃青色で、体側から腹部は銀白色。背びれの最後の鰭条が長く伸び、腹部はキール状である。成魚の全長は50〜70cm程度。最大で1.5m。仔魚期はウナギなどと同じような、透明な柳葉状の葉形仔魚（レプトケファルス）である。

【生態】成魚は沿岸部に生息するが、稚魚から未成魚は、河川の汽水域から淡水域の湖沼、湿地帯、農業水路、水田、マングローブ帯などの流れのない場所を好む。うきぶくろを使って空気呼吸をすることができる。産卵は海域で行われるとされ、初夏に葉形仔魚の段階で河川を遡上。成魚は強い魚食性を示す。

【分布】新潟県以南の日本海側、青森県以南の太平洋側で確認されているが、基本的には黒潮の影響を受ける範囲に分布する。国外では、インド洋から西部太平洋の熱帯・亜熱帯域に幅広く分布。

レプトケファルス。ウナギ目と異なり尾びれは二叉。

(藤田朝彦)

ウナギ目

Anguilliformes

ウナギ、マアナゴ、ハモ、ウツボなどを含み、深海から河川まで水圏のあらゆるところに生息する多様な分類群で、19科159属938種が知られる。どの種も成長・発育の過程で葉形仔魚レプトケファルスを経る。2009年に西太平洋パラオ海域の洞窟から発見されたムカシウナギ *Protanguilla palau* がもっとも原始的とされる。ウナギ科は海洋で繁殖し淡水域で成長する降河回遊を基本とする。ウナギ科の地理的分布は広く、暖流に接する沿岸部に分布する。分布の中心はインドネシアで、分散の歴史は大陸移動とテーチス海の挙動と密接に関係する。日本列島にはニホンウナギ、オオウナギ、ニューギニアウナギおよびウグマウナギ（ルソンウナギ）が来遊する。

ウナギ目　ウナギ科
ニホンウナギ
Japanese eel

全長(cm)	50～100
胸鰭条数	15～20
肛門前側線孔数	30～35
脊椎骨数	112～119

絶滅危惧 IB 類（EN）

学　名　*Anguilla japonica*
　　　　　Temminck and Schlegel, 1846

体色は背面が黒っぽく、腹面は白っぽい

体側に模様はない

54.5cm 静岡県産

背びれの開始位置は
胸びれの開始位置よりも、臀びれの開始位置に近い

10～15cm 程度の個体が「クロコ」と呼ばれる。体色は黒っぽく色づく

クロコ 13.7cm 和歌山県産

体色は透明で、10cm に満たない

シラスウナギ 5.2cm 和歌山県産

【形態】体形は棒状。魚類学上この様な体形をウナギ形：Anguilliform と呼ぶ。成魚の体色は背部が黄褐色から黒色、腹部が白色から黄白色。背部の青味が強くなる個体は「アオ」と呼ばれ、食用として珍重される。腹びれを欠き、背びれ、尾びれ、臀びれがつながる。成魚の全長は 50～60cm 程度。最大で 1m。
【生態】成魚は沿岸部から河川上流域に幅広く生息する。淡水域に遡上しない個体もいる。降河回遊を行い、海で産卵、ふ化後、透明なレプトケファルスの段階を経て、シラスウナギとなって晩秋から初冬頃、河川遡上を開始する。体が色づく 10cm 程度のクロコと呼ばれる段階で活発に遡上を続け、やがて定着する。5～10 年程度生活した後、秋に産卵場所である深海への移動を開始する。動物食性で、甲殻類、魚類などを幅広く摂餌する。
【分布】琉球列島以北の本州、四国、九州とその周辺諸島。北海道南部。日本海沿岸には少ない。国外ではフィリピン北部、中国、台湾、朝鮮半島に分布。
【特記事項】日本の水産業・食文化上で重要な種だが、乱獲や生活場所の減少による資源枯渇が極めて強く懸念されている。

（藤田朝彦）

成魚 岩の下に隠れる。夜間は遊泳して捕食を行う。

下りウナギ 胸びれが黒くなり、体側に細かな模様（リンズ斑）が現れる。

クロコ 体が色づきはじめている。

シラスウナギ 体は透明である。

遡上 ニホンウナギの遡上意欲は強い。水面から出て、濡れた岩盤上を活発に登っていく。

ウナギ目　ウナギ科
オオウナギ
Giant mottled eel

全長(cm)	70〜200
胸鰭条数	15〜21
脊椎骨数	100〜110

学　名　*Anguilla marmorata*
　　　　　Quoy and Gaimard, 1824

体側にまだら模様がある

44.5cm 沖縄県産

背びれの開始位置は
尾びれと胸びれの開始位置の中間か、胸びれに近い

13.0cm 沖縄県産

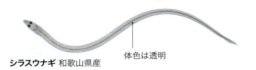

シラスウナギ 和歌山県産　　体色は透明

【形態】体形はニホンウナギと似るが、より大型になる。背部および体側に黒色と黄褐色の不規則なまだら模様がある。また、シラスウナギの状態でも尾柄に黒斑があることから、ニホンウナギと区別できる。ひれの位置などでも見分けることが可能。成魚の全長は70cm〜1.5m程度。海外では2mを超える個体も確認されている。

【生態】成魚は河川の中・下流域の流れの緩やかな場所、マングローブ帯や池沼に生息。ニホンウナギと共生する河川では、本種の方が下流域に生息する傾向がある。降河回遊を行う。動物食性で、魚類や甲殻類などを捕食する。

【分布】利根川以西の太平洋側、長崎県以西の東シナ海側の本州、四国、九州およびその周辺島嶼、琉球列島。国外ではインド洋から西太平洋の沿岸に分布し、ウナギの仲間ではもっとも広範囲に分布する。

【特記事項】一般には食用にされないが、薬食いとして珍重する地域は多い。本種およびその生息地が多くの地域で国および地域指定の天然記念物になっている。

（藤田朝彦）

成魚 遊泳する個体。まだら模様が顕著に出ている。

未成魚 体色はニホンウナギよりも黄色味が強い。

シラスウナギ 尾柄に黒斑があるため、ニホンウナギと区別できる。

オオウナギの頭部 礫間から顔を見せた。長い鼻管がオオウナギの特徴を現わす。

43

ウナギ目　ウナギ科
ニューギニアウナギ
Short-finned eel

学　名 *Anguilla bicolor pacifica* Schmidt, 1928

全長(cm)	60～120
背鰭条数	240～245
臀鰭条数	200～220
縦列鱗数	103～115

情報不足（DD）

13.0cm 沖縄県産

【形態】ニホンウナギと同じく細長く円筒形の典型的なウナギ型の体形。ニホンウナギとは、背鰭基点が肛門のほぼ直上にあることで区別できる。体色は、背側〜尾部が茶色〜青灰色、腹側が黄〜白の淡色。

【生態】ニホンウナギと同様に、降河回遊を行う。河川に遡上した後は沿岸域〜淡水域に生息するが、大河川よりも、小規模な河川やたまりなどの湿地帯に多いとされる。小魚、甲殻類や軟体動物などを食べる。産卵は、マダガスカル島南部で行われるとする報告がある。

【分布】国内では宮崎・鹿児島県〜沖縄県で確認されている。太平洋の熱帯域を中心に分布する。インド洋熱帯域には別亜種の *A. b. bicolor* が生息する。

【特記事項】日本国内でも本種を用いた養鰻が行われている。その場合は「ビカーラ種」と呼ばれることが多い。IUCNレッドリストでは準絶滅危惧種（NT）に位置付けられている。

鼻管は黄色いことが多い。

（藤田朝彦）

ウナギ目　ウツボ科
ナミダカワウツボ
Pink-lipped moray eel
学　名　*Echidona rhodochilus*
　　　　Bleeker, 1863

全長(cm)	30
胸鰭条数	15〜21
脊椎骨数	118〜123

絶滅危惧IA類（CR）

斑紋はない

30.0cm 沖縄県産（写真提供／鈴木寿之）

白色斑がある

【形態】眼の周囲は白く縁どられ、目から下顎にかけて白色斑があるため、涙を流しているように見える。体は緑褐色で、斑紋はない。前上顎骨板の歯は2〜3列に並ぶ。

【生態】マングローブ湿地が発達する河口のやや開けた汽水域に生息し、岩の亀裂、死サンゴの下、土管の中に潜んでいる。生活環については明らかにされていないが、幼期を海域でレプトケファルスとして過ごす両側回遊または降河回遊を行うと考えられている。顎歯の形状から甲殻類を中心とした小動物を捕食すると思われる。ペットとしても販売されており、飼育下では小魚も食べる。

【分布】フィリピン、インドネシア、フィジー諸島など西部太平洋の熱帯域に分布する。わが国では西表島の浦内川のみから知られる。

【特記事項】浦内川河口域では生活排水がもたらすヘドロの堆積により還元層が発達し、生息環境が悪化している。

日本では浦内川のみに生息。
（写真提供／笠井雅夫）

（細谷和海）

column 透明骨格標本

二重染色法によるエツ幼魚の透明骨格標本。体長 9.0cm

　透明標本がブームとなっている。特に硬骨を赤、軟骨を青に染め分ける二重染色法を用いた透明骨格標本が人気の的となり、すでに一部は商品化されている。透明骨格標本とは筋肉組織をトリプシンやKOHで透明化した後、特殊な色素で骨格系だけを染色し、最後にグリセリンの中に封入保存する方法のことである。この方法を用いれば外部から骨格系が透けて見え、立体観察が可能となる。

　この技術の歴史は古く、第2次世界大戦前に開発された硬骨染色にはじまる。現在では小型の脊椎動物を対象に、機能解剖学、系統分類学、発生学などさまざまな分野において利用されている。魚類学の諸分野でも欠かすことができない手法となっている。

　写真のエツは有明海で採集された個体で、すでに30年以上も経過しているにもかかわらず色落ちせず、透明感が維持されている。アリザリン・レッドで赤に着色された中軸骨格や頭部骨格系の硬骨要素が鮮明で、アルシアン・ブルーで青に着色された軟骨要素が鰓弓で顕わになり、長い臀びれ基底や尾びれの付け根に介在しているのがわかる。さらに頭蓋骨の前端が両あごより前にあり、うきぶくろの前端が内耳につながっているのが確認でき、エツがナマズのような細長い体形にもかかわらずカタクチイワシの仲間であることが理解できる。

　このように透明骨格標本は単に見た目の美しさだけではなく、体の成り立ちを観察可能とし、魚類の進化が学べるよい教材となる。作製にはある程度の時間と薬品、それに試行錯誤が必要となるが、よい透明骨格標本を作ることは決して難しくない。魚類固定標本や身近な食材でトライしてみよう。

　作成には以下の文献を参照されたし。

朝井俊亘・細谷和海.2012.ちりめんじゃこを用いた透明骨格標本の作製.近畿大学農学部紀要,45：135-142.

河村功一・細谷和海.1991.改良二重染色法による魚類透明骨格標本の作製.養殖研報,20：11-18.

小西雅樹・朝井俊亘・武内啓明・細谷和海.2010.干物を利用した魚類透明骨格標本の作製.近畿大学農学部紀要,43：105-110.

（細谷和海）

ニシン目

Clupeiformes

体は側扁形で復縁に稜鱗を備える。体の側線は多くの種において不完全、臀びれ基底は長くなる進化傾向にあり、うきぶくろは1対の細管によって内耳に連結する。5科92属405種が知られる。ほとんどの種が表層遊泳性のプランクトン食者。どの水域においても食物連鎖の重要な役割を担っている。幼生は半透明のシラスで、東南アジアの幼形魚スンダサランクス科魚類は一生をシラスの状態で過ごす。一般に北方系の海産魚をイメージしやすいが、熱帯地方では淡水魚が多い。たとえばニシン目でもっとも原始的とされる西アフリカ産の *Denticeps clupeoides* は純淡水魚である。日本列島の河川にはエツが遡上するほか、ニシン、サッパ、コノシロ、ドロクイなどが河口域に浸入する。

ニシン目　ニシン科
サッパ
Japanese sardinella

学　名　*Sardinella zunasi*
(Bleeker, 1854)

全長(cm)	10～15
背鰭条数	7～19
臀鰭条数	18～20
腹鰭条数	8

黒色斑がある

後端は黒くならない

下顎から臀びれまでの腹縁は丸く膨らむ

後端は黒くならない

6.2cm 島根県産

【形態】体は前後方向に長い楕円形で、側扁する。下あごから臀びれまでの腹縁は丸く膨らむ。腹部正中線に稜鱗があり、臀びれの最後の2本の軟条は伸長する。背びれの前方にあるうろこは体の正中線上に配列せず、尾びれ両葉の後端は黒くならない。えらぶたの上方に黒色斑がある。

【生態】主に河口部や内湾に生息する。孵化後、1年で約10cm、2年で約13cmに成長し、1年で成熟する。繁殖期は5～9月で、沿岸部の浅所で産卵する。カイアシ類などのプランクトンを食べる。

【分布】北海道、本州、四国、九州、沖縄島。国外からは朝鮮半島南部、中国沿岸、台湾から知られる。

【特記事項】瀬戸内海では「ままかり」と呼ばれ、酢漬けやみりん干しにして食される。

サビキ釣りの外道としても知られる。

（井藤大樹）

ニシン目 ニシン科
コノシロ
Dotted gizzard shad
学 名 *Konosirus punctatus*
(Temminck and Schlegel, 1846)

全長(cm)	15～25
背鰭条数	14～20
臀鰭条数	16～27
腹鰭条数	8

黒色斑がある

背びれの最後方の軟条は糸状にのびる

腹縁に稜鱗がある

28.4cm 三重県産

【形態】体は前後方向に長い楕円形で、側扁する。腹部正中線に稜鱗があり、上あご前縁に鋭い欠刻がある。背びれの最後の軟条は糸状にのびる。背びれの前方にあるうろこは体の正中線上に並ばず、上あご後端は下方にまがらない。えらぶたの後方に黒色斑がある。
【生態】主に河口部や内湾に生息する。繁殖期は3～6月で、河口部にて日没後に産卵する。卵は分離浮遊性で、3日ほどで孵化する。孵化後、1年で約15cmに成長し、成長のよい個体では成熟する。多くの個体は孵化後2年で成熟する。主にカイアシ類や珪藻類などのプランクトンを食べる。
【分布】本州、四国、九州の沿岸。国外では朝鮮半島沿岸、海南島までの中国沿岸、台湾から知られる。
【特記事項】酢の物や背越しにして食される。江戸前では10cmほどの個体を「こはだ」と呼び、寿司種として珍重される。

出世魚として知られる。

(井藤大樹)

ニシン目　カタクチイワシ科
エツ
Japanese grenadier anchovy

学　名　*Coilia nasus*
　　　　Temminck and Schlegel, 1846

全長(cm)	20～40
背鰭条数	13
臀鰭条数	81～97
縦列鱗数	70～79

絶滅危惧IB類（EN）

体側は銀白色
上あご後端は伸張する
尾びれ基底は長く、尾びれと連続する

オス 18.8cm 福岡県産

胸びれに遊離軟条がある
尾びれの先端は尖形

メス 28.5cm 福岡県産

【形態】体は細長く、著しく側扁する。頭は小さく吻端が丸く突出する。口は大きく、上あご後端は伸長し、胸びれ近くに達する。側線はない。臀びれ基底は長く、その後端は尾びれ基底と連続する。胸びれの上部軟条6本が遊離して長く伸びる。

【生態】有明海奥部の河口付近に生息し、5～9月に筑後川感潮域の上流部に遡上して産卵する。仔稚魚は、成長に伴って河口域へと移動し、全長約11cmに達したものから降海する。仔稚魚は主に枝角類を捕食し、成長とともにカイアシ類を摂餌するようになる。

【分布】日本固有種。有明海湾奥部と筑後川を中心とした流入河川の感潮域に分布する。

【特記事項】塩焼き、刺身（洗い）、唐揚げ、南蛮漬けなどで食される。佐賀・福岡両県では5～7月にエツ流し刺網漁が行われるが、1980年代半ばから漁獲量は低迷している。

(武内啓明)

コイ目

Cypriniformes

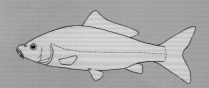

　淡水魚の代表格である骨鰾上目はうきぶくろと内耳をつなぐウェーベル氏器官（P.9）を備えることを特徴とし、ネズミギス目、コイ目、カラシン目、ナマズ目、デンキウナギ目から構成される。このうちコイ目がもっとも所帯が大きく、コイ科、サッカー科、ドジョウ科、フクドジョウ科、ギリノケイラス科に属する約500属約5000種が知られ、脊椎動物のなかで最大の種数を誇る。東南亜アジアで著しく多様化し、南米やオーストラリアにはもともと分布しない。コイ科は3列の咽頭歯（P.10）を基本とし食性に合わせた機能分化が認められる。近年の分子系統の解析結果（Tan and Armbruster, 2018）はコイ科を厳密な意味でのコイ科のほか、タナゴ科、カマツカ科、ウグイ科、クセノキプリス科など12科に細分している。

コイ目　コイ科
コイ（野生型）
Wild-type carp

学　名　*Cyprinus carpio*
　　　　　 Linnaeus, 1758

全長(cm)	40〜80	側線鱗数	33〜38
背鰭条数	iv+19〜21	脊椎骨数	35〜37
臀鰭条数	iii+5	咽頭歯数	3,2,1-1,2,3

体高が小さい。飼育型より赤みが強い体色
吻部に目立つ溝
腹縁部は直走する

48.0cm 滋賀県産

【形態】体はやや細長く、口は吻端の下方にあり尖る。吻はフナ属より長く、頭が三角形を呈する。飼育型のコイに比べて体高が小さく、体幅が厚く、全般に赤みが強い。
【生態】湖、大きな川の下流域から汽水域までの底層部に生息する。琵琶湖では飼育型よりもさらに深層に生息する。砂底や砂泥底を好み、水底近くを泳ぐ。飼育型より人に慣れにくく、飼育は困難。繁殖期は4〜7月で、フナ属より1か月遅い。繁殖期に2〜3回の産卵を行う。1回の産卵数は20〜60万粒、日本産コイ科魚類のなかでもっとも多い。雑食性。
【分布】飼育型の移殖により、自然分布の実態は明らかではないが、少なくとも関東平野、濃尾平野、琵琶湖・淀川水系、岡山平野、高知県四万十川、福岡県筑後川など大きな水系が想定される。
【特記事項】各地で飼育型との交雑が進んでいる。

警戒心が強く、飼育することは難しい

（細谷和海）

コイ目　コイ科
コイ（飼育型）
Reared-type carp

学　名　*Cyprinus carpio*
　　　　　Linnaeus, 1758

全長(cm)	50〜100	側線鱗数	33〜38
背鰭条数	iv+19〜21	脊椎骨数	35〜37
臀鰭条数	iii + 5	咽頭歯数	3,2,1-1,2,3

背びれ基底は長い
前頭部は張り出す
うろこの輪郭は明瞭
体高は大きく、腹縁部は外に張り出す

39.8cm 北海道産

【形態】基本的な特徴は野生型と同じだが、育種目標によりさまざまに改良されている。食用では体高の大きなヤマトゴイ（大和鯉）、うろこがひれの基底にわずかにあるだけのカワゴイ（革鯉）、大きなうろこが体側線上とひれの基底に並ぶカガミゴイ（鏡鯉）、観賞用では色彩変異型のニシキゴイ（錦鯉）とイロゴイ（色鯉）に加え、衣状のひれを備えたヒレナガゴイ（鰭長鯉）がある。
【生態】基本的な特徴は野生型と同じだが、野外で実際に生き延びられるのはヤマトゴイなど野生型に近い体形と体色を備えた品種だけである。
【分布】日本では古くから移殖が盛んで、ほぼ全国的に分布する。特に海から離れた農村地域では、除草と食用目的で水田養鯉がなされていた。
【特記事項】ヤマトゴイとニシキゴイは日本で作出されたもので、カワゴイやカガミゴイはヨーロッパ原産、ヒレナガゴイはインドネシア原産。コイの性決定様式はXY型で、ホルモン処理した性転換オスXXを使って、全雌魚生産が試みられている。

（細谷和海）

成魚 4本の口ひげを備えたキツネ顔。飼育型は体高が大きい。

生息水深 ギンブナ（左）より吻が長く、より底生性が強い。

吸引摂餌 上あごを自由に突出できる。

幼魚 尾びれ基底に1本の黒い横帯がある。

54

コイのリフレッシュ　コイでもあくびをする。背伸びのかわりにひれを広げる。

ヒレナガゴイ　長野県上田市の千曲川で漁獲された野生個体。(撮影／細谷)

カワゴイ(手前)とカガミゴイ(後方右上)　ともにドイツゴイと呼ばれる。東欧では重要な食用魚。

群れ 半底生性で、数尾ずつで群れをなして泳ぐ。貝類、ゴカイ、水生昆虫などを口ひげを頼りに探索している。

コイ目　コイ科
ゲンゴロウブナ（ヘラブナ・カワチブナ）
Gengorou crucian carp

全長(cm)	20〜50	側線鱗数	29〜33
背鰭条数	iv+15〜18	鰓耙数	92〜128
臀鰭条数	iii+4〜5		

絶滅危惧IB類(EN)

学　名 *Carassius cuvieri* Temminck and Schlegel, 1846

体高が大きい
うろこの模様が連続し、縦帯が入っているように見える
尾柄は低い

42.5cm 滋賀県琵琶湖産

体色は比較的銀色味が強い

9.4cm 岡山県産

【形態】成魚の全長は20〜40cm程度。最大で50cmに達する大型のフナである。日本産のフナ類ではもっとも体高が大きく、側扁する。側線より上方のうろこの中央部分に黒斑があり、暗色縦帯のように見える。稚魚期は、尾柄部に比較的明瞭な黒い横帯が確認できる。

【生態】琵琶湖では、幼魚は沿岸部や内湖、成魚は沖合の上・中層に生息する。ほかのフナ類に比べ、小規模水域には少ない。群れを作る傾向が強い。植物プランクトンを主に摂食する。産卵は3〜6月に抽水植物帯で行う。ほかのフナ類よりも、岸から離れた浮遊物や、ヨシ帯でもより水域側に近い場所に産卵する傾向があり、あまり奥深くには入り込まないようである。

【分布】琵琶湖・淀川水系の固有種であるが、放流により全国に分布。ダム湖にも多い。

【特記事項】釣りの対象魚として、全国に放流されており、釣り人からはヘラブナと呼ばれている。本種を対象とした釣りは、日本産淡水魚を対象とした釣りではもっとも盛んなものの一つであろう。

（藤田朝彦）

大型の個体 体高はきわめて大きい。滋賀県琵琶湖産。

カワチブナ ゲンゴロウブナを改良した養殖品種。河内地方で養殖が盛んだったことに由来。

未成魚 小型の個体でもほかのフナ類より体高は大きい。眼も大きく見える。

59

コイ目　コイ科
ギンブナ
Silver crucian carp

学　名　*Carassius* sp.

全長(cm)	15～40
背鰭条数	iv + 15～18
臀鰭条数	iii + 5
側線鱗数	28～31
鰓耙数	41～57

40.5cm 滋賀県琵琶湖産

11.6cm 埼玉県産

【形態】成魚の全長は15～30cm、最大40cm程度になる。体形は側扁する。日本産のフナ類ではゲンゴロウブナに次いで体高が大きく、尾柄が高い。吻端がやや尖る。

【生態】生活場所は幅広く、河川の渓流域を除くほとんどの淡水環境に生息する。もっとも多いのは農業水路やため池などの小水域。繁殖期は3～6月。抽水植物帯で産卵する。雑食性。

【分布】沖縄から北海道に生息。国外における本種の分布は不明。

【特記事項】各地で「マブナ」というと概ね本種を指す。ギンブナは3倍体のメスのみであるとする文献も多いが、上記の形態・生態的特徴を持つ個体にはオス個体が確認される場合もあり、また、さまざまな倍数性の個体が存在する。ただし、いずれもクローンとして雌性生殖による再生産が行われていると考えられている。なお、沖縄諸島のフナは、環境省レッドリストでは異なった種（フナ属の1種）として取り扱われている。

（藤田朝彦）

産卵 一次的水域に侵入した産卵群。かなり浅い水深にも入りこむ。

成魚 "ヒワラ"と呼ばれる琵琶湖産の大型個体。ほとんどメスしかいない。

未成魚の群れ 比較的大きな群れを作ることが多い。

コイ目　コイ科
ニゴロブナ
Nigoro crucian carp

学　名 *Carassius buergeri grandoculis*
Temminck and Schlegel, 1846

全長(cm)	20〜40	側線鱗数	29〜32
背鰭条数	iv+15〜18	鰓耙数	54〜72
臀鰭条数	iii+5		

絶滅危惧IB類（EN）

体高は小さく、体色はやや赤みが強い
尾柄高は低い
喉部は角張る

42.5cm 滋賀県産

18.9cm 滋賀県産

【形態】成魚の全長は20〜30cm程度。最大で40cmに達する。日本産のフナ類ではもっとも体高が小さく、また吻が短く、喉部が角張る。体形は体幅が厚く、体の断面が丸い傾向がある。尾びれは鋭く切れこむ。また、ほかのフナ類よりもうきぶくろの側壁や気道弁が顕著に発達する。

【生態】琵琶湖では、成魚は沖合の底層に生息し、産卵は内湖や沿岸部の浅場で行う。繁殖期は3〜6月。雑食性であり、動物プランクトンを主に摂食する。2〜3年で成熟する。

【分布】琵琶湖固有亜種。

【特記事項】ニゴロブナのメスは「ふな寿司」の材料として、特に高価で取引される。これはほかのフナ類よりも、すしに漬けた際に骨が柔らかくなるためであるとされる。本亜種は、琵琶湖では漁師に雌雄や系群の違いでイオ、マル（マルブナ）、テリ（ヒデリブナ）、アメ（アメブナ）と呼び分けられている。琵琶湖の食文化にとってきわめて重要な亜種であるが、近年大幅に減少している。最近では、琵琶湖以外の場所での養殖も行われている。

（藤田朝彦）

成魚 老成した個体。ニゴロブナは、ふな寿司の原料として高値で取引される。

成熟した成魚 頭部側面からえらぶた周辺に追星が見られる。ナガブナと識別しにくい個体もいる。

幼魚 約5cmの幼魚。喉部が角張っているのがよくわかる。

コイ目 コイ科
ナガブナ
Slender crucian carp

学　名　*Carassius buergeri* subsp. 1

全長(cm)	15〜30	側線鱗数	28〜32
背鰭条数	iv+15〜18	鰓耙数	48〜57
臀鰭条数	iii〜iv+5		

情報不足（DD）

体高は小さい　　体色はやや赤みがかる

鋭く切れこむ

16.0cm 福井県産

【形態】成魚の全長は 15〜25cm、最大で 30cm 程度。ギンブナよりも体高は小さく、背びれの基底が短い、口が大きい、眼が大きい、体形が円筒状に近いといった特徴がある。ニゴロブナに似るが、鰓耙数は少なく、ニゴロブナよりも口は上を向く。

【生態】湖沼沿岸部の中・底層域、河川の中・下流部に生息する。食性、繁殖などの生態についてはほかのフナ類と同様であると考えられるが、詳細については不明。

【分布】諏訪湖、三方五湖、本州日本海側。北海道にも生息の可能性がある。

【特記事項】本種の和名が提唱されたのは 1969 年と、比較的最近であり、当時は北海道にも生息するとされていた。諏訪湖ではナガブナが「アカブナ」、ギンブナが「クロブナ」として区別されてきている。諏訪湖では、ギンブナよりも美味であるとされる。

頭部が大きく見える。

（藤田朝彦）

64

コイ目 コイ科
キンブナ
Golden crucian carp

学　名　*Carassius buergeri* subsp. 2

全長(cm)	10〜15	側線鱗数	26〜30
背鰭条数	iii〜iv+11〜14	鰓耙数	30〜38
臀鰭条数	iii〜iv+5		

絶滅危惧Ⅱ類（VU）

- 体高は小さい
- 背びれの基底は短い
- うろこが金色がかる
- 喉部は円い
- ゆるく切れこむ

10.9cm 埼玉県産

【形態】日本産フナ類としては小型で、成魚の全長は 10cm、最大 15cm 程度になる。体形は側扁するが、ギンブナに比べると紡錘形に近く、体高は小さい。体色は黄褐色であり、うろこの外縁は明るい。体色が和名の由来になっている。

【生態】生活場所は幅広いが、溜池、小川や農業水路といった平地の湿地帯などの小規模な水域に多い。繁殖期は3〜6月。抽水植物帯で産卵する。雑食性。

【分布】関東から東北地方の太平洋側に分布。近年は北海道各地で国内外来種として確認され、北海道版ブルーリストに掲載されている。

【特記事項】里地を代表するなじみ深い種であったが、近年は減少が進んでいる。関東の水郷地帯では「キンタロウブナ」と呼ばれて親しまれているが、すっかり減ってしまった。

体色の金色味が強いのが特徴。

（藤田朝彦）

コイ目　コイ科
オオキンブナ
Giant golden crucian carp

学　名　*Carassius buergeri buergeri*
　　　　 Temminck and Schlegel, 1846

全長(cm)	15 〜 35
背鰭条数	iii〜iv+14〜16
臀鰭条数	iii〜iv + 5
鰓耙数	36 〜 45

キンブナよりも体高が大きく、ギンブナよりも体高が小さい傾向がある

比較的大型化する

背鰭条数はキンブナより多く、ギンブナより少ない傾向がある

うろこは金色がかる

ゆるく切れこむ

31.4cm 兵庫県産

14.0cm 兵庫県産

【形態】成魚の全長は 15 〜 20cm、最大 35cm 程度になる。体形は側扁する。同所的に生息するギンブナに比べると、体高が小さい、鰓耙数や背鰭条数が少ないといった点が異なる。体色は黄褐色で、キンブナに似るがより大型になる。そのことが和名の由来となっている。

【生態】生活場所は河川の中・下流域から、池沼、湿地帯、農業水路と幅広い。繁殖期は 3 〜 6 月。抽水植物帯で産卵し、雌雄比は 1 対 1。著しい雑食性。本種の生態に注目した研究は少なく、生態は不明な点が多い。

【分布】中部地方以西の本州、四国、九州に生息する。

【特記事項】本種の存在が提唱されたのは 1980 年頃であるが、1960 年代から存在は示唆されていた。それまでは、キンブナと同一とされることが多かった。

体色は黄色味が強い。

（藤田朝彦）

66

column イシガイ類は生態系の豊かさの象徴

　タナゴ類やヒガイ類の産卵母貝として知られるイシガイ類は、その生活史においてグロキディウム幼生の一時期を魚のえらやひれに寄生して過ごすという特異な生活史を持つ。

　しかし、寄生する相手はどの魚種でもよいというわけではない。なぜなら、イシガイ類と同所的に生息する魚の多くは、幼生の寄生を阻む生理的なシステムを進化させているからである（Bauer and Vogel, 1987; Jansen et al., 2001）。宿主以外の魚種に寄生しても、幼生の多くは正常に変態できずに死んでしまう（石田ほか, 2010）。また、宿主となる魚種であっても、幼生に寄生された経験のある個体では、一時的な抵抗性を獲得することが報告されている（Rogers and Dimock, 2003；近藤, 2014）。

　このように、イシガイ類が繁殖を行うためには、寄生宿主となる魚種（しかも、抵抗性を獲得していない若齢魚）が多数生息している生産性の高い環境が必要であり、イシガイ類の存在は陸水生態系の豊かさを示す指標といえるかもしれない。　　　　（武内啓明）

タナゴ類の産卵母貝となるイシガイ。

寄生宿主となるヨシノボリ類（写真はカワヨシノボリ）。

コウライモロコのひれに寄生したグロキディウム幼生。

コイ目　コイ科
ヤリタナゴ
Slender bitterling

全長(cm)	5〜10
背鰭条数	iii+8〜9
臀鰭条数	iii+8〜10
側線鱗数	36〜39

準絶滅危惧（NT）

学　名　*Tanakia lanceolata*
　　　　　（Temminck and Schlegel, 1846)

背びれ上端は朱色
鰭条間膜に紡錘形の黒色斑がある
肩部に暗色斑は不明瞭
口ひげは長い
臀びれ外縁は朱色
体側の縦帯は不明瞭
オス 8.3cm 岡山県産
黒色素胞はまばら
メス 9.3cm 岡山県産
2.4cm 繁殖個体

【形態】タナゴ類のなかでは体高が小さく、細長い。1対の長い口ひげを持つ。肩部の暗色斑はなく、体側後半部の暗色縦帯も不明瞭。背びれの鰭条間膜にアブラボテ属の特徴とされる紡錘形の黒色斑がある。繁殖期のオスの体側前半部は赤みを帯び、背びれの上端と臀びれの外縁が鮮やかな朱色に染まる。メスの産卵管は短く、最大伸長時でも臀びれの後端を越えない。

【生態】河川中・下流域、平野部の細流、農業水路などのやや流れのあるところを好む。繁殖期は4〜8月で、カタハガイ、オバエボシガイ、ヨコハマシジラガイ、マツカサガイなどに数十粒の紡錘形の卵を産む。雑食性で付着藻類や小型の底生動物を食べる。

【分布】日本産のタナゴ類のなかではもっとも分布域が広く、青森県から九州にかけての日本各地に見られる。国外では中国鴨緑江水系から朝鮮半島南部にかけて分布する。

【特記事項】アブラボテとの間で人工および天然交雑種が存在し、累代妊性を持つことが知られている。

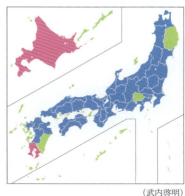

（武内啓明）

産卵親魚 主にカタハガイ、オバエボシガイ、マツカサガイなどに産卵する。

アブラボテとの交雑個体 交雑第1代は両種の中間的な特徴を示す。

頭部 口ひげが長く、よく目立つ。

幼魚 アブラボテと比べて体が細長い。

コイ目 コイ科
アブラボテ
Oily bitterling

全長(cm)	4〜7
背鰭条数	iii + 8〜9
臀鰭条数	iii + 9〜12
側線鱗数	32〜36

学 名 *Tanakia limbata*
(Temminck and Schlegel, 1846)

準絶滅危惧（NT）

体側は褐色
鰭条間膜に紡錘形の暗色斑がある
口ひげは長い
橙色の縦帯があり、縁辺は黒色
オス 5.6cm 和歌山県産

黒色素胞が密に分布する
2.9cm 繁殖個体

メス 4.8cm 和歌山県産

【形態】体色は雌雄とも褐色を帯びるため、ほかの日本産タナゴ類と容易に識別できる。繁殖期のオスの体側はオリーブ色から褐色で、背びれと臀びれに橙色の縦帯が現れる。背びれの鰭条間膜に紡錘形の暗色斑を備えるが、婚姻色の出たオスでは不明瞭。稚・幼魚はヤリタナゴに似るが、体側に黒色素胞が密に分布し、黒っぽく見えることで区別できる。
【生態】河川中・下流域、平野部の細流、農業水路などのやや流れのあるところを好む。繁殖期は4〜8月で、カタハガイ、ヨコハマシジラガイ、マツカサガイ、オバエボシガイなどに数粒の紡錘形の卵を産む。雑食性で付着藻類や小型の底生動物を食べる。
【分布】日本固有種。濃尾平野以西の本州、淡路島、四国の瀬戸内側、九州北中部、長崎県壱岐島、福江島に分布。

【特記事項】朝鮮半島に近縁種（*T. signifer*、*T. koreensis*、*T. somjinensis*、*T. latimarginata*）が分布する。このうち *T. somjinensis* は本種と酷似しており、種の異同をめぐり分類学的な再検討が必要である。

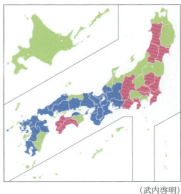

(武内啓明)

産卵親魚 主にカタハガイやヨコハマシジラガイなどの小型の二枚貝に産卵する。

オス成魚 褐色の体はタナゴ類のなかでも異彩を放つ。体色には地理的変異がある。

頭部 追星は左右が癒合し、こぶ状になる。

幼魚 ヤリタナゴと比べて、体色が黒っぽい。

71

コイ目 コイ科
ミヤコタナゴ
Metropolitan bitterling

学　名　*Tanakia tanago*
　　　　　(Tanaka, 1909)

全長(cm)	3〜5	縦列鱗数	35〜37
背鰭条数	iii + 8	咽頭歯数	5-5
臀鰭条数	iii + 8	鰓耙数	5〜7

絶滅危惧IA類（CR）
国内希少野生動植物種／天然記念物

産卵直前の親魚　貝のし好性や行動様式など、生態はアブラボテに酷似する。

【形態】上あご後端には1対の口ひげがある。側線は不完全で、側線鱗は前方の4〜7枚に限られる。体色は灰色がかった銀白色。オスは成熟すると背が張り、体色が薄紫色に、胸びれ、腹びれ、臀びれの主要部がオレンジ色になり、本種独特の婚姻色を発現する。

【生態】谷津田の小水路、林辺部を流れる小川、湿地を流れる細流とそれに続く池沼に生息する。いずれも湧水を水源とする。繁殖期は4〜7月。卵は鶏卵形。産卵母貝としてマツカサガイやドブガイ類を好む。自然界での寿命は1〜3年。付着藻類を中心とする雑食性。

【分布】日本固有種で、タイプ産地は東京帝国大学付属小石川植物園の池。和名は東京に因むもの。関東地方の各地に分布していたが、現在では激減し、野生状態のものは千葉県、埼玉県、栃木県、茨城県の一部に限られる。

【特記事項】国の天然記念物ならびに種の保存法の国内希少野生動植物種に指定され、保護増殖がはかられている。

（細谷和海）

産卵前放精　産卵行動の一つのパターンである。メスは半透明の産卵管を伸張させている。

オス成魚　やや退色した成熟オス。腹びれと臀びれの黒い縁どりが目立つ。

73

コイ目　コイ科
カネヒラ
Kanehira bitterling

学 名 *Acheilognathus rhombeus*
(Temminck and Schlegel, 1846)

全長(cm)	8～15	側線鱗数	37～40
背鰭条数	iii＋12～13	咽頭歯数	5-5
臀鰭条数	iii＋9～11		

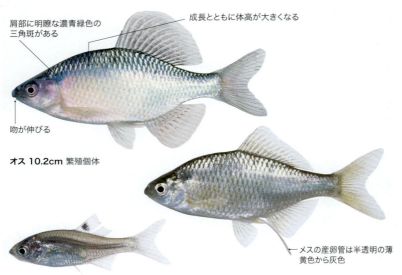

肩部に明瞭な濃青緑色の三角斑がある
成長とともに体高が大きくなる
吻が伸びる

オス 10.2cm 繁殖個体

メスの産卵管は半透明の薄黄色から灰色

2.7cm 繁殖個体　　**メス 9.6cm** 繁殖個体

【形態】大形のタナゴ類で、老成魚では全長 15cm を超えるものがいる。1 対の口ひげがある。体側後半の縦帯は長いが三角斑には達しない。オスは成熟すると頭部および体側面が青緑に輝き、えらぶたから体側腹方にかけての部位、背びれ、臀びれが桃色に、臀びれ外縁が白くなり本種独特の婚姻色を発現する。

【生態】平野部を流れる大きな河川の緩流域、それに続く水路、湖沼などに生息する。タナゴ類のなかでも遊泳力がある種で、気候の変化や成熟の状態に合わせ、湖沼、河川本流と水路との間を活発に回遊する。秋産卵型で繁殖期は 7～11 月であるが、成熟した個体は初夏から現れる。ふつう約 2 年で成熟する。卵は鶏卵形。ふ化仔魚は貝の鰓葉内で越冬し、翌年の 5～6 月に貝から泳ぎ出す。付着藻類やオオカナダモなどの柔らかい水草を中心とする雑食性。

【分布】濃尾平野以西の本州、九州北部、四国北東部、朝鮮半島西部に分布する。移殖により分布域は関東地方や東北地方にも広がっている。比較的大きな水域を好むため、分布は不連続となっている。

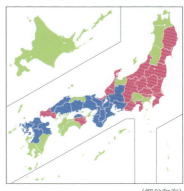

（細谷和海）

産卵 産卵母貝としてタテボシガイやイシガイを好み、メスはほぼ1週間間隔で複数回産卵する。

頭部 顆粒状の追星と1対の口ひげがある。

稚魚 背びれに黒斑がある。遊泳力に富む。

コイ目 コイ科
シロヒレタビラ
White tabira bitterling

学　名　*Acheilognathus tabira tabira*
　　　　　Jordan and Thompson, 1914

全長(cm)	6〜10
背鰭条数	iii＋9〜11
臀鰭条数	iii＋8〜10
側線鱗数	34〜39

絶滅危惧IB類（EN）

体側の縦帯は明瞭
口ひげは短い
オス 9.3cm 岡山県産
腹びれ前縁と臀びれ外縁は白色
肩部の暗色斑は明瞭
背びれに白色縦帯がある
背びれに黒色斑はない
3.5cm 繁殖個体
メス 8.2cm 岡山県産

【形態】タナゴ類のなかでは体高がやや小さい部類に入る。1対の短い口ひげを持つ。繁殖期のオスは臀びれの外縁と腹びれ前縁が白く縁どられる。メスや未成魚は同所的に生息するヤリタナゴに似るが、肩部の暗色斑と体側の暗色縦帯が明瞭であることや、背びれに白色縦帯があることなどで区別できる。

【生態】河川中・下流域、平野部の細流、農業水路のやや流れのあるところや湖沼に生息する。琵琶湖では内湖や湖岸のほか、沖合の深場にも見られる。繁殖期は4〜9月で、カタハガイ、イシガイ、ドブガイ類などに数粒から十数粒の鶏卵形の卵を産む。卵は受精後約40時間でふ化し、ふ化後約1ヶ月で貝から浮出する。雑食性で付着藻類や小型の底生動物を食べる。

【分布】日本固有亜種。濃尾平野、琵琶湖・淀川水系、山陽地方に分布する。青森県や島根県などに移殖されている。

【特記事項】琵琶湖では1995年以降、採集記録が途絶えていたが、2008年に再発見され、近年は増加傾向にある。

（武内啓明）

産卵親魚 産卵のためにメスを二枚貝に誘導するオス。

幼魚 背びれの前方に黒色斑はない。

頭部 口ひげは短い。

仔魚 ひれが黒く目立つ。

コイ目　コイ科
アカヒレタビラ
Red tabira bitterling

学　名 *Acheilognathus tabira erythropterus*
Arai, Fujikawa and Nagata, 2007

全長(cm)	8〜9
背鰭条数	iii + 8〜9
臀鰭条数	iii + 8〜9
側線鱗数	33〜38

絶滅危惧 IB 類（EN）

オス 7.7cm 栃木県産
メス 7.1cm 茨城県産
2.4cm 栃木県産

【形態】体は側扁し、1 対の短い口ひげを持つ。肩部の暗色斑は明瞭。体側後半部の暗色縦帯は背びれの起点直下より後方からはじまる。繁殖期のオスは臀びれの外縁が赤く縁どられ、腹びれ前縁の白色部もやや赤みを帯びる。稚・幼魚の背びれ前方に黒色斑はない。メスの産卵管は短く、尾びれの末端を越えることはない。

【生態】平野部の河川、湖、池沼の流れの緩やかなところ生息する。繁殖期は 4〜6 月で、大型のイシガイに数粒から数十粒の鶏卵形の卵を産む。卵は受精後約 40 時間でふ化し、ふ化後約 1 ヶ月で貝から浮出する。雑食性で付着藻類や小型の底生動物を食べる。

【分布】日本固有亜種。岩手県から関東地方の本州太平洋側にやや不連続に分布する。

【特記事項】従来の「アカヒレタビラ *A. t. subsp.*」は、2007 年にアカヒレタビラ *A. t. erythropterus*、ミナミアカヒレタビラ *A. t. jordani*、キタノアカヒレタビラ *A. t. tohokuensis* の 3 亜種に細分された。

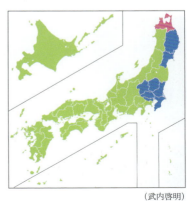

（武内啓明）

オス成魚 繁殖期のオスはその名の通りひれが赤く染まる。

稚魚 背びれに黒色斑はない。

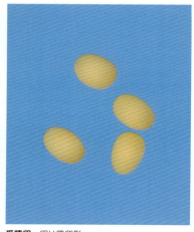

受精卵 卵は鶏卵形。

79

コイ目 コイ科
キタノアカヒレタビラ
Northern red tabira bitterling

学　名　*Acheilognathus tabira tohokuensis*
　　　　　Arai, Fujikawa and Nagata, 2007

全長(cm)	6〜10
背鰭条数	iii＋8〜9
臀鰭条数	iii＋8〜9
脊椎骨数	33〜39

絶滅危惧IB類（EN）

背びれ外縁は赤い
体側の縦帯は明瞭
肩部の暗色斑は明瞭
口ひげがある
臀びれ外縁は赤い
オス 9.9cm 秋田県産

背びれに黒色斑はない
メス 9.0cm 秋田県産

2.7cm 繁殖個体

【形態】形態的特徴はアカヒレタビラに酷似し、外見から両亜種を識別することは困難。アカヒレタビラと比べて口ひげが短く、側線鱗数と脊椎骨数が多い傾向が認められるが、いずれも変異の幅が大きく、識別形質としては使えない。アカヒレタビラと同様、稚魚・幼魚の背びれ前方に黒色斑は見られない。

【生態】平野部の河川下流域、湖沼に生息する。繁殖期は5〜7月で、イシガイなどに長楕円形の卵を産む。河川のほか、池沼などの止水域にも生息する。

【分布】日本固有種。秋田県から新潟県の本州日本海側に分布する。

【特記事項】かつて同一亜種とされていたアカヒレタビラとミナミアカヒレタビラに似るが、ミナミアカヒレタビラとは、稚魚・幼魚の背びれ前方に黒色斑がないこと（ミナミアカヒレタビラには黒色斑がある）で、アカヒレタビラとは、卵が長楕円形であること（アカヒレタビラでは鶏卵形）で区別できる。

（武内啓明）

オス成魚 系統的にはアカヒレタビラに近縁で、外見も酷似している。

稚魚 背びれ前方に黒色斑は見られない。

頭部 アカヒレタビラと比べて口ひげがやや短い。

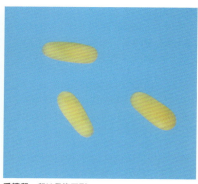

受精卵 卵は長楕円形。

コイ目　コイ科
ミナミアカヒレタビラ
Southern red tabira bitterling

学　名　*Acheilognathus tabira jordani*
　　　　　Arai, Fujikawa and Nagata, 2007

全長(cm)	6～10
背鰭条数	iii+8～10
臀鰭条数	iii+8～10
脊椎骨数	33～39

絶滅危惧IA類（CR）

オス 7.9cm 島根県産
3.4cm 繁殖個体
メス 7.3cm 富山県産

【形態】形態的特徴はアカヒレタビラとキタノアカヒレタビラに似るが、稚魚・幼魚の背びれ前方に黒色斑があることで区別される。また、アカヒレタビラと比べて側線鱗数と脊椎骨数がやや多く、キタノアカヒレタビラと比べて口ひげが長いなどの特徴が認められるが、いずれも変異の幅が大きく、識別形質としては使えない。
【生態】平野部の河川下流域や湖沼などに生息する。繁殖期は4～7月で、フネドブガイ、ヌマガイ、イシガイなどに数粒から十数粒の長楕円形の卵を産む。生後約1年で成熟し、寿命は3年までと考えられている。雑食性で付着藻類や小型の底生動物を食べる。
【分布】日本固有亜種。富山県から島根県の本州日本海側にやや不連続に分布。三重県と大阪府に移殖された。

【特記事項】河川改修や圃場整備による生息環境の悪化や産卵母貝の減少、オオクチバスによる食害やタイリクバラタナゴとの競合などで激減。島根県と鳥取県では条例により捕獲や譲渡などが禁止。

(武内啓明)

産卵親魚 オスの腹びれと臀びれの赤色帯は白っぽい。シロヒレタビラに似るが体高が小さい。

稚魚 背びれに黒色斑があり、セボシタビラに似る。

頭部 生息地は限られ、絶滅が危惧されている。

受精卵 卵は長楕円形。

コイ目　コイ科
セボシタビラ
Blotched tabira bitterling

学名 *Acheilognathus tabira nakamurae*
Arai, Fujikawa and Nagata, 2007

全長(cm)	6〜12
背鰭条数	iii + 9〜10
臀鰭条数	iii + 8〜10
側線鱗数	33〜40

絶滅危惧IA類（CR）　国内希少野生動植物種

オス 7.7cm 熊本県産

2.6cm 繁殖個体

メス 8.3cm 福岡県産

【形態】体は側扁し、吻はやや尖る。口ひげの長さは、タビラ5亜種のなかではもっとも長い。オスの臀びれ外縁と腹びれ前縁は白色。稚魚・幼魚の背びれ前方には明瞭な黒色斑があり、これが本亜種の和名の由来となっている。メスの産卵管は短く、尾びれの末端を越えることはない。

【生態】平野部の河川下流域や農業水路などに生息し、砂礫もしくは砂泥底の流水環境を好む。繁殖期は2〜8月で、カタハガイに長楕円形の卵を産む。雑食性で付着藻類や小型の底生動物を食べる。

【分布】日本固有亜種。筑後川水系から緑川水系の有明海流入河川、福岡市近郊の多々良川水系に分布。長崎県壱岐島の個体群は絶滅した可能性が高い。

【特記事項】2007年に新亜種記載された。亜種名の"*nakamurae*"は、著名な魚類学者である中村守純博士に由来する。近年、減少傾向が著しく、絶滅した地域も多い。産卵母貝となるカタハガイの減少は、本亜種の存続に大きな影響を及ぼすと考えられる。

(武内啓明)

オス成魚 産卵母貝の選り好みが激しく、基本的にはカタハガイのみを利用する。

頭部 流水環境を好む。

稚魚 背びれの黒色斑が和名の由来。

85

コイ目　コイ科
タナゴ
Genuine bitterling

学　名　*Acheilognathus melanogaster*
　　　　Bleeker, 1860

全長(cm)	6～13
背鰭条数	iii + 8～9
臀鰭条数	iii + 8
側線鱗数	37～39

絶滅危惧 IB 類（EN）

背びれ上端は黒い
体側前半部は紫色
口ひげは短い
胸びれ前縁に白色線はない
臀びれ外縁は白い
肩部の暗色斑は不明瞭

オス 4.8cm 福島県産
2.3cm 繁殖個体
メス 4.8cm 福島県産

【形態】日本産タナゴ類のなかではもっとも体高が小さく、細長い。タビラ類に似るが、肩部の暗色斑が不明瞭で、体側後半部の暗色縦帯が背びれ起点直下より前方からはじまることで区別できる。繁殖期のオスは体側前半部が紫色に染まり、腹部が黒色を帯びる。また、背びれ上端は黒く、臀びれ外縁は白く縁どられる。メスの産卵管は長く、最大伸長時には尾びれの末端を越える。
【生態】河川中・下流域、平野部の湖沼やこれらに連なる水路などに生息する。繁殖期は4～6月で、ドブガイ類、カラスガイ、カワシンジュガイなどに楕円形の卵を産む。卵は受精後50時間程度でふ化し、ふ化後約1ヶ月で貝から浮出する。雑食性で付着藻類や小型の底生動物を食べる。
【分布】日本固有種。青森県鷹架沼から神奈川県鶴見川までの本州太平洋側にやや不連続に分布する。埼玉県、東京都、神奈川県では絶滅した可能性が高い。
【特記事項】関東地方ではほかのタナゴ類と区別するために「マタナゴ」と呼ばれる。

（武内啓明）

オス成魚 繁殖期のオスは紫色を帯び、腹部が黒くなる。

産卵親魚 ドブガイ類やカラスガイなどの比較的大型の二枚貝を利用する。

頭部 体色が黒いため、追星がよく目立つ。

幼魚 流れの緩やかなところを好む。

コイ目 コイ科
イチモンジタナゴ
Striped bitterling

学　名　*Acheilognathus cyanostigma*
　　　　　Jordan and Fowler, 1903

全長(cm)	5～10
背鰭条数	iii + 8
臀鰭条数	iii + 8
側線鱗数	38～41

絶滅危惧 IA 類（CR）

背びれ上端は桃色
体側に太く長い縦帯が走る
吻は細くとがる
口ひげは痕跡的
臀びれ外縁は桃色

オス 7.7cm 熊本県産

メス 6.8cm 和歌山県産

産卵管は長い

2.4cm 繁殖個体

【形態】日本産タナゴ類のなかではタナゴに次いで体高が小さい。1 対の口ひげを持つが、きわめて短く痕跡的。体側に太く長い、暗色縦帯が走り、これが「一」の字に似ることが和名の由来。メスの産卵管は長く、最大伸長時には尾びれの末端を越える。
【生態】河川中・下流域、平野部の細流、農業水路などの流れの緩やかなところや湖沼に生息する。繁殖期は 4～6 月で、ドブガイ類に数粒の楕円形の卵を産む。主に付着藻類を食べる。
【分布】日本固有種。濃尾平野、三方湖、琵琶湖・淀川、由良川、加古川の各水系に分布する。熊本県、四国、山陽地方などにも見られるが、これらは琵琶湖から移殖されたものと考えられる。
【特記事項】本種は遺伝的に、濃尾平野、琵琶湖・淀川水系、由良川・加古川水系の 3 つの集団に細分される。いずれの集団も危機的状況にあり、かつて本種の代表的な生息地であった三方湖ではほぼ絶滅した。また、濃尾平野では琵琶湖から移殖された個体との間で交雑が生じ、遺伝子汚染が進行している。

（武内啓明）

オス成魚 体側には和名の由来となった「一文字」の縦帯が見られる。

移殖集団 熊本県緑川水系に定着し、ごく普通に見られるようになった。

頭部 左右の追星が癒合する。

稚魚 成魚と同様に体は細長く、口先は尖る。

コイ目　コイ科
イタセンパラ
Itasenpara bitterling

学　名　*Acheilognathus longipinnis*
　　　　　Regan, 1905

全長(cm)	6〜12	側線鱗数	35〜38
背鰭条数	iii+14〜16	鰓耙数	14〜16
臀鰭条数	iii+13〜16		

絶滅危惧 IA 類（CR）
国内希少野生動植物種／天然記念物

成魚 大きな背びれと臀びれが印象的。

【形態】体高がきわめて大きい、眼径が大きい、鰭条数が日本産のタナゴ亜科魚類のなかではもっとも多いなど、特徴的な外見を持つ。オスの婚姻色は背部が濃蒼色、体側が淡紫桃色、腹部が黒色になる。また、消化管がきわめて細長い。成魚は全長6〜8cm、最大12cmに達し、タナゴ亜科魚類としては大型種である。
【生態】ほかのタナゴ亜科魚類同様に二枚貝に産卵する。繁殖期は秋で、9〜11月頃に産卵する。植物食性であり、成魚は主に付着藻類を摂餌する。1年で成熟し、成魚は繁殖後斃死する個体が多いため、寿命は1年であると考えられる。
【分布】日本固有種。淀川水系、濃尾平野、富山平野に生息する。琵琶湖では文献や標本の記録のみ、淀川では一度生息が途絶えたため、系統保存個体の野生復帰が行われている。濃尾平野でも木曽川以外からは近年確認されていない。
【特記事項】過去にはオオタナゴと同種ではないかと議論されたこともあるが、繁殖時期や卵形、食性の違い、形態的な違いなどから明確な別種である。

（藤田朝彦）

繁殖親魚　産卵母貝としては小型イシガイを好む。

成魚　成魚としては比較的小型の富山県産の個体。

コイ目　コイ科
オオタナゴ
Giant bitterling

全長(cm)	8〜18
背鰭条数	iii + 15〜19
臀鰭条数	iii + 12〜15
脊椎骨数	35〜38

学　名　*Acheilognathus macropterus* (Bleeker, 1871)

特定外来種／総合対策（その他の総合対策外来種）

- 2つの青い斑点
- 眼は大きい
- 淡青色の縦帯が体側を走る
- 口ひげは短くて目立たない

オス 9.1cm 茨城県産

- 成魚に比べて体高が小さい
- 黒斑がある
- 黄色味を帯びる

2.2cm 繁殖個体　　**メス 8.2cm** 茨城県産

【形態】タナゴ亜科最大の種で、イタセンパラに似る。体色は銀白色を基調とし、成熟すると雌雄とも背部の青みが増し、オスでは体全体が淡い橙色を帯び、臀びれの外縁が白くなる。メスでは胸びれの基部、腹びれと臀びれの前縁が黄色になる。

【生態】大河川の下流の緩流域、平野部の大きな湖沼とそれに続く水路に生息する。水底近くを群泳する。霞ヶ浦での繁殖期は4〜8月で、イシガイやヒレイケチョウガイなどの鰓葉内に産卵する。卵は鶏卵形。付着藻類や水生動物を食べる雑食性。

【分布】原産地は朝鮮半島西部、アムール川から北ベトナムにかけての中国大陸東部。日本では、淡水真珠養殖を目的に中国産ヒレイケチョウガイを霞ヶ浦に移殖したことをきっかけに増えはじめたとされる。現在では茨城県、千葉県、東京都の各地に拡散している。

【特記事項】生殖的に隔離された2つの系統があり、日本に移殖された種は、本来のオオタナゴすなわち韓国産オオタナゴとは別種の可能性がある。

（細谷和海）

成魚 オスがメスを二枚貝に誘うのは、タナゴ類の特徴。

幼魚 背びれに明瞭な黒斑を持ち、遊泳力に富む。

頭部 イタセンパラによく似ている。

稚魚 稚魚の出現時期はイタセンパラと異なる。

コイ目 コイ科
ゼニタナゴ
Metalic bitterling

全長(cm)	6〜12	縦列鱗数	52〜65
背鰭条数	iii＋10	咽頭歯数	5-5
臀鰭条数	iii＋10〜12		

学 名 *Acheilognathus typus* (Bleeker, 1863)

絶滅危惧IA類（CR）
特定第１種国内希少野生動植物種

- 鰭条間膜に黒点が散在
- うろこは輪郭が明瞭なヤスリ目
- 口ひげがない

オス 8.1cm 岩手県産

- 体側の縦帯はほとんど見えない
- 産卵管は黒くて長い

メス 8.0cm 岩手県産

【形態】側線は不完全、側線鱗は前方の７〜16枚に限られる。オスは成熟すると頭部および体側面が紫紅色に、えらぶたから体側後方にかけて茜色に、腹びれの前縁が目立つ白色に、臀びれの主要部がオレンジ色になり、腹びれと臀びれが黒く縁どられる。

【生態】大きな河川の流れの緩やかな淀みや湖沼など止水域に生息する。やや沖合の中層を群泳する。秋産卵型で繁殖期は９〜11月。卵は鶏卵形。産卵母貝としてドブガイ類、カラスガイを好み、ふ化仔魚は貝の鰓葉内で越冬し、翌年の４〜６月に貝から泳ぎ出す。ふつう約１年で成熟する。付着藻類や柔らかい水草を中心とする雑食性。

【分布】日本固有種で、関東、北陸以北の本州に自然分布。移殖により長野県諏訪湖と流出河川の天竜川水系にも分布。現在ではすべての分布域において激減し、関東地方ではほぼ絶滅。

【特記事項】本種の減少要因として、オオクチバスやブルーギルによる食害、タイリクバラタナゴとの種間競争による影響が考えられる。

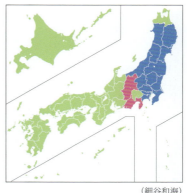

（細谷和海）

産卵親魚 タナゴ亜科としては特異な秋産卵型。オスの腹びれの白い縁どりが目立つ。

オス成魚 オス同士、ひれをいっぱいに拡げて威嚇する。うろこははがれやすい「やすり目」。

頭部 成熟すると吻端に追星が現れる。

稚魚 体高が小さくタビラ類との類縁を感じさせる。

コイ目　コイ科
タイリクバラタナゴ
Continental rosy bitterling

学　名　*Rhodeus ocellatus ocellatus* (Kner, 1866)

全長(cm)	4〜8
背鰭条数	iii + 10〜13
臀鰭条数	iii + 10〜12
縦列鱗数	30〜34

総合対策外来種（重点対策外来種）

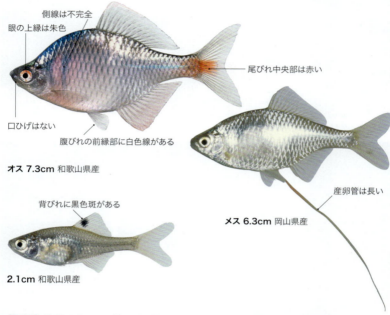

- 眼の上縁は朱色
- 側線は不完全
- 尾びれ中央部は赤い
- 口ひげはない
- 腹びれの前縁部に白色線がある

オス 7.3cm 和歌山県産

- 背びれに黒色斑がある

2.1cm 和歌山県産

- 産卵管は長い

メス 6.3cm 岡山県産

【形態】体高は大きく、著しく側扁する。側線は不完全で、有孔鱗は前方の2〜7枚に限られる。繁殖期のオスの体色は背部が青緑色で、頭部側面から胸腹部、背びれと臀びれの周縁、尾びれの中央部が赤紫色に染まる。メスの産卵管は長く、体長の約2倍に達する。

【生態】平野部の細流や灌漑用水路などの流れの緩やかな場所、浅い池沼などに生息する。繁殖期は3〜9月で、ドブガイ類などに数粒の電球形の卵を産む。仔魚はふ化後20日程度で貝から浮出し、生後半年から1年で成熟する。雑食性で付着藻類や小型の底生動物を食べる。

【分布】鴨緑江水系から珠江水系の中国大陸、台湾、海南島、朝鮮半島に分布する。日本へは1940年代に中国から輸入されたソウギョ種苗に紛れて侵入し、現在は日本全国に分布を拡大している。

【特記事項】ニッポンバラタナゴとの交雑に加え、在来タナゴ類との間で産卵母貝や生息場所をめぐる競合が懸念されている。

（武内啓明）

オス成魚 大型化したオスの背中は著しく盛り上がる。

なわばり争い 繁殖期のオスは二枚貝の周囲になわばりを形成する。

腹びれ 白色線を持つことが本亜種の特徴。

稚魚 生後半年から1年で成熟する。

コイ目 コイ科
ニッポンバラタナゴ
Japanese rosy bitterling

学 名 *Rhodeus ocellatus kurumeus*
　　　　Jordan and Thompson, 1914

全長(cm)	4～5
背鰭条数	iii+10～11
臀鰭条数	iii+10～11
縦列鱗数	32～34

絶滅危惧 IA 類（CR）

オス 4.6cm 大阪府産

メス 4.6cm 大阪府産

2.6cm 繁殖個体

【形態】基亜種であるタイリクバラタナゴに似るが、腹びれ前方に白色線がなく、タイリクバラタナゴと比べて側線有孔鱗数が少ない（0～5）傾向が認められる。

【生態】平野部の細流や農業水路などの流れの緩やかな場所、浅い池沼などに生息する。繁殖期は3～9月で、ドブガイ類などに数粒の電球形の卵を産む。仔魚はふ化後20日程度で貝から浮出し、生後半年から1年で成熟する。雑食性で付着藻類や小型の底生動物を食べる。

【分布】日本固有亜種。琵琶湖・淀川水系、大和川水系、山陽地方、四国北東部、九州北部に分布する。

【特記事項】各地でタイリクバラタナゴとの交雑が進み、現在では奈良県、大阪府、香川県、岡山県、九州北部の一部に残存するのみ。本州、四国の集団では遺伝的多様性の低下、九州北部の集団ではタイリクバラタナゴとの交雑が懸念されている。香川県、奈良県、長崎県佐世保市では条例により、捕獲などの行為が禁止されている。

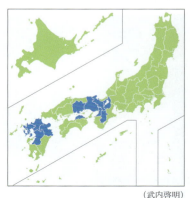

(武内啓明)

集団産卵 ドブガイ類に群がり、産卵のタイミングをうかがう。どの個体にも腹びれに白色線がない。

稚魚 ワムシなどの動物プランクトンを食べる。

仔魚 二枚貝の鰓葉腔内でふ化した仔魚。

コイ目　コイ科
カゼトゲタナゴ (北九州集団)
Kazetoge bitterling(Nothern Kyushu Populations)

学　名 *Rhodeus smithii smithii*
(Regan, 1908)

全長(cm)	3～5	縦列鱗数	32～34
背鰭条数	iii+9～11	咽頭歯数	5-5
臀鰭条数	iii+10～11		

絶滅危惧IB類（EN）

- 山陽集団に比べて体高が大きい
- 縦帯の先端は尖る。縦帯は背びれ起点の少し前からはじまる
- 眼の上縁が朱色
- 口ひげがない
- 尾びれの付け根に薄い黒条

オス 5.2cm 福岡県産

- 同じサイズのバラタナゴ類より体高が小さい

1.9cm 繁殖個体

メス 4.5cm 福岡県産

【形態】日本産タナゴ亜科魚類のなかでも小型の種。オスの方がやや大きい。側線は不完全で、有孔鱗は前方の2～6枚に限られる。体側には1本の明瞭な青い縦帯が走り、その起点は背びれと腹びれより前にあり先が尖る。稚魚・幼魚・メスには背びれ前半部中央に黒色斑がある。オスは成熟すると腹縁が黒くなり、口の先、眼の上縁、臀びれ下縁が朱色になる。
【生態】平野部を流れる小さな河川の中・下流域、水路に生息する。流れの緩やかな砂礫底や砂泥底の中層にいる。繁殖期は3～8月、最盛期は4～6月。メスの産卵管の色は半透明。産卵母貝は主としてマツカサガイ。卵は洋梨形、仔魚の卵黄には背側方に伸びる翼状突起がある。稚魚は貝より孵出すると流れのないところで群がる。約1年で成熟する。水生の小動物を中心とする雑食性。

【分布】福岡県遠賀川から熊本県球磨川水系までの九州北西部と長崎県壱岐に分布する。岡山県旭川にも移殖。
【特記事項】北九州では地域間の隔離が進行し、3つの遺伝的集団が認められている。

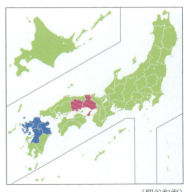

（細谷和海）

なわばりオス 腹縁部が黒くなることでバラタナゴ類と区別できる。

産卵 産卵母貝にはマツカサガイやイシガイを好む。

稚魚 背びれ前縁の白色帯が目立ち、黒斑もかなり大きい。

コイ目　コイ科
カゼトゲタナゴ（山陽集団）
Kazetoge bitterling(Sanyo Populations)

学　名　*Rhodeus smithii smithii*
　　　　　(Regan, 1908)

全長(cm)	3〜5	縦列鱗数	32〜34
背鰭条数	iii+10〜11	咽頭歯数	5-5
臀鰭条数	iii+10〜11		

絶滅危惧 IA 類（CR）
国内希少野生動植物種（スイゲンゼニタナゴとして指定）

北九州集団に比べて体高が小さい
体色は北九州集団より透明感が強い
側線は不完全
縦帯の先端は丸みを帯びる
口ひげがない

オス 3.8cm 岡山県産

メス 3.7cm 岡山県産

【形態】形態的特徴はカゼトゲタナゴと類似するが、本集団の方がやや体高が低く、体側縦帯の始点が長めで、起始部先端が丸みを帯びる。また、体の透明感がカゼトゲタナゴよりも強い。上記の特徴は、水域により変異がある。
【生態】平野部を流れる小さな河川の中・下流域、水路に生息する。流れの緩やかな砂礫底や砂泥底の中層にいる。繁殖期は 4〜7 月、最盛期は 5 月。繁殖様式はカゼトゲタナゴと同じであるが、本種の方が産卵数が少ない。
【分布】兵庫県千種川から広島県芦田川までの山陽地方。*Rhodeus smithii smithii* のホロタイプは京都・ノドガワから採集されているが、淀川の誤記の可能性がある。そのため、本集団の本来の自然分布域は現在よりも広かったと考えられる。
【特記事項】本集団は 1965 年に岡山県から初めて報告され、朝鮮半島に生息する**スイゲンゼニタナゴ** *R. atremius suigensis* と同定された。しかし、その後の研究で本集団と朝鮮半島産だけを結びつける類縁性は示されないまま、朝鮮半島産の名称だけが使われ続けた。そのため、特に和名について混乱が生じている。

（細谷和海）

102

産卵への誘い 2尾の成熟オスがメスを追尾している。

産卵の瞬間 メスが産卵管をイシガイの出水管に挿入したところ。

稚魚 カゼトゲタナゴ(北九州集団)と区別がつかない。

column カゼトゲタナゴ類の進化と多様性

　カゼトゲタナゴ類は、バラタナゴ属の一群で、染色体数がほかのバラタナゴ属魚類よりも少ない（2n=46、ほかのバラタナゴ属は 2n=48）ことで特徴づけられる単系統群である。本類が所属するバラタナゴ属は、タナゴ属やアブラボテ属などほかのタナゴ類よりも小型で、口ひげがない、側線鱗が不完全など、幼形的な形質を多く有している。

　カゼトゲタナゴ類は、バラタナゴ属のなかでも、特に体サイズの小さいグループとして知られる。分布域は、東アジアの一部に隔たっており、日本列島の一部と黄海を囲むように朝鮮半島西部から中国の遼寧省から長江下流域までとなっている。

　ある生物群の進化過程を明らかにするためには、どの分類群と姉妹関係にあるかを調べる必要がある。本類の場合、ウエキゼニタナゴ Rhodeus sinensis の仲間（以下、ウエキ）と姉妹関係であることが示唆されている。ウエキは、朝鮮半島・アムール川水系から中国中部まで分布している。

　分岐年代を推定した分子系統の研究によると本類とウエキは 1200 万年前後に分岐したと推定されており、比較的深い時代に両者は分かれたと考えられている。本類の分布域はちょうどウエキの分布域に内包され、その分布域は、かつて古黄河があったのではないかといわれている黄海周辺に限られている点も興味深い。ウエキとの共通の祖先から何らかの影響で染色体異常が起きてカゼトゲタナゴ類が生まれた後、古黄河下流域の広大な水辺環境の中で繁栄し、その後の海進によって、日本、韓国、中国など各地域に分断されたのかもしれない。各地域への分断は 100 万年から 250 万年前ぐらいに起こっているのではないかと推察されており、地質年代的には比較的最近の出来事となっている。

　各地域に分断された後も生息環境に大きな変化がなければ生態や形態の変化は生じづらい。カゼトゲタナゴ類の場合、この傾向が強く、各地域で微妙な違いはあるものの外見はよく似ている。このことが、岡山で最初に発見された本類が韓国のスイゲンゼニタナゴと同定されるなど、今の分類の混乱につながっている。

　カゼトゲタナゴ類の進化や系統に関する知見は、分子系統の研究も盛んになり、ようやく全体像がつかめるようになってきた。しかし、正確な分類を行うにはまだ情報が不足している。分子だけでなく、形態や生態など様々な角度からさらに研究を推進する必要があるだろう。

（川瀬成吾）

韓国で採集したカラゼニタナゴ Rhodeus notatus（2025 年 3 月　韓国ソウル近郊）

カラゼニタナゴが生息する韓国の河川

コイ目　コイ科
カラゼニタナゴ（交雑種）
kara Metalic bitterling

全長(cm)	3～5	側線鱗数	32～33
背鰭条数	iii+9	脊椎骨数	31
臀鰭条数	iii+9		

学　名　*Rhodeus notatus*
　　　　Nichols, 1929

カゼトゲタナゴに比べて体高が小さい
体色は北九州集団より濃い傾向がある
縦帯の先端は丸みを帯びる

交雑個体　オス　4.0cm 岡山県産

（写真提供／
環境省・中国四国地方環境事務所）

交雑個体　メス　4.0cm 岡山県産

【形態】形態的特徴は、カゼトゲタナゴと酷似するが、体高が小さく、体側縦帯の始点が長めで、起始部先端が丸みを帯びる点で北九州集団と区別され、体長が大きい、縦帯がややはっきりしている、体色が濃い傾向がある点で山陽集団と区別される。また、腹鰭条数の最頻値は、日本産が7であるのに対し、本種は8という研究結果がある。

【生態】平野部を流れる中規模より小さい河川に多く生息する。水際の植物帯や水草が多い河川を好む。冬季は比較的水深のあるワンドやタマリのような環境に集まる。繁殖期は4～6月頃。

【分布】原産地は朝鮮半島から中国北部・遼東半島付近までとされるが、精査が必要。岡山県で本種とカゼトゲタナゴ九州集団、近縁の不明種の交雑個体（外来タナゴ類）が確認され、分布を拡大している。

【特記事項】カゼトゲタナゴ山陽集団と、外来タナゴ類の交雑個体も繁殖能力があることがわかっている。近年の交雑個体の分布拡大は、個体群が縮小していた山陽集団にとってきわめて大きな脅威となっており、早急な対応が望まれる。

（川瀬成吾）

コイ目 コイ科
オイカワ
Pale chub

全長(cm)	12〜15
背鰭条数	iii + 7
臀鰭条数	iii + 9
側線鱗数	43〜48

学 名 *Opsariichthys platypus*
(Temminck and Schlegel, 1846)

- 体側に不規則な横帯がある
- 眼の上縁が朱色
- 鰭条間膜に紡錘形の黒斑がある
- 口裂は直線的
- ハス・ムツ類が共有するほほの下の追星板
- 臀びれが伸びる

オス 12.2cm 鳥取県産

- 側線は体側の下方を走る
- 側線鱗数は48以下

メス 13.6cm 滋賀県産

【形態】体はイワシのように細長い側扁形で、臀びれは大きく伸長する。口裂は小さく直線的。体色は銀白色で、体側にはやや不明瞭な横帯が不規則に並ぶ。大きくなると、口先と眼の上縁が朱色になる。オスでは成熟するとほほの下に1列の癒合した追星板が発現し、臀びれは伸長して朱色になる。

【生態】平野部を流れる河川の中・下流域とそれに続く水路、きれいな湖沼に生息する。やや流れのある砂底や礫底の岸よりに多い。繁殖期は5〜8月。付着藻類を中心とする雑食性。

【分布】自然分布域は関東以西の本州、四国の瀬戸内海側、九州の北部。小さな島には分布しない。国外では朝鮮半島西岸を含むアジア大陸東北部。東北地方や四国の太平洋側など各地にも移殖されている。近年、沖縄本島にも定着。

【特記事項】コイ科の系統分類上、重要な位置を占める。日本では遺伝的にまとまりのある集団がいくつかあるが、移殖により混乱している。また、中国産は別種の可能性があり、今後、分類学的精査が必要である。

(細谷和海)

メスを誘導するオス　婚姻色はツートンカラー。タナゴ亜科の原始的な魚種にも共通する。

産卵　オスは臀びれを使ってメスを抱き込んでいる。メスは卵を砂の中に埋め込む。

稚魚　メダカとよく間違われるが、体は側扁する。　　**浮上仔魚**　卵黄を吸収すると餌をとりはじめる。

コイ目 コイ科
ハス
Piscivorous chub

学　名 *Opsariichthys uncirostris uncirostris*
(Temminck and Schlegel, 1846)

全長(cm)	20～30
背鰭条数	iii＋7
臀鰭条数	iii＋9
側線鱗数	50～59

絶滅危惧Ⅱ類（VU）

眼が上方にある
ほほが広い
体は細長い側扁形 オイカワに比べずっと大型
口唇は「へ」の字
オス 30.0cm 滋賀県産

メス 21.3cm 滋賀県産
側線鱗数は50以上

【形態】オイカワに似るが、より大型になる。口裂は大きくへの字に曲がる。眼はオイカワより高く、えらぶたが幅広い。ほほの骨に閉顎筋を収めるための大きな穴が開いている。この穴は熱帯魚のカラシン類にも見られる。尾びれ後縁は鋭く二叉する。

【生態】湖の岸近く、内湖、大きな河川の下流域に生息する。河川とつながりがあれば池沼や農業水路にも侵入する。琵琶湖では表・中層を単独で遊泳する。繁殖期は5～8月。湖岸や流入河川の砂礫底で産卵する。日本産コイ科魚類では数少ない典型的な魚食魚で、体長7cm以下の個体は動物プランクトンを専食する。

【分布】自然分布域は琵琶湖・淀川水系と福井県三方湖。移殖により北海道と島嶼部を除き各地で定着している。国外では別亜種のコウライハス *O. u. bidens* が朝鮮半島から海南島までの中国東部に、アムールハス *O. u. amuruensis* がアムール川に分布している。

【特記事項】三方湖の個体群は近年、絶滅した可能性が高い。

（細谷和海）

成熟個体 雌雄で大きさや体色が異なる。オスの方が成長が速い。

夜間に撮影した成魚 夜間は静かにしている。摂餌は昼間に行う。

口 餌魚をつかみやすいへの字形。あごに歯はない。

幼魚 すでにハスの特徴が十分に現れている。

コイ目 コイ科
カワムツ
River dark chub

全長(cm)	15～20
背鰭条数	iii + 7
臀鰭条数	iii + 10
側線鱗数	43～51

学　名 *Candidia temminckii*
(Temminck and Schlegel, 1846)

えらぶたには追星が現れない
体側に1本の濃青色の縦帯が走る
ムツ・ハス類が共有するほほの下の追星板
臀びれの分枝軟条数は10
オス 16.0cm 和歌山県産
オイカワ・ハスより厚みがある
側線鱗数は51以下
オスほど臀びれが伸びない
メス 11.2cm 三重県産
胸びれと腹びれの前縁に桃色の縁どりがない
背面 13.2cm 和歌山県産

【形態】体は細長い側扁形で、臀びれは大きく伸長する。体幅はオイカワやハスより厚みがある。尾びれ後縁の切れ込みはオイカワとハスに比べて緩やか。体色は銀白色で、体側には1本の明瞭な縦帯が走る。生時、胸びれと腹びれの前縁は薄黄色。成熟すると体の復縁と背びれ前縁は朱くなる。オスの追星は頭部前半部に限られ、鰓蓋骨の上にはない。

【生態】河川の上流から中流にかけての淵や淀みに多い。長崎県壱岐ではため池でも見られる。ヌマムツとの共存河川では、本種の方が上流側に偏る。オイカワに比べて隠れる性質が強い。繁殖期は5～8月。底生動物、落下昆虫、付着藻類を食べる。

【分布】静岡県・富山県以西の本州、四国、九州、淡路島、小豆島、壱岐、五島列島福江島、朝鮮半島南西部に分布する。東北地方と関東地方にも移殖されている。

【特記事項】本種は鈴鹿山脈を境に遺伝的に東西2集団に分けられる。将来的には亜種に分類されるだろう。

（細谷和海）

オス成魚 メスを待つオス。オスはメスに比べて大型で、ひれも大きい。小さな支流でも繁殖する。

幼魚 幼魚は河川の流れの緩やかなところで群れをなしている。

オスの追星 えらぶたには現れない。

約3cmの稚魚 オイカワより体高が大きい。

コイ目　コイ科
ヌマムツ
Pond dark chub

学　名　*Candidia sieboldii*
(Temminck and Schlegel, 1846)

全長(cm)	14 〜 20
背鰭条数	iii + 7
臀鰭条数	iii + 9
側線鱗数	53 〜 60

えらぶたにも追星が現れる

縦帯前端が下方へ拡散する

オス 16.0cm 兵庫県産

臀びれの分枝軟条数は 9

背びれ直前の豆形斑がカワムツより明瞭

側線鱗数は 53 以上 カワムツよりうろこが細かい

メス 14.4cm 兵庫県産

胸びれと腹びれの前縁に朱色の縁どりがある

背面 14.5cm 岡山県産

【形態】体は細長い側扁形。体色は銀白色で、体側には 1 本の明瞭な縦帯が走る。カワムツに似るが、生時、胸びれと腹びれの前縁は朱色。ただし背びれ前縁の朱色は成熟してもカワムツほど顕著にはならない。臀びれの条数が少なく、うろこが細かく、オスの追星が鰓蓋骨の上にもあることでも識別できる。

【生態】河川の中流から下流にかけての淵、平野部の池沼。流れの緩やかな水域や止水域に多い。砂底の砂泥底の表・中層にいる。繁殖期は 6 〜 7 月。底生動物や付着藻類を食べる雑食性。

【分布】日本の固有種。自然分布域はカワムツに比べて狭く、静岡県以西の本州、琵琶湖・淀川水系を含む周瀬戸内海地方、九州北部に分布する。関東地方にも移殖されている。

【特記事項】種小名はシーボルトに因む。タイプ標本はオランダ・ナチュラリスに保存されている。開発を受けやすい場所に生息するため、カワムツよりも減少率が大きい。京都府、奈良県、大阪府、香川県、山口県ではレッドデータブックに記載されている。

(細谷和海)

成熟親魚 メスに産卵を促すオス。開けた水域でしか繁殖しない。ひれの朱色が鮮やか。

産卵の瞬間 産卵と同時に他個体による卵喰いがはじまる。

オスの追星 えらぶたにも現れる。

稚魚 同じ発育段階でもカワムツより小さい。

コイ目 コイ科
カワバタモロコ
Golden venus bleak

全長(cm)	3～6
背鰭条数	iii＋6～7
臀鰭条数	iii＋7～9
縦列鱗数	30～35

学 名 *Hemigrammocypris neglecta* (Stieler, 1907)

絶滅危惧IB類（EN）
特定第二種国内希少野生動植物種

側線は不完全
やや不明瞭な暗色縦帯がある
口ひげはない
オス 4.5cm 滋賀県産
腹びれ基底から肛門にかけての腹縁はキール状

メス 5.8cm 滋賀県産
繁殖期のメスの腹部は丸みを帯びる

【形態】体はやや細長く、側扁する。側線は不完全。腹びれ基底から肛門にかけての腹縁はキール状の隆起をなす。咽頭歯は3列。体色は背部が緑褐色で、体側から腹部は銀白色を帯びる。体側に1本のやや不明瞭な暗色縦帯を持つ。顕著な性的二型が見られ、メスはオスより大型化し、繁殖期のオスは鮮やかな黄金色を呈する。
【生態】平野部の浅い湖沼、ため池、細流、農業水路などに生息する。繁殖期は5～7月で、1尾のメスを複数のオスが追尾して、冠水した植物などに粘着卵を産む。寿命は野外では1年と考えられるが、飼育下では5年以上生きる。雑食性。
【分布】日本固有種。静岡県瀬戸川水系以西の本州太平洋側、四国瀬戸内側、九州北西部に分布する。
【特記事項】各地で激減しており、本種の生息が確認されているすべての府県でレッドデータブックに記載されている。愛知県豊田市と西尾市では天然記念物に指定され、静岡県、三重県、岡山県、香川県、岐阜県輪之内町では条例により捕獲などの行為が禁止されている。

(武内啓明)

オス成魚 さらに成熟が進むと黄金色に変わる。

産卵行動 1尾のメスを複数のオスが取り囲んで産卵する。

受精卵 大きさは約1mm。水温25℃で約1昼夜でふ化する。

コイ目　コイ科
ヒナモロコ
Chinese bleak

学　名　*Aphyocypris chinensis*
　　　　　Günther, 1868

全長(cm)	3〜6
背鰭条数	iii + 6〜7
臀鰭条数	iii + 7
縦列鱗数	30〜35

絶滅危惧 IA 類（CR）

側線は不完全
口ひげはない
腹縁にキール状の隆起はない

5.3cm 繁殖個体（キクチヒナモロコとの交雑個体の可能性がある）

【形態】カワバタモロコに似るが、体がより細長いこと、腹びれ基底から肛門にかけての腹縁にキール状の隆起がないこと、咽頭歯が2列であることなどで区別できる。繁殖期のオスでは体側の暗色縦帯が明瞭になる。

【生態】平野部の農業水路や池沼などに生息する。繁殖期は6〜8月で、1尾のメスを複数のオスが追尾して、冠水した植物などに粘着卵を産む。寿命は野外では1年と考えられるが、飼育下では4〜5年は生きる。雑食性で付着藻類や水生小動物などを食べる。

【分布】国内における自然分布域は、九州北西部の多々良川、那珂川、嘉瀬川、筑後川、矢部川の各水系である。国外ではアムール川水系から珠江水系にかけての中国大陸と朝鮮半島に分布する。

【特記事項】1980年代以降、圃場整備や都市化により、本種の生息地は急速に失われた。さらに、現在では台湾産の**キクチヒナモロコ** *A. kikuchii* による遺伝子汚染が進み、ヒナモロコの純粋な日本集団はすでに絶滅した可能性が高い。伊豆半島の集団は人為的に持ち込まれたキクチヒナモロコであることが分かっている。

（武内啓明）

116

成魚 カワバタモロコに似るが、体形は細長く、体色は地味な印象を受ける。

成魚 本種の存続には一時的水域と水路が接続した環境が不可欠。

稚魚 水田などの一時的水域で育つ。

かつての生息地 1980年代以降急速に失われた。

コイ目 コイ科
ワタカ
Lakeweed chub

学 名 *Ischikauia steenackeri*
(Sauvage, 1883)

全長(cm)	20〜30
背鰭条数	iii + 7
臀鰭条数	iii+13〜16
側線鱗数	64〜73

絶滅危惧IA類（CR）

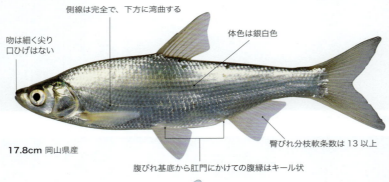

17.8cm 岡山県産

吻は細く尖り口ひげはない
側線は完全で、下方に湾曲する
体色は銀白色
臀びれ分枝軟条数は13以上
腹びれ基底から肛門にかけての腹縁はキール状

7.0cm 岡山県産

【形態】体は細長く、側扁する。側線は完全で、下方に湾曲する。腹びれ基底から肛門にかけての腹縁はキール状の隆起をなす。体色は銀白色を帯び、繁殖期になるとオスの頭部、背部、胸びれなどに顆粒状の追星が現れる。

【生態】湖の沿岸や内湖、河川下流域のワンドや流れのほとんどない水路に多い。成魚は6〜8月になると、岸際の水生植物帯に集まり、降雨後の増水時に水草や冠水した植物などに粘着卵を産む。雌雄とも生後約2年で成熟する。雑食性であるが、成魚は水草や藻類を好んで食べる。

【分布】琵琶湖・淀川水系の固有種であるが、化石の記録や古文書などの文献資料によると、江戸時代までは奈良盆地と福井県三方湖にも自然分布していた可能性が高い。琵琶湖産アユ種苗に混ざり日本各地に移殖され、定着している。

【特記事項】近年、琵琶湖では個体数が著しく減少している。滋賀県では個体数の回復や水草繁茂の抑制を狙って、増殖試験や種苗放流が行われている。

(武内啓明)

成魚 日本産コイ科魚類のなかでは珍しく水草を好んで食べる。

未成魚 中国大陸に起源を持つ「遺存固有種」と考えられている。

119

コイ目 コイ科
カワイワシ
Sharpbelly

学　名 *Hemiculter leucisculus*
(Basilewsky, 1855)

全長(cm)	15～25
背鰭条数	iii+7
臀鰭条数	iii+10～14
側線鱗数	49～52

吻は尖る / 背部はやや暗色 / キール状の隆起縁 / 腹部は銀白色

12.4cm 岡山県産

8.1cm 岡山県産

【形態】その名の通り、イワシに似て体は側扁し、腹縁部にキール状の隆起縁がある。この隆起縁が肛門前方から喉部に伸びることが、近縁のワタカとのよい識別点となる（ワタカは肛門前方から腹びれ基底まで）。

【生態】平野部の河川、湖沼、灌漑用水路などに生息する。原産地での産卵期は6～7月。生後2年で体長10cmに達し、成熟する。雑食性。

【分布】岡山県百間川に定着。大阪淀川からも報告がある。原産地はアムール川水系から珠江水系にかけての中国大陸、朝鮮半島。日本では2000年代に入って確認されるようになった。本種は観賞魚として流通しており、観賞用に輸入された個体が放逐された可能性が高い。

【特記事項】*Hemiculter leucisculus* に適用する標準和名は再検討が必要とされている。本書では便宜的に「カワイワシ」を使用した。

オイカワやカワムツと競合する可能性が高い。

(武内啓明)

コイ目　コイ科
ダントウボウ
Wuhang bream

学　名　*Megalobrama amblycephala*
　　　　　　Yih, 1955

全長(cm)	30〜50
背鰭条数	iii+7
臀鰭条数	iii+26〜29
側線鱗数	52〜56

体が菱形

41.5cm 茨城県産

臀びれ分岐軟条数が多い

【形態】体は著しく側扁し菱形。体色は灰色で目立った模様はないが、縦列鱗に沿って不明瞭な白色斑が並ぶ。臀びれ分枝軟条数が26以上ときわめて多く、日本に生息するほかのコイ科魚類と容易に識別できる（もっとも多いワタカでも最大16）。腸管は長く、体長の約2.5倍に達する。
【生態】平野部の流れの緩やかな河川や湖沼に生息する。原産地では5〜6月に水草の上に粘着卵を産む。雑食性であるが、成魚はヒラモやクロモなどの水草を主に食べる。成長は早く、生後2年で体長25cmに達し成熟する。
【分布】霞ヶ浦とその周辺の河川に定着。原産地は中国長江水系で台湾などに移殖されている。日本への導入経路は不明。最近では、釣り人などにより盛んに捕獲されるようになっている。
【特記事項】その食性ゆえに、在来水生植物群落への影響が懸念されている。

幼魚　ワタカを連想させる。

（武内啓明）

コイ目 コイ科
ハクレン
Silver carp

学 名 *Hypophthalmichthys molitrix*
(Valenciennes, 1844)

全長(cm)	50〜100	側線鱗数	98〜120
背鰭条数	iii + 7	鰓耙数	500以上
臀鰭条数	iii+12〜14		

総合対策外来種（その他の総合対策外来種）

口はやや上を向く
体色は銀白色
眼は体側中央よりやや下に位置する
喉部から肛門にかけての腹縁はキール状

83.0cm 茨城県産

10.4cm 繁殖個体

【形態】体高は大きく、側扁する。眼は体側中央より下に位置し、口はやや上に向く。喉部から肛門にかけての腹縁にキール状の隆起縁を形成する。体色は銀白色を帯び、体側に暗色斑は見られない。

【生態】利根川流域では本川下流域と霞ヶ浦に生息する。6〜7月になると中流域まで遡上し、降雨後の増水を引き金に産卵を行う。受精卵は河川を流下しながら発生を進めるため、流程の短い河川や閉鎖的な湖沼では再生産ができない。生後5〜7年で成熟する。植物プランクトンを鰓耙で濾しとって食べる。

【分布】アムール川水系から西江水系の中国大陸に分布。日本における分布および導入経緯はほかの四大家魚と同様。

【特記事項】中国ではハクレン、コクレン、ソウギョ、アオウオを「四大家魚」と呼び、食物連鎖を巧みに利用した養殖が行われている。

体側は一様に銀白色。

（武内啓明）

コイ目 コイ科
コクレン
Bighead carp

学 名 *Hypophthalmichthys nobilis*
(Richardson, 1845)

全長(cm)	50〜100	側線鱗数	96〜112
背鰭条数	iii+7〜10	鰓耙数	200以上
臀鰭条数	iii+12〜13		

総合対策外来種（その他の総合対策外来種）

口はやや上を向く
体側に暗色斑が散在する
眼は体側中央よりやや下に位置する
腹びれ基底から肛門にかけての腹縁はキール状

48.0cm 中国産

10.5cm 繁殖個体

【形態】全長100cmに達する大型種。形態的特徴はハクレンに似るが、体色はハクレンよりも黒く、体側に不規則な暗色斑があること、腹縁部に見られるキール状の隆起線は腹びれ基底から肛門の間に限られることなどで区別できる。

【生態】ハクレンとほぼ同様であるが、動物プランクトン食性である点で異なる。主にワムシ、枝角類、カイアシ類などを食べる。

【分布】中国東北部から西江水系の中国大陸に分布する。日本における分布および導入経緯はほかの四大家魚と同様。利根川における生息個体数は少ない。

【特記事項】環境省および農林水産省の生態系被害防止外来種リストでは、総合対策外来種（その他の総合対策外来種）に選定されている。

ハクレンと比べて体色が黒っぽい。

（武内啓明）

コイ目　コイ科
ソウギョ
Grass carp

学　名　*Ctenopharyngodon idella*
(Valenciennes, 1844)

全長(cm)	50〜100
背鰭条数	iii＋7
臀鰭条数	iii＋7〜8
側線鱗数	37〜46

総合対策外来種（その他の総合対策外来種）

うろこに黒い縁どりがある

口ひげはない

50.0cm 中国産
（写真提供／森 文俊）

12.4cm 繁殖個体

【形態】全長100cmに達する大型種。体は細長い円筒形。口は吻端にあり、上あごがやや突出する。口ひげはない。咽頭歯は2列で櫛状。体色は背部が青灰色で、腹部は灰白色。
【生態】利根川流域では主に本川下流域と霞ヶ浦に生息する。産卵生態はほかの四大家魚とほぼ同様。強い植物食性を示し、沈水・抽水植物、さらに陸上から水面に垂下する陸生植物なども食べる。生後7〜10年、体長60〜80cmに達すると成熟する。
【分布】中国東北部から西江水系にかけての中国大陸に分布する。日本へは1878年以降に複数回移殖されたが、現在のところ、自然繁殖が確認されているのは利根川流域のみ。
【特記事項】除草目的で堀や池に盛んに放流されているが、水草を大量に食べるため、在来水草群落を壊滅させた事例も報告されている。

大食漢で、陸生の雑草も食べてしまう。

（武内啓明）

コイ目　コイ科
アオウオ
Black carp

全長(cm)	100～150
背鰭条数	iii＋7～8
臀鰭条数	iii＋7～8
側線鱗数	39～45

総合対策外来種（その他の総合対策外来種）

学　名　*Mylopharyngodon piceus*
　　　　　（Richardson, 1846）

89.0cm 中国産
（写真提供／森 文俊）

6.0cm 繁殖個体

【形態】全長150cmに達する超大型種。形態的特徴はソウギョに似るが、体色が全体に青黒いこと、頭部後方の背縁部が盛り上がること、うろこに黒い縁どりがないこと、咽頭歯が臼歯状であることなどで区別できる。

【生態】利根川流域では主に本川下流域と霞ヶ浦に生息する。産卵生態はほかの四大家魚と同様。生後6～11年、体長100cm前後になると成熟する。主にタニシやシジミなどの貝類、甲殻類、水生昆虫などの底生動物を食べる。

【分布】中国東北部から西江水系にかけての中国大陸東部に分布する。日本における分布および導入経緯はほかの四大家魚と同様。利根川における生息個体数はきわめて少ない。

【特記事項】環境省および農林水産省の生態系被害防止外来種リストでは、総合対策外来種（その他の総合対策外来種）に選定されている。

利根川での生息数は少なく、幻の魚と呼ばれる。

（武内啓明）

コイ目 コイ科
ウグイ
Japanese dace

全長(cm)	20〜50	側線鱗数	68〜84
背鰭条数	iv + 7	鰓耙数	11〜18
臀鰭条数	iii〜iv+7〜8		

学 名 *Pseudaspius hakonensis* (Günther, 1877)

繁殖期の婚姻色は体側に3本の朱色の縦帯が現れる

ウグイ属の成魚は雌雄ともに同様の婚姻色が発現する

背びれと腹びれの起点はほぼ揃う

25.9cm 新潟県産

12.5cm 静岡県産

【形態】形態は紡錘形。成魚は全長20〜30cm。最大50cmに達する。婚姻色は明瞭な赤い3条の縦帯が雌雄ともに発現する。繁殖期には皮膚が強靭になり、傷つきにくくなる。
【生態】降海型（遡河回遊）、淡水型が存在するが、北方ほど降海型の比率が高い。河川上流域から下流域、湖沼にかけて幅広く生息する。山形県須川、青森県恐山湖などではpH3程度の強酸性の環境での生息が確認されている。春に礫底で産卵し、比較的大きな産卵群を作る。産卵時は、雌雄が礫底に突っ込み産卵、放精を行う。1年で5〜10cm程度に成長し、最低2年で成熟する。典型的な雑食性。
【分布】南西諸島、東京都島嶼部を除き全国的に分布する。瀬戸内海周縁部には少ない。国外でも日本海周縁部に分布。
【特記事項】日本における代表的な淡水魚のひとつであり、釣魚や水産資源としても重要である。琵琶湖では、湖内と流入河川を利用する集団と、河川に残留する集団がある。

（藤田朝彦）

産卵群 繁殖期には大きな産卵群を作る。砂礫底で産卵する。

未成魚 約7cmの未成魚。日本の河川中流域を代表する魚のひとつである。

稚魚 約1.5cm。ウグイ稚魚はひれの形成が遅い。

仔魚 まだ各ひれがつながっている。

コイ目　コイ科
マルタ
Maruta dace

学　名　*Pseudaspius brandtii maruta* (Sakai and Amano, 2014)

全長(cm)	30～60	側線鱗数	73～87
背鰭条数	iii～iv＋7	側線上方横列鱗数	12～17
臀鰭条数	iii～iv＋8	側線下方横列鱗数	12～17

体側部の模様は明瞭な縦帯にならず、体側から背部全体が黒くなる

婚姻色の朱色の縦帯は腹部に1本

オス 54.0cm 東京都産

婚姻色は濃色

メス 52.5cm 東京都産

【形態】ジュウサンウグイに似るが、吻部がやや短く、鱗数が少ないことで区別できる。成魚の全長は30cm程度、最大で約60cmに達する。婚姻色はジュウサンウグイと同様であり、朱条は上あごから体側下部を通り尾柄に至る1本のみである。ウグイよりも濃色である印象を受ける。また、追星はウグイよりも小さい。
【生態】コイ科としては数少ない通し回遊魚（溯河回遊）であり、河川から内湾にかけて生息する。早春に川を遡上し産卵する。ウグイよりも流れの速い場所で産卵する。動物食寄りの雑食性。
【分布】東京湾以北から岩手県大船渡湾にかけての太平洋沿岸。
【特記事項】本亜種とジュウサンウグイは1960年代から、「ジュウサンウグイ型」「マルタウグイ型」として認識されてきたが、2014年にマルタが新亜種として記載された。タイプ産地となった東京の多摩川では、かつては多く遡上していたが、高度成長期に激減。そのため、1989年頃から、涸沼より個体を導入・放流し、現在は回復している。

（藤田朝彦）

成魚 多摩川に産卵のため遡上した個体。

未成魚 未成魚は銀色味が強い。ウグイよりも顔が尖って見える。

仔魚 各ひれがまだつながっている。

仔魚 ふ化直後の個体。

コイ目　コイ科
ジュウサンウグイ
Jusan dace

学　名 *Pseudaspius brandtii brandtii* (Dybowski, 1872)

全長(cm)	30〜60	側線鱗数	78〜98
背鰭条数	iii〜iv＋7	側線上方横列鱗数	15〜20
臀鰭条数	iii〜iv＋8	側線下方横列鱗数	11〜18

絶滅のおそれのある地域個体群（LP）

婚姻色はマルタと同じ

マルタよりもやや鱗数が多く、頭部が大きい

41.5cm 新潟県産

9.0cm 新潟県産

【形態】マルタに似るが、吻部がやや下向きに突出し、鱗数が多いことで区別できる。成魚の全長は30cm程度、最大で約60cmに達する。婚姻色はマルタ同様に、上あごから体側下部を通り尾柄に至る1本のみである。

【生態】コイ科としては数少ない通し回遊魚（遡河回遊）である。浅海域や河口域を主な生息場とする。早春に川を遡上し、主に中流部で産卵する。動物食寄りの雑食性。マルタよりも海水への耐性がやや弱いとされる。

【分布】北海道、青森県の太平洋側から富山県の日本海沿岸にかけての本州北部。国外では日本海周縁の朝鮮半島東部、ロシア沿海州にかけて生息。

【特記事項】本亜種とマルタは1960年代から、「ジュウサンウグイ型」「マルタウグイ型」として認識されてきたが、2014年にそれぞれが亜種関係にあることが報告された。

婚姻色は濃く、あざやかである。

（藤田朝彦）

130

コイ目 コイ科
エゾウグイ
Ainu dace

学　名　*Pseudaspius sachalinensis*
(Nicholskii, 1889)

全長(cm)	10〜30
背鰭条数	iii〜iv＋7
臀鰭条数	iii〜iv＋7〜8
側線鱗数	73〜81

絶滅のおそれのある地域個体群（LP）

ほかのウグイ属のような明瞭な婚姻色は出ない

オス 28.1cm 北海道産

繁殖期のメスの吻は伸びる

赤色帯は頭部に限られる

メス 28.1cm 北海道産

【形態】日本産ウグイ属のなかではもっとも小型であり、成魚で全長20cm程度。30cmに達することは稀。外見はウグイに似る。明瞭な婚姻色は現れず、赤色部が頭部を除きほとんど発現しない。追星もウグイに比べると微弱。アブラハヤ・タカハヤと同様に繁殖期には砂礫内にもぐり込むため、メスの吻が著しく突出する。

【生態】ウグイ、マルタ、ジュウサンウグイと異なり、両側回遊は行わない純淡水魚である。主に河川上・中流域に生息し、比較的流れの緩やかな場所を好む。春に産卵する。生息環境はアブラハヤに類似する。雑食性。

【分布】福島県以北の本州から北海道（北方領土含む）。国外ではサハリンに分布。

【特記事項】本種は生息しているすべての都道府県版のレッドリストに記載されている。アブラハヤとの交雑も確認されている。

婚姻色はウグイ属のなかでは薄い。

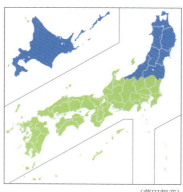

（藤田朝彦）

131

コイ目 コイ科
ウケクチウグイ
Long lowerjaw dace

全長(cm)	40〜80	側線鱗数	79〜92
背鰭条数	iii〜iv+7	側線下方横列鱗数	12〜15
臀鰭条数	iii〜iv+7〜8		

学　名　*Pseudaspius nakamurai*
　　　　　(Doi and Shinzawa, 2000)

絶滅危惧IB類（EN）

婚姻色は黒い縦条が2本で、朱色の縦帯が腹部に1本 肩部から背びれ基底周辺も朱色に染まることがある

日本産ウグイ属としてはもっとも大型になる

下あごが長く受け口になっている

ほほが長い
オス 55.0cm 新潟県産

メス 61.5cm 新潟県産

【形態】紡錘形。日本産ウグイ属でもっとも大きくなり、成魚で全長40cm、最大で80cmに達する。和名の通り、下あご前端が上あご前端よりも突出し、「受け口」になっている。また吻が長く、ほほも長い。婚姻色としては、朱色の縦帯が腹部に1条出現する。稚魚の段階から、上下の唇の先端が黒味を帯びる。
【生態】大河川の全域に生息する。降海はしない。稚魚期はワンドにもよく出現する。動物食性であるが、魚食性が強い。6月頃に浅所の礫底で産卵する。
【分布】日本固有種。秋田県から新潟県の日本海側の大河川に生息する。
【特記事項】2000年に新種記載された新しい種であるが、江戸時代から本種の存在は「類長」として認識されていたようである。本種に見られるほほが長くなる体形変化は、大陸の魚食性ウグイ亜科魚類に多く見られ、食性への適応であると考えられる。かつては大陸産のウグイ亜科の魚食魚であるマンシュウウオ *Pseudoaspius leptochephalus* と本種が同種である可能性が示唆されたこともあった。

（藤田朝彦）

オス成魚 ほほが長く「ホーナガ」と呼ぶ地方もある。そのほか「アキオ」「アキウオ」の地方名もある。

未成魚 約30cm。特徴的な顔つきになっており、魚食性がうかがえる。

未成魚 約15cm。未成魚はウグイよりずっと細長い印象を受ける。

column じつは特徴的で不思議なウグイの仲間たち

ウグイ亜科の概要

日本だと「ウグイ」はもっとも一般的な淡水魚の一つと言っていいだろう。北海道から九州まで分布している。別称としては「ハヤ」と呼ばれることが多いが、地域名も多様であり日本中でよく知られている淡水魚の代表である。しかし、ウグイは日本産淡水魚の中でもきわめて特徴的であり、不思議な存在なのである。

ウグイの仲間は、コイ目のなかでも大きな分類群である。ウグイ亜科の特徴としては、一般的に口髭を欠く、上顎孔を欠く、脊椎骨が多い、咽頭歯が二列といった形態をもつとされる。本書ではウグイ亜科としてコイ科の一亜科に留めているが、近年ではウグイ科としてコイ目の一つの科として取扱われることが多い。ウグイの仲間は北半球を中心に幅広く分布しており、世界全体では574種が存在するとされる。ウグイ亜科は北米～ヨーロッパ～北アフリカを中心に分布しており、北米では290種以上、ヨーロッパから北アフリカにかけては約270種前後が生息している。このように、じつは「ウグイ」は日本ではもっとも一般的な淡水魚でありつつも、ウグイ亜科自体は東アジアでは必ずしも種数は多くなく、東アジアの淡水魚類相の中では目立つものとはなっていないと言える。日本でも、ウグイ亜科魚類の生息はウグイ属5種、アブラハヤ属3種に留まっている。

幅広い環境への適応

ウグイは北海道から九州まで日本中の広い範囲で見られる。さらに、ハビタットとしては河川の上流域から海まで極めて長い流程、幅広い環境で生息できる。ウグイ

ピーマウス（Peamouth）
Mylocheilus caurinus (Richadson, 1836)（スミソニアン協会所蔵）

北米西部に生息するコイ科魚類。日本のウグイやマルタ、ジュウサンウグイと同じく、塩分耐性があり、汽水域にも見られる。現生種では1属1種。形態は紡錘形で、成魚は一般に全長20cm程度。最大全長は35cmほどになる。産卵は春季に川や湖の浅場の砂礫底で行われ、産卵群を形成する。産卵期にはウグイときわめてよく似た婚姻色を示す。また雌雄ともに婚姻色があらわれるとされる。この様に、形態や生態などウグイと瓜二つといえるような種である。ただし、ピーマウスには口角に小さいひげがある、咽頭歯の本数が異なるなどの形態的違いは存在している。

幅広い環境に適応し、日本中で見られるウグイ

産卵のために海から遡上したマルタ

の仲間の生態学的特徴として、もっとも有名なのが、この「海」にも生息する、つまり、淡水魚の代表であるコイ科であるにもかかわらず、海に降る通し回遊魚（遡河回遊）であるということである。日本産のコイ科の中で、海に降ることができるのはウグイの仲間（ウグイ、マルタ、ジュウサンウグイ）だけであることがよく知られているが、実はウグイ亜科がとくに繁栄している北米にも、塩分耐性があるコイ科ウグイ亜科であるピーマウス Mylocheilus caurinus が生息する。ピーマウスはウグイとほとんど同じ体形、婚姻色を示し、ウグイ類の由来、進化を考える上で非常に興味深い存在である。

また、ウグイは恐山の強酸性の環境に生息していることが有名であるが、これは鰓の塩類細胞が体内の水素イオンを積極的に排出することで適応しているとされている。このように、ウグイは川の最上流域から湖沼、海まで、また強酸性の環境下でも生息できる個体群がいるように、きわめて幅広い環境で生息することができる。ウグイは日本においては、物理的にも化学的にももっともあらゆる所で見られる魚と言ってもいいかもしれない。

特徴的な進化

生態的に特殊なウグイであるが、ウグイ属の魚類はほかにも多様な分化を遂げている。たとえば、ウケクチウグイは魚食性に特化して進化しており、大型になる、長い頬部を持つなど外見的にも特徴的であるが、日本海の対岸にあるアムール川水系では、マンシュウウオ Pseudaspius leptocephalus、ズナガウオ Luciobrama macrocephalus など、同様に魚食性に特化した大型のウグイ亜科魚類が複数生息している。ウケクチウグイは、記載される以前はマンシュウウオと同種ではないか、という議論もあったのである。

ウグイの仲間は雌雄ともに朱色と黒の派手な婚姻色を示すことも大きな特徴である。特にウグイ類に特徴的な朱色と黒の婚姻色は人目を惹き、また産卵群をつくるのでウグイやマルタの繁殖行動はとても見ごたえがあり、見物人が集まることもしばしばあるほどである。なお、タナゴ類やオイカワ類など、コイ科魚類では雄個体が派手な婚姻色を示すものは多いが、ウグイ類は雌雄が明瞭な婚姻色を示すことは本属魚類において独自の特徴になっている。これは、交雑を回避するためではないかと言われている。

このように、ウグイの仲間は本邦ではきわめて一般的な種であるにもかかわらず、日本を含む東アジアは北半球では珍しくウグイ亜科の多様性が少なく、通し回遊を行う種が多く、魚食性に特化した大型種が複数見られる、といったウグイ亜科のなかでも、じつは特徴的な進化の場になっている。なぜ東アジア、特に周日本海のウグイ亜科がこのような進化を遂げたかは、地史的、系統進化的にさらなる研究が必要だろう。日本でもっとも一般的な淡水魚のウグイであるが、実はきわめて不思議、特殊な進化を遂げてきた魚なのである。

（藤田朝彦）

コイ目 コイ科
タカハヤ
Upstream fat minnow

学 名 *Rhynchocypris oxycephala jouyi*
(Jordan and Snyder, 1901)

全長(cm)	7〜15
背鰭条数	iii+6〜7
臀鰭条数	iii+7
側線鱗数	67〜81
側線上方横列鱗数	11〜19

アブラハヤよりもうろこが大きく、体側の模様はまだらに見えることが多い

尾びれの付け根に半月状の黒斑がでる場合がある

アブラハヤよりも眼が小さい

腹びれの開始位置は背びれよりも前方

アブラハヤよりも尾びれの切れ込みが浅い

11.7cm 滋賀県産

3.5cm 和歌山県産

【形態】近縁種のアブラハヤよりは小型。大きくて全長10cm程度であるが、稀に15cm以上にまで成長する。アブラハヤに似るが、側線上方横列鱗数が少ない、尾びれ付け根の三角形の斑紋がないか、あっても楕円形、眼径が小さい、尾柄が高いといった点で識別できる。繁殖期のメスは礫中へもぐり込むために吻がへら状に伸びることが特徴。

【生態】河川上・中流域に生息する。源流域まで生息し、日本のコイ科魚類ではもっとも上流まで生息する種である。動物食寄りの雑食性。産卵は5〜7月ごろで、雌雄が群れになり、砂礫中に卵を埋め込む形で行われる。

【分布】静岡県および新潟県境川水系以西の本州・四国・九州・対馬・五島列島に生息する。伊豆半島以東に生息する個体は移植と考えられる。種としてはアムール川水系から福建省閩川にかけて広範囲に分布する。

【特記事項】近年では、関東地方で国内外来種として確認されることが多く、定着している場所もある。

(藤田朝彦)

成魚の群れ 植生帯に潜む。障害物への依存性は高い。

未成魚の群れ 河川の上・中流域の流れの緩やかな場所で見られる。遊泳速度は遅い。

コイ目 コイ科
アブラハヤ
Fat minnow

学 名 *Rhynchocypris lagowskii steindachneri*
(Sauvage, 1883)

全長(cm)	8～15
背鰭条数	iii＋6～7
臀鰭条数	iii＋7
側線鱗数	74～87
側線上方横列鱗数	19～25

タカハヤよりもうろこが細かい
体側には黒と金色の縦帯が入るが状態により見えないことも多い
タカハヤよりも眼が大きい
腹びれの開始位置は背びれよりも前方
尾柄に三角形から台形の黒斑
タカハヤよりも尾びれの切れ込みが深い

オス 13.5cm 富山県産

3.3cm 繁殖個体

【形態】成魚の全長は8～10cm程度。最大で約15cmであるが、稀に20cm程度まで成長する。タカハヤに似るが、側線上方横列鱗数が多い、尾びれの付け根に三角形の黒斑がある、眼径が大きい、尾柄が低いといった点で識別できる。体側に黒色と金色の縦帯がタカハヤよりも明瞭に現れる。繁殖期のメスは砂礫へもぐり込むために吻がへら状に伸びることが特徴。
【生態】河川の中流域に生息する。近縁種のタカハヤより下流部や河川周辺の用水路などに生息する傾向がある。動物食寄りの雑食性であり、大型個体は小型の魚類を捕食することもある。産卵は5～7月ごろで、雌雄が群れになり、砂礫中に卵を埋め込む形で行われる。
【分布】福井県および岡山県旭川以東の本州。タイプ産地は琵琶湖であるが、湖西には少ない。北海道では国内外来種として定着。種としてはロシアのレナ川から長江水系に幅広く分布する。
【特記事項】本種の分布西限から伊豆半島にかけては、近縁のタカハヤと同所的に生息する。

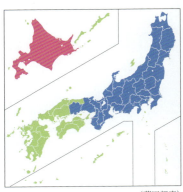

(藤田朝彦)

産卵群 繁殖期には大きな産卵群を作る。黒と金色の縦帯が特徴。

メスの二次性徴 産卵時に砂礫底にもぐり込むため吻が伸長。時には体全体が見えなくなるほど深くもぐる。

稚魚群 流れの緩やかなところに集まる。

コイ目　コイ科
ヤマナカハヤ
Yamanaka fat minnow

学　名　*Rhynchocypris lagowskii yamamotis*
(Jordan and Hubbs, 1925)

全長(cm)	8〜12	側線鱗数	77〜83
背鰭条数	iii+6〜7	側線上方横列鱗数	21〜22
臀鰭条数	iii+5		

情報不足（DD）

外見はアブラハヤに似る　　水切りがするどい　　尾柄は低い

本栖湖で1969年に採捕された個体（国立科学博物館所蔵のホルマリン固定標本）

8.9cm 山中湖と連続する水域で2003年に採捕した個体（ヤマナカハヤと思われる）

【形態】同種別亜種のアブラハヤよりも尾柄が低い。大きさは最大で全長12cm程度の個体が記録されている。
【生態】生態については不明であるが、河川に生息するアブラハヤと異なり、開放的な止水に適した生態を持っていたと考えられる。
【分布】富士五湖のうち山中湖、本栖湖、西湖、河口湖より記録されている。精進湖や周辺の四尾連湖などでもアブラハヤの記録はあるため、検討が必要。富士五湖周辺の湧水に生息するアブラハヤとの関連性についても検討を進める必要がある。タイプ産地は山中湖。
【特記事項】本亜種と考えられる個体は、富士五湖では1980年から確認されていない。標本はタイプ標本3個体、国立科学博物館の4個体、京都大学総合博物館の4個体のみが現存する。減少要因は主に外来魚の影響であると考えられている。

山中湖周辺で採捕した個体。尾びれ下葉は欠損。

（藤田朝彦）

コイ目 コイ科
ヤチウグイ
Swamp minnow

全長(cm)	6〜12	側線鱗数	66〜80
背鰭条数	iii + 7	脊椎骨数	37〜40
臀鰭条数	iii+7〜8		

学 名 *Rhynchocypris percnura sachaliensis*
　　　　(Berg, 1907)

準絶滅危惧（NT）

ほかのヒメハヤ属よりも側扁した体形。横から見るとずんぐりしている
成魚は縦帯があまり目立たない
吻端は丸い
喉部は角張る
10.3cm 北海道産

5.7cm 北海道産

【形態】アブラハヤ、タカハヤに似るが、体形はやや側扁しており、体は寸詰まりに見える。喉部はやや角張る。縦帯が見られるが、明瞭ではない。尾びれの付け根にはアブラハヤと同じような黒斑がある。アブラハヤ、タカハヤに見られるような、吻が伸びるといったメスの二次性徴は見られない。成魚の全長は6〜10cm、最大で12cm程度。
【生態】近縁種のアブラハヤ・タカハヤよりも止水環境を好む。水草の繁茂する小水域に多く、河川の流れのある所には少ない。動物食寄りの雑食性。産卵は初夏に行われ、水草の根元などに卵を産みつける。
【分布】勇払平野以北の北海道に生息。国外ではサハリン南部に生息する。サハリン北部からロシア東部に生息するダルマハヤ *R. p. mantschuricus* は別亜種。種としては、アムール川水系から豆満江〜ヨーロッパ東部にかけて分布する。

アブラハヤに似るが、全体的に側扁する。

（藤田朝彦）

コイ目　コイ科
ファットヘッドミノー
Fathead minnow

全長(cm)	4〜10	縦列鱗数	41〜54
背鰭条数	iii+8	脊椎骨数	46〜53
臀鰭条数	ii+14〜16		

学　名 *Pimephales promelas*
Rafinesque, 1820

オス 6.7cm

メス 6.1cm
（個体提供／国立環境研究所環境実験施設）

幼魚 3.1cm

【形態】体色は背面がオリーブ色、体側から腹面にかけては銀色。雌、未成魚には体側に黒い縦帯がある。繁殖期の雄は黒化するが、胸びれ基部と背びれ基部周辺は銅色の横帯が残り、特徴的な体色を示す。側線は不完全であり、口は端位で小さい。
【生態】2年で成熟する。産卵はペアで行われ、雌親が基質に産みつけた卵を雄親が保護する。繁殖期の雄親は、頭部から背びれ基底前端あたりまでの背面の表皮が肥厚し海綿状のパッドを形成する。この部分をこすりつけ、産着卵のトリートメントを行う。雑食性で藻類や動物プランクトン、小型の水生昆虫などを食べる。
【分布】カナダからメキシコ北部にかけて幅広く分布。プエルトリコ、イラン、ベルギー、フランス、イギリスにも外来種として生息。日本では東京都と神奈川県のため池などで2011年頃から確認されている。
【特記事項】毒性試験などに用いる実験動物、観賞魚として流通・利用されている。高水温や低酸素環境にもきわめて強いため、野外に放流された場合容易に定着する可能性が強く、注意が必要。

（藤田朝彦）

繁殖期のオス 頭部が黒くなり、追星が出る。また、特徴的な横帯も出現する。

産卵 産卵はペアで行われ、基質に平面的に産みつける。

卵を守るオス 産卵後、ふ化するまでオスが卵を守る。

コイ目　コイ科
モツゴ
Topmouth gudgeon

学　名 *Pseudorasbora parva*
(Temminck and Schlegel, 1846)

全長(cm)	4～8	側線鱗数	36～39
背鰭条数	ⅲ＋7～8	側線上方横列鱗数	5～7
臀鰭条数	ⅲ＋6	側線下方横列鱗数	4～5

側線は完全
繁殖期、オスの追星はよく発達する

オス 8.0cm 岡山県産

口は上向きで口ひげはない
通常1本の黒色縦帯を有する

メス 4.5cm 和歌山県産

【形態】吻先に上向きの小さな口を有し、いわゆる受け口をしている。稀に側線が不完全な個体が存在する。吻端から尾びれ基底まで伸びる1本の黒い縦帯を有する。繁殖期になると、オスの縦帯は消失し、全身が黒くなる。メスは腹部を中心にうすい金色を呈する。
【生態】河川の中・下流域、湖や池沼、農業水路、ため池などに生息する。富栄養化に強く、泥が深く堆積した水路やため池でも生息できる。繁殖期は4～7月。繁殖期になるとオスは石や流木などになわばりを持ち、そこで産卵が行われる。卵は粘着卵で、オスが保護する。
【分布】関東以西の本州、四国、九州。移殖により日本全国に広がっている。国外からは、朝鮮半島、台湾、中国など東アジアに広く自然分布する。もともといなかった日本の他地域やヨーロッパなどにも非意図的に移殖され、侵略的外来種として深刻な問題となっている。タイプ産地は日本。
【特記事項】三重県から報告されたホソモロコ *P. p. uchidai* は、本種の側線が不完全な個体と考えられている。

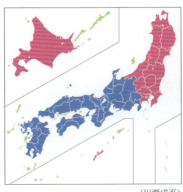

(川瀬成吾)

オス同士のケンカ オスは繁殖期になるとなわばりを持ち、気性が荒くなる。

成魚の群れ 非繁殖期は雌雄ともに縦帯を発現する。

稚魚 稚魚期になると縦帯が現れる。

卵 石や流木などに線状に産みつけられる。

コイ目　コイ科
シナイモツゴ
Shinai topmouth gudgeon

学　名　*Pseudorasbora pumila*
　　　　　 Miyadi, 1930

全長(cm)	4〜7	縦列鱗数	34〜36
背鰭条数	iii + 7	側線上方横列鱗数	5〜7
臀鰭条数	iii + 6	側線下方横列鱗数	4〜6

絶滅危惧 IA 類（CR）

側線鱗は前方の3〜4枚のみ
縦列鱗数は34〜36
追星の発達は悪いが、ウシモツゴより目立つ

オス 7.4cm 新潟県産

繁殖期のオス以外は縦帯を有する

メス 4.7cm 宮城県産

【形態】口はモツゴと同様、受け口である。側線は不完全で、前方3〜5枚にのみ側線鱗が見られることが多い。体側には黒い縦帯が存在する。モツゴと比較して頭部が大きく、尾柄が短い。繁殖期になると、オスの縦帯は消失し全身が黒色となる。

【生態】本来は平野部の池沼、農業水路などに生息する。現在では多くの生息地が失われ、小さなため池に残存しているのみである。繁殖期は4〜7月。モツゴと似た産卵行動をとる。

【分布】関東地方・長野県・新潟県以北の東北地方。関東地方の個体群はほぼ絶滅状態である。タイプ産地は宮城県品井沼。

【特記事項】タイプ標本は京都大学総合博物館（FAKU）に所蔵されている。モツゴが侵入すると、数年間のうちにモツゴに置換することが知られている。モツゴに対する応答はウシモツゴと異なっており、ウシモツゴとは繁殖特性などに違いがあると考えられる。東北地方の東西で遺伝的に大きく分化した地方集団があることがわかってきている。

(川瀬成吾)

成熟したオス 縦帯が消え、全身が黒ずむ。石や流木の周りになわばりを持つ。

メス メスは終生縦帯を有する。

頭部 頭部側線系は各管が分離している。

卵 バラバラに産みつけられる。（撮影／細谷）

コイ目　コイ科
ウシモツゴ
Pugnacious topmouth gudgeon

学　名　*Pseudorasbora pugnax* Kawase and Hosoya, 2015

全長(cm)	4～7
背鰭条数	iii＋7
臀鰭条数	iii＋6

縦列鱗数	31～33
側線上方横列鱗数	5～7
側線下方横列鱗数	4～5

絶滅危惧IA類（CR）

側線鱗は前方の0～6枚のみ

縦列鱗数は31～33枚

追星の発達は日本産モツゴ属のなかでもっとも悪い

オス 5.8cm 三重県産

成魚は縦帯を欠く

メス 4.0cm 三重県産

【形態】シナイモツゴ同様、側線は不完全。体側の縦帯は幼魚期にしか見られず、成魚になるとほぼ消失する。モツゴと比べて、頭部が大きく尾柄が短い。繁殖期になると全身黒い婚姻色を呈する。

【生態】本来は木曽三川の中・下流域の堀割、農業水路、池沼などに生息したが、現在は中山間地域のため池に見られるのみである。現在確認されている生息地点は10に満たない。繁殖期は4～6月。卵はふ化するまでオスによって保護される。ケンカモロコという地方名があるほど、なわばり行動は激しい。

【分布】岐阜県、愛知県、三重県の東海三県にのみ生息する。静岡県、長野県からも報告はあるが、詳細は不明。タイプ産地は岐阜県美濃市。

【特記事項】本種は中村（1963）によって報告され、長年、シナイモツゴ *P. pumila* の未記載亜種として扱われていたが、形態、遺伝、地理的根拠から別種とされ、2015年に新種記載された。複数の地域集団に分かれ、また各地域集団内の遺伝的多様性は低いことが明らかにされており、保全の際には注意が必要である。

（川瀬成吾）

成魚 もともと水深のある水路に好んで生息し、底層付近で遊泳することでモツゴとすみ分けていた。

頭部 追星の発達が日本産モツゴ属のなかでもっとも悪い。

メス メスでもおおよそ3cm以上になると縦帯が消失する点で、ほかのモツゴ属魚類と異なる。

コイ目 コイ科
ムギツク
Black stripe gudgeon

学 名 *Pungtungia herzi*
Herzenstein, 1892

全長(cm)	8〜15	側線鱗数	38〜41
背鰭条数	iii＋7	側線上方横列鱗数	6〜7
臀鰭条数	iii＋5	側線下方横列鱗数	5

オス 10.2cm 兵庫県産

3.2cm 兵庫県産

【形態】体は細長く側扁し、頭部は縦扁する。吻は細長く、先端に口がある。1対の口ひげを有する。吻端から尾びれ基部まで明瞭な黒色縦帯を備えるが、大型個体ではこれが不明瞭になる。側線は完全。

【生態】河川中流域とこれに連絡する水路に多く生息する。流れの緩やかな河川の淵や淀みを好む。動物食に偏った雑食性。繁殖期は5〜6月。卵は大きな石や岩盤、水草や流木に産みつけられる。オヤニラミやドンコが生息する河川ではこれらに托卵する。仔稚魚・幼魚期は群れをなすが、成長とともに単独で行動するようになる。

【分布】福井県、滋賀県、三重県以西の本州と香川県、徳島県、九州北部。国外では、朝鮮半島に分布する。タイプ産地は朝鮮半島北部。

【特記事項】ムギツク属は本種のみが知られ、近年の遺伝学的研究により朝鮮半島特産種クロムギツク *Pseudopungtungia nigra* との近縁性が示唆されている。近縁属としてクロムギツク属とモツゴ属が知られるが、詳しい類縁関係は不明。

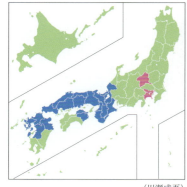

(川瀬成吾)

成熟したムギツクの群れ 繁殖期になると再び群れることが多くなる。

未成魚 淵の岩かげなどによく潜んでいる。石の周りにいる小動物をつついて食べる。

後期仔魚 この段階から縦帯が見られる。

卵 植物の茎に産みつけられた。

ムギツクの託卵行動① ムギツクの生息河川にて、石の下で卵を保護しているドンコのオス。

ムギツクの託卵行動② そこへ近くで様子をうかがっていたムギツクの群れがドンコの巣へ侵入して託卵を行う。

コイ目 コイ科
カワヒガイ
River higai gudgeon

全長(cm)	12〜16	側線鱗数	40〜42
背鰭条数	iii + 7	咽頭歯数	5-5
臀鰭条数	iii + 6〜7		

学 名 *Sarcocheilichthys variegatus variegatus*
(Temminck and Schlegel, 1846)

準絶滅危惧（NT）

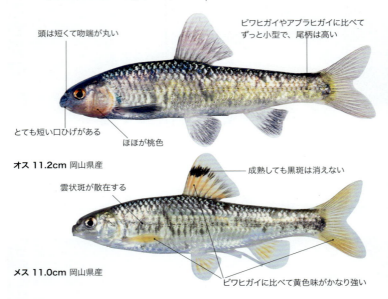

頭は短くて吻端が丸い
ビワヒガイやアブラヒガイに比べてずっと小型で、尾柄は高い
とても短い口ひげがある
ほほが桃色
オス 11.2cm 岡山県産

雲状斑が散在する
成熟しても黒斑は消えない
メス 11.0cm 岡山県産
ビワヒガイに比べて黄色味がかなり強い

【形態】体は細長く、頭長は短くいわゆる短頭型（トウマル）だけである。ビワヒガイに比べてはるかに小型で、尾びれの切れ込みは鈍い。ただし、濃尾平野の河川や淀川では、ビワヒガイとの中間形態の個体が見られる。体色は金属光沢のある灰色で、体側にはところどころに虫食い状の雲状斑がある。メスはやや黄色味を帯びる。背びれには1本の黒色帯があり、オスでは成熟すると薄くなる。
【生態】河川の中・下流域やこれに連なる水路を主な生息場所とする。砂底や砂礫底を好む。水底近くを泳ぎ、ユスリカ幼虫、水生昆虫などの底生動物、付着藻類などを食べる。繁殖期は4〜7月。イシガイ、タガイ、ササノハガイ類などの淡水二枚貝の外套腔内に産卵する。
【分布】愛知県豊川水系以西の本州太平洋岸と山陽地方、九州北西部、壱岐、日本海側に注ぐ京都府由良川、兵庫県円山川、島根県江の川にも分布する。
【特記事項】カワヒガイの生息地にビワヒガイが移殖されている事例が報告されている。本亜種への遺伝的撹乱が危惧される。

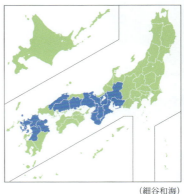

（細谷和海）

産卵の瞬間 タナゴ類とは異なり、入水管から外套腔に卵を産みつける。

二枚貝のなかの発眼卵 コイ科のなかでも最大級。

成熟オスの追星 吻部と眼下に現れる。

稚魚 ビワヒガイに比べて縦帯がやや太い。

コイ目 コイ科
ビワヒガイ
Biwa higai gudgeon

全長(cm)	15～20	側線鱗数	41～44
背鰭条数	iii＋7	咽頭歯数	5-5
臀鰭条数	iii＋6～7		

学　名 *Sarcocheilichthys variegatus microoculus* Mori, 1927

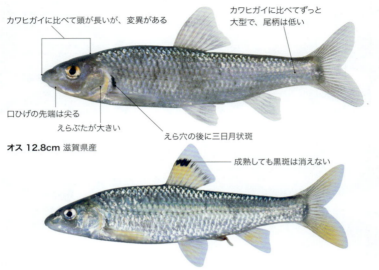

オス 12.8cm 滋賀県産

メス 12.4cm 滋賀県産

【形態】体は細長く、頭長は変異に富み、長頭型（ツラナガ）、短頭型（トウマル）、中間型（ヒガイ）など様々。1対の口ひげはきわめて短くて先端は尖る。尾びれの切れ込みは鋭い。体色は金属光沢のある灰色で、体側にはところどころに虫食い状の雲状斑がある。メスはやや黄色味を帯びる。背びれには1本の黒色帯があり、オスでは成熟すると薄くなる。

【生態】砂底や砂礫底を好み、関東地方では感潮域にも生息する。水底近くを泳ぎ、水生昆虫などの底生動物、付着藻類などを食べる。繁殖期は4～7月。イシガイ、マルドブガイ、カラスガイ、ササノハガイ類などの淡水二枚貝の外套腔内に産卵する。卵は大きく、吸水後の卵径は3.5～4.5mm、水温により差があるが、10～20日でふ化する。

【分布】もともと琵琶湖の固有亜種であったが、明治天皇がお好きであったことから、古くから移殖され、現在では北海道と琉球列島を除く日本各地で定着している。

【特記事項】本亜種には体側の雲状斑の濃い内湖型と薄い外湖型がある。

（細谷和海）

群れ 体側に縦帯を持っているサイズでは、数尾で群れをつくっていることが多い。

繁殖親魚 成熟すると胸びれや腹びれの前縁が白くなる。

産卵 タナゴ類ほど二枚貝の選択性は強くないが、小さな貝を好む傾向にある。

コイ目　コイ科
アブラヒガイ
Oily higai gudgeon

学　名　*Sarcocheilichthys biwaensis* Hosoya, 1982

全長(cm)	15〜20	側線鱗数	42〜43
背鰭条数	iii＋7	咽頭歯数	5-5
臀鰭条数	iii＋6〜7		

絶滅危惧IA類（CR）

- 頭は長くて、吻は尖る
- 成熟すると黒斑は消える
- 口ひげの先端は丸くてこぶ状
- 胸びれの前縁が白くならない
- 腹縁部も黒い

メス 14.0cm 滋賀県産

【形態】体は細長く、頭長は体長の27〜28%もあり、日本産ヒガイ属魚類のなかでもっとも長い。体色はひれも含め濃い黄褐色。背びれの黒色帯は成長とともに不明瞭になる。

【生態】砂礫底や礫底を好み、特に琵琶湖の北部の岩礁地帯に集中する。水底近くを泳ぎ、水生昆虫などの底生動物、付着藻類などを食べる。繁殖期は4〜6月。イシガイやマルドブガイなどの淡水二枚貝の外套腔内に産卵する。卵は大きく、吸水後の径は約4mm、その形状はビワヒガイとほぼ同じであるが、卵黄が橙色を帯びる。

【分布】琵琶湖の固有種であるが、湖の南部や内湖、それに湖に連絡する河川には分布しない。

【特記事項】本種はビワヒガイの長頭型（ツラナガ）から進化した。沖ノ島周辺ではビワヒガイとの交雑個体と思われる個体が採集される。純系のアブラヒガイは絶滅寸前と考えられる。

琵琶湖北部の岩礁地帯で漁獲されたタイプ標本。

（細谷和海）

158

コイ目 コイ科
タモロコ
Swamp moroko gudgeon

学名 *Gnathopogon elongatus elongatus*
(Temminck and Schlegel, 1846)

全長(cm)	5〜9
背鰭条数	iii + 7
臀鰭条数	iii + 5〜6
側線鱗数	35〜41
鰓耙数	6〜12

体側に1本の暗色縦帯がある
尾柄高は大きい
口ひげは瞳孔径より長い
側線の下には、2〜3列の小斑点がある

9.1cm 鳥取県産

【形態】体形は紡錘形で、ややずんぐりしている。吻は丸みを帯び、1対のやや長い口ひげを有する。繁殖期における二次性徴はあまり目立たず、微細な追星が頭部に現れる程度である。

【生態】河川中・下流域や湖沼、農業水路、ため池などの流れの緩やかな水域に生息する。その名の通り、水田地帯の農業水路に多い。中層から底層を遊泳し、よく石や流木、水草などの物陰に隠れる。繁殖期は4〜7月。産卵は農業水路、細流、水田などで行われる。卵は沈性粘着卵で、水草や陸上植物の根などに産みつけられる。雌雄ともに1年で成熟する。雑食性。

【分布】日本の固有種。自然分布域は東海地方以西の本州、四国。東北地方や九州に移殖され定着している。シーボルトが日本から持ち帰った標本によって記載されたが、詳しい産地は不明。

【特記事項】本種は鈴鹿山脈付近を境に遺伝的に大きく2集団に分かれる。さらに、天竜川水系上流からは特異な集団が見つかっており、亜種の**スワモロコ** *G.e.suwae* との関連性が示唆されている。高知県の個体群は外来の可能性が示唆されている。

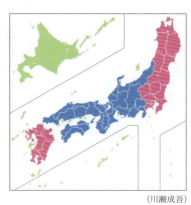

(川瀬成吾)

タモロコの成魚 ホンモロコに比べるとずんぐりしている。特に琵琶湖産はその傾向が強く、ひげも長い。

タモロコの未成魚の群れ 物陰のあるところを好む。

column タモロコに見られる地理的変異

a. 琵琶湖産タモロコ。ずんぐり丸い体形をしている。
b. 三方湖産タモロコ。スワモロコ同様、細長い体形をしている。
c. 湖沼個体群の象徴であったタモロコの亜種スワモロコ。1960年代に絶滅したとされている（京都大学総合博物館所蔵標本）。

タモロコは地域によって体形や顔つきが大きく異なっている。この地理的変異は琵琶湖特産のホンモロコや絶滅してしまったタモロコの亜種スワモロコ *G. elongatus suwae* 誕生と大きく関係している。いったいどうして著しい地理的変異が生じたのか。その謎を探ってみよう。

タモロコ属 *Gnathopogon* は現在、国内外から9種知られており、タモロコの起源を探るためには国内だけでなく、国外の種とも比較して類縁関係を明らかにしておかなければならない。地理的に日本にもっとも近い朝鮮半島には北方系のシマモロコ *G. strigatus* が分布している。シマモロコは体高が大きく、背びれに1本の黒色帯があるなど、タモロコとは明らかに異なる形態を有しており、タモロコとの血縁関係は遠そうだ。そこで、中国のタモロコ属に目を向けてみると、華南省に分布する *G. imberbis* という種が形態的にもっともタモロコに近い。*G. imberbis* がタモロコの姉妹種だとすると、タモロコとは著しい不連続分布を示すことになる。これはどう説明すればよいだろうか。その要因として、まずシマモロコとの種間競争が考えられる。しかし、現在、日本産コイ科魚類の祖先の多くが軌跡を残し、シマモロコも分布しない九州北部がタモロコの分布の空白地となっている。これは、タモロコが日本にやってきたのがかなり古いことを示している。

各地から得られたタモロコを比較すると、湖に生息する個体ほど、体高や尾柄高が小さく、脊椎骨数、鰓耙数が多く、口ひげが短くなるなどの進化傾向が認められる。つまり、湖のタモロコは「ホンモロコ」化するのだ。その典型がスワモロコであり、福井県三方湖のタモロコである。ところが、この進化傾向には一つ例外がある。それが琵琶湖産タモロコである。琵琶湖産のタモロコは体高、尾柄高が大きく、脊椎骨数、鰓耙数が少なく、口ひげが長くなるなど、湖における進化傾向と真逆になる。これはホンモロコとの形質置換によるものと考えられている。つまり、ホンモロコと重複分布する琵琶湖では競争によって形態的、生態的中間型が淘汰されるため、生態的地位の分化が増幅されてホンモロコはよりホンモロコらしく、タモロコはよりタモロコらしくなったのだ。「ホンモロコ」化現象などのタモロコにみられる変異は、近年のミトコンドリア DNA の研究によると、遺伝的なグループとは関係なく、並行的に起きていることが明らかにされており、タモロコの潜在的な環境適応能力の高さがうかがえる。

以上のように、タモロコは古くから日本列島の地史や地域の環境の影響を受けて形を変化させ、あるものは変異を蓄積して種や亜種レベルにまで分化を遂げている。それがホンモロコであり、スワモロコである。三方湖のスマートなタモロコ、琵琶湖のずんぐり丸いタモロコもスワモロコと同様に形態的、生態的変異を蓄積しており、進化の途上にあると思われる。今後、近年の遺伝学的研究結果も踏まえ、これらの変異について改めて分類学的に評価する必要があるだろう。

（川瀬成吾）

コイ目 コイ科
ホンモロコ
Biwa moroko gudgeon

学　名　*Gnathopogon caerulescens*
(Sauvage, 1883)

全長(cm)	10〜15	側線鱗数	40〜42
背鰭条数	iii+7	鰓耙数	14〜20
臀鰭条数	iii+6		

絶滅危惧IA類(CR)

吻が尖る
尾柄高は小さい
口ひげは瞳孔径より短い
側線下の小斑点は不明瞭

11.4cm 滋賀県産

【形態】タモロコと比較すると本種は大型になり、体が細長くスマートで、遊泳に適した形態的特徴を有する。また、側線鱗の下方に平行して並ぶ縞模様が不明瞭なため、銀光沢が強い。鰓耙数は14〜20と、タモロコより多い。

【生態】湖沼適応した魚で、主に水深5m以深の沖合の中層を群泳している。繁殖期は3〜7月。湖岸や内湖、流入河川下流、農業水路などで産卵する。動物プランクトンを好んで食し、産卵のために接岸する際には水生昆虫も食う。

【分布】琵琶湖固有種。内湖や瀬田川にも分布するが、流入河川ではまれ。

【特記事項】本種とタモロコは飼育下では容易に交雑し、雑種には稔性がある。しかし、両種の生息場所は異なるため雑種個体の存続は生態的に難しいと考えられている。実際に両種は琵琶湖のような自然下では完全に交ざり合うことなく、独自の形態や生態を維持していることから、明らかに別種である。しかし、湖岸改修による物理環境の単純化などの人為的影響によって両種の均衡状態が崩壊する可能性があり、注意が必要である。

(川瀬成吾)

成魚 体は細長く、背びれや尾びれもスマートになり、遊泳に適した体形をしている。

産卵 1尾のメスに複数のオスが追尾し、ヤナギの根やヨシなどの植物に産卵する。

未成魚 比較的早い段階で沖合へ移動する。

卵 沈性粘着卵で、卵径は1.3〜1.6mm。

コイ目 コイ科
ニゴイ
Japanese barbel

学　名　*Hemibarbus barbus*
　　　　　(Temminck and Schlegel, 1846)

全長(cm)	30〜50
背鰭条数	iii+7
臀鰭条数	iii+6
側線鱗数	48〜50
鰓耙数	12〜18

背びれの棘状軟条がかたい
吻は長く、キツネ顔
下唇の皮弁は発達しない
38.5cm 滋賀県産
うろこの黒い縁取りは細い

眼は上からよく見える
小斑点は少なめ
上から見ると吻は平たい
背面 10.5cm 滋賀県産

【形態】体は細長く、吻が長い。口は下方にあり、1対の口ひげを有する。唇は厚いが、乳頭突起はない。幼魚には体側中央に暗色斑が並ぶが、成長とともに消失する。繁殖期になるとオスは体が黒くなり、吻や胸びれ、腹びれなどに細かい追星が現れる。

【生態】比較的大きな河川の中・下流域や湖沼に生息し、汽水域にも出現する。流れの緩やかな低層部に多い。砂底を好む。繁殖期は4〜7月。1尾のメスに対して複数のオスが追跡し、砂礫の中に卵がばらまかれる。底生動物を中心とした雑食性で、時折、小型魚類も食う。

【分布】日本の固有種。近畿・中部地方以北の本州と錦川以西の山口県、九州に不連続分布している。タイプ産地の詳細は不明。

【特記事項】西日本でコウライニゴイを挟んで不連続分布している。本種のなかには複数種含まれている可能性があり、遺伝、形態、生態の各側面から精査する必要がある。本種もアユの種苗放流に混ざって全国に拡散しており、遺伝的撹乱が懸念される。

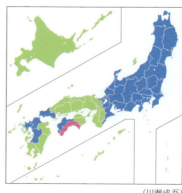

(川瀬成吾)

群れ 半底性の生活を送る。比較的おく病で、人影を見るとすぐに逃げる。

未成魚 幼魚時、側線の上方に暗色斑が並ぶ。

口唇 下唇の皮弁の発達は悪い。

稚魚 稚魚の段階からキツネ顔をしている。

コイ目 コイ科
コウライニゴイ
Continental barbel

学　名 *Hemibarbus labeo*
(Pallas, 1776)

全長(cm)	30〜50
背鰭条数	iii+7
臀鰭条数	iii+6
側線鱗数	47〜50
鰓耙数	19〜25

背びれの棘状軟条はかたい
吻は長く、キツネ顔
下唇の皮弁がよく発達する
48.0cm 岡山県産
うろこの黒い縁取りは前縁が太い

小斑点は少なめ
上から見ると吻は平たい
背面 9.0cm 岡山県産

【形態】ニゴイに似るが、皮弁がよく発達することや、鰓耙数が多いことで見分けられる。また、本種の方がニゴイと比べて頭部が長くなる傾向がある。

【生態】ニゴイと生態は似ており、河川中・下流域の流れの緩やかな環境に多い。半底生生活を送り、砂底や砂礫底で水生昆虫などを食う。ニゴイと同じく小型魚類も食べる。

【分布】国内では中部から山陽地方と四国に分布している。国外では、ロシアのアムール川からベトナム北部の紅河まで広く分布する。タイプ産地はロシア。

【特記事項】従来、日本にはニゴイ *H. barbus* のみ分布するとされていたが、竹下らの研究によって皮弁の発達する *labeo* 型と発達しない *barbus* 型の存在が明らかにされ、前者がコウライニゴイに相当するとされた。しかし、分類形質が少ないことや、本種のタイプ標本の所在が不明であることなど、分類学的な課題が多く残されている。日本産ニゴイ類の分類学的位置づけを明らかにするためにも、詳細な比較研究とタイプ標本の調査が望まれる。熊本県菊池川の個体群は、在来性を検討する必要がある。

(川瀬成吾)

成魚　成魚は河川本流の平瀬やトロ、淵でよく見かける。

未成魚　ニゴイと同様、幼魚は側線の上方に暗色斑が並ぶ。夏季、群れで水路や細流によく侵入する。

口唇　下唇の皮弁がよく発達する。

稚魚　ニゴイとの識別は困難。

167

コイ目　コイ科
ズナガニゴイ
Longnose barbel

学　名　*Hemibarbus longirostris*
　　　　　(Regan, 1908)

全長(cm)	15～20
背鰭条数	iii+7～8
臀鰭条数	iii+6
側線鱗数	43～45
鰓耙数	6～8

背びれの棘状軟条がかたい
吻がよく伸びる。頭部は長い
15.1cm 岡山県産
体側面と背面には小斑点が散らばる
特にメスは臀びれが伸張する
背面 16.5cm 奈良県産

【形態】体形はニゴイに似るが小型で、その名の通り、頭と吻が長い。体側には黒色の小斑点が散らばり、背びれと尾びれにも散在する。咽頭歯は2列または3列。成熟したオスでは体全体に細かい追星が現れるが、婚姻色は目立たない。

【生態】河川中流域の流れの緩やかな砂底に好んで生息する。底層付近を遊泳し、時々砂の中にもぐる。繁殖期は5～6月。卵は沈性粘着卵で、卵径は約2.5mm。受精後6～7日でふ化する。約2年で成熟する。カゲロウの幼虫などの水生昆虫を食う。

【分布】日本での分布域は近畿地方以西の本州に限られ、生物地理学上、興味深い分布パターンを示す。静岡県や山陰のいくつかの河川に移殖されている。国外では朝鮮半島、中国の遼河に分布する。タイプ産地は韓国。

【特記事項】ニゴイ属のなかでは系統的に原始的な種と考えられている。河川本流に生息することが多いことから河川改修やダムなどの影響を受けやすく、多くの地方版レッドデータブックで絶滅危惧種に選定されている。

(川瀬成吾)

成魚 金色のラインと黒色の小斑点列が目立つ。

幼魚 ニゴイやコウライニゴイの幼魚よりも体側に小斑点が多い。

頭部 頭部側線系の眼下管と前鰓蓋下顎管は太く発達し、分節がある。日本産コイ科ではニゴイ属に特有。

コイ目 コイ科
スゴモロコ
Sugo moroko gudgeon

全長(cm)	9〜12	側線鱗数	39〜41
背鰭条数	iii+7	脊椎骨数	37〜39
臀鰭条数	iii+6	咽頭歯数	3,5-5,3

学 名 *Squalidus chankaensis biwae*
(Jordan and Snyder, 1900)

絶滅危惧II類(VU)

体高が小さく、体長の19%以下　背びれ棘が長いのはスゴモロコ属の特徴
頭部背面は直線的
口ひげは長く、上顎長の2/3　肛門と臀びれ起部との間の鱗数は3枚
11.0cm 滋賀県産

背中線上にゴマ状斑が1列に並ぶ
背面 8.0cm 滋賀県産

【形態】体は細長い。口はやや下向きで、1対の長い口ひげを備える。尾びれの後縁の切れ込みは鋭い。側線は完全で、一つ一つの有孔鱗は小さな黒斑によって上下に挟まるが、イトモロコほど顕著ではない。体側には黄緑色の縦線に沿って、十数個の黒点が縦に並ぶ。
【生態】半底生性魚類で、琵琶湖では水深10m前後の砂底や砂泥底の上を群泳する。冬はさらに深いところへ移動する。繁殖期は5〜6月。水生昆虫、ヨコエビ、小型巻貝、浮遊動物などを食べる雑食性。
【分布】琵琶湖の固有亜種。関東地方や四国の太平洋側など各地にも移殖されている。ダム湖で定着することも多い。
【特記事項】コウライモロコと亜種関係にあり、コウライモロコ型の祖先が琵琶湖の止水環境に適応し進化したものと考えられる。淀川では本亜種とコウライモロコとの中間形態を示す個体がいる。コウライモロコの分布域に移殖される事例が報告されており、交雑による遺伝的攪乱が危惧される。

(細谷和海)

成魚 移殖された和歌山県産スゴモロコ。スマートな体形は、河川へ放流された後でも変わらない。

底近くを群れるスゴモロコ 半底性の生態を持ち、中層を群泳するホンモロコとは異なる。

側線鱗 黒斑によって上下に挟まれるが、イトモロコの黒斑より小さい。

コイ目　コイ科
コウライモロコ
Korean moroko gudgeon

全長(cm)	8〜11	側線鱗数	37〜40
背鰭条数	iii+7	脊椎骨数	36〜38
臀鰭条数	iii+6	鰓耙数	6〜11

学　名　*Squalidus chankaensis tsuchigae*
(Jordan and Hubbs, 1925)

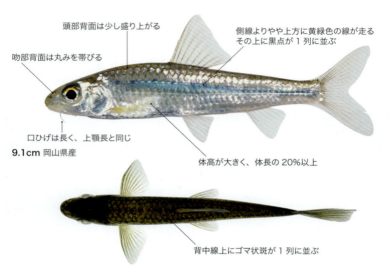

頭部背面は少し盛り上がる
吻部背面は丸みを帯びる
口ひげは長く、上顎長と同じ
側線よりやや上方に黄緑色の線が走る その上に黒点が1列に並ぶ
体高が大きく、体長の20%以上

9.1cm 岡山県産

背中線上にゴマ状斑が1列に並ぶ

背面 7.6cm 岡山県産

【形態】スゴモロコに似るが、吻が丸く、全体が太短い。側線鱗数は37〜40（スゴモロコでは39〜41）、脊椎骨数は36〜38（スゴモロコでは37〜39）でわずかに少なく、体形と対応している。同様にデメモロコとしばしば間違えられるが、コウライモロコは口ひげの長さが瞳孔径を超え、肩部が盛り上がらず、体側の黒点が明瞭な点で区別できる。
【生態】河川の中・下流域とそれに続く水路に生息する。流れの緩やかな砂底や砂礫底を好み、イトモロコより下流域にいることが多い。満水した河川の本流と農業水路を季節的に回遊する。繁殖期は5〜7月、朝鮮半島では8月まで。雑食性。
【分布】濃尾平野、和歌山県紀ノ川から広島県芦田川までの比較的大きな河川に不連続に分布する。国外では朝鮮半島西岸に分布。琵琶湖南端部では、コウライモロコとスゴモロコが接触している。紀伊半島では、移植された両亜種が河川ごとにすみ分けている事例が報告されている。本亜種の方がスゴモロコより環境の変化に強い。

（細谷和海）

成魚 コウライモロコは大きな河川に生息し、デメモロコより上流側、イトモロコよりは下流側に生息する。

幼魚 外観からもわかるように、スゴモロコ属はタモロコ属よりもニゴイ属に近縁である。

頭部 デメモロコとしばしば間違われるが、ひげがかなり長い。

コイ目 コイ科
デメモロコ
Deme moroko gudgeon

学 名 *Squalidus japonicus japonicus*
(Sauvage, 1883)

全長(cm)	7〜11	側線鱗数	37〜41
背鰭条数	iii+7〜8	脊椎骨数	35〜38
臀鰭条数	iii+6	鰓耙数	6〜8

絶滅危惧II類(VU)

頭部背面は盛り上がる
体色は銀白色
吻部背面は直線的
口ひげは短く、瞳孔径より短い
口裂はスゴモロコとコウライモロコより大きい

12.0cm 滋賀県産

背中線上にゴマ状斑が1列に並ぶ

背面 10.7cm 滋賀県産

【形態】スゴモロコやコウライモロコに似るが、体高が大きく、頭部の背縁が盛り上がる。吻は長く尖り、その背面は直線的。ほほは高く、キツネ顔に近くなっている。口ひげは短く、その長さは瞳孔径の3分の2以下である。成魚では体側の黒点が不明瞭になる。

【生態】ほかのスゴモロコ属魚類に比べていっそう流れの緩やかな泥底近くを好む。濃尾平野では、かつてため池や農業水路にふつうに生息し、ウシモツゴやカワバタモロコとも共生していた。繁殖期は4〜6月で、琵琶湖では繁殖前に雌雄別々の集団をつくる。仔稚魚はたえず底層近くにいる。底生動物を中心とした雑食性。

【分布】日本固有亜種で、濃尾平野と琵琶湖に分布する。琵琶湖へ連絡する河川にはいない。淀川水系でも稀。国外では朝鮮半島西岸に別亜種のコウライデメモロコ *S. j. coreanus* が分布する。

【特記事項】濃尾平野集団は琵琶湖集団より小型で体側の黒点列が成魚でも残存する。別亜種と考えられる。現在、激減している。

(細谷和海)

未成魚 ほかのスゴモロコ属とは異なり、泥底の止水域を好む。口ひげがかなり短い。

成魚 濃尾平野の個体群は琵琶湖の個体群に比べて、小型で体高が大きく、側線上方の黒点列が明瞭。

幼魚 半底性で、一生を通じて浮遊期がない。

コイ目 コイ科
イトモロコ
Slender moroko gudgeon

学 名 *Squalidus gracilis gracilis*
(Temminck and Schlegel, 1846)

全長(cm)	6〜8
背鰭条数	iii+6〜7
臀鰭条数	iii+6
側線鱗数	33〜36
脊椎骨数	33〜34

- スゴモロコとコウライモロコが持つ黒点列がない
- 側線鱗は 33〜36
- 吻端が尖る
- 吻部にぼやけた暗色帯がある
- 1本の薄い縦帯がある
- 5.7cm 兵庫県産
- 体背面にゴマ状斑が散在
- 背面 7.4cm 鳥取県産

【形態】ほかのスゴモロコ属魚類に似るが、もっとも体が小さい。体形そのものは特にデメモロコに似るが、イトモロコの口ひげは長く、斑紋のパターンが異なる。側線鱗が上下のうろこより前後に幅が広くて大きい。側線は三角形の暗色斑に挟まれ、全体として1本の縦帯のように見える。

【生態】河川の中・下流域とそれに続く水路に生息する。山口県や九州では河口近くまで生息する。砂礫底の底近くを群泳する。繁殖期は5〜6月。メス親は礫間に卵を産みつける。雑食性。

【分布】日本の固有亜種。別亜種のホソモロコ *S. g. majimae* が朝鮮半島西岸域に、近縁種のコウライイトモロコ *S. multimaculatus* が東岸域にそれぞれ分布する。自然分布域は濃尾平野以西の本州、四国の瀬戸内海側、九州の北部。細流にも生息できるため、淡路島、壱岐島、五島列島福江島などの島嶼にも広く分布する。一方、琵琶湖・淀川水系では野洲川、木津川、桂川などの支流に限られる。関東地方や静岡県など各地にも移殖されている。

(細谷和海)

イトモロコの未成魚 河川の流れの緩やかな砂礫底近くにいる。九州産の個体。

生息場所 河川の上流域や支流にも生息可能。コウライモロコほど大きな回遊はしない。

側線鱗 上下に長く、周辺のうろこより大きい。側線は長い黒斑に挟まれる。

コイ目 コイ科
カマツカ
Pike gudgeon

学 名 *Pseudogobio esocinus*
(Temminck and Schlegel, 1846)

全長(cm)	12〜20
背鰭条数	iii+7
臀鰭条数	iii+6
側線鱗数	36〜41

脊椎骨数	37〜41（モード38）
咽頭歯数	1〜2, 3−4−3〜5, 1〜2

14.9cm 島根県産

背面 9.5cm 静岡県産

【形態】日本産カマツカ類のでもっとも大型になる。体は紡錘形。吻が長く1対の口ひげを有する。口ひげは眼の先端を越えない。口は吻端下方に開き、口唇には多数の乳頭突起を備える。眼前部に暗斜体を、背面および体側部には大きな円形の暗色斑と多数の小斑点を有する。暗色斑の輪郭はややぼやける。肛門−臀びれ間のうろこの数は13（12〜16）。胸びれ条数は14（12〜16）。側線は完全。形態的変異が大きい。
【分布】湖沼の沿岸域や河川の中下流域、農業水路などに広く生息する。砂の多い底質を好む。産卵期は4〜7月。底生動物を好んで食べる雑食性。
【分布】フォッサマグナ以西の本州、四国（徳島県北部と愛媛県東部）、九州。日本固有種。
【特記事項】Tominaga et al. (2016) のグループAに該当する。琵琶湖の集団は、体形が細長くなる傾向がある。近年の研究によって、従来カマツカとされていた大陸の集団は遺伝的に複数集団に分かれることが明らかにされている。従来、朝鮮半島や中国北部に生息する集団は同種にされていたが、別種と考えられており、中国中部以南に分布するとされている *P. vaillanti* も含め、分類学的精査が必要である。タイプ産地は日本。

(川瀬成吾)

成魚 眼が上に付いており、上方からの敵をすぐ察知する。背面の鞍状斑や側面の黒色斑は砂地においてカムフラージュになる。

成魚 吻が長く、上あごがよく伸長するため、砂の中に隠れた小動物を効率よく吸引摂餌できる。

顔 よく砂にもぐり、顔だけを出す。

稚魚 ふ化後、すぐ着底する。

コイ目　コイ科
ナガレカマツカ
Torrential pike gudgeon

全長(cm)	10〜15
背鰭条数	iii+7
臀鰭条数	iii+6
側線鱗数	36〜40

学　名　*Pseudogobio agathonectris* Tominaga and Kawase, 2019

ほかのカマツカと比べて吻が短い

口ひげ後端が眼に達する

オス 13.4cm 奈良県産

暗色斑は明瞭

胸びれ外縁は円みがあり、条数は13

背面 13.4cm 奈良県産

【形態】カマツカに比べて小型で、肛門ー臀びれ間長が短いため、ややすん詰まった印象を受ける。肛門ー臀びれ間のうろこの数は、主に12（11〜14）。吻は短めで、口ひげは長く、口ひげの後端は眼の先端を越える。胸びれの棘状軟条は短く第6軟条に達しない。胸びれの軟条数は13（10〜14）。眼前部に暗斜体を、背面および体側部には大きな円形の暗色斑と多数の小斑点を有する。暗色斑は濃い傾向にあり、輪郭は明瞭。
【生態】河川の中上流域の瀬・淵構造のある水域に生息する。カマツカよりも流水環境を好み、産卵期は4〜7月。雑食性。
【分布】東海地方、近畿地方から広島県までの瀬戸内海流入河川。日本固有種。
【特記事項】本種はTominaga et al. (2016) のカマツカのグループBに該当する。富永浩史氏によって発見された種で、2019年に新種記載された。種小名は「泳ぎの上手な」という意味。

夜になると早瀬で活発に摂餌する。

(川瀬成吾)

コイ目 コイ科
スナゴカマツカ
Sunago pike gudgeon

学　名 *Pseudogobio polystictus*
Tominaga and Kawase, 2019

全長(cm)	10～15
背鰭条数	iii+7
臀鰭条数	iii+6
側線鱗数	36～40

細かい暗色斑が点在する

口ひげ後端が眼に達する

オス 11.8cm 千葉県産

暗色斑は不明瞭

胸びれ外縁は円みがあり、条数は 13

背面 11.8cm 千葉県産

【形態】カマツカとナガレカマツカの中間的な形態を示す。カマツカとは口ひげが長く後端が眼の先端を越える、胸びれの棘状軟条は短く第 6 軟条に達しない、胸びれの軟条数は 13（12 ～ 14）、肛門－臀びれ間のうろこの数は 12（11 ～ 16）である点などで見分ける。ナガレカマツカとは、不明瞭な暗色斑と細かい暗色斑が体側に散らばる点で識別できる。
【生態】河川上流から下流の砂底に生息する。生息環境はナガレカマツカと類似するが、下流域まで分布域は広がる。昼は砂に潜っていることが多く、夜になると砂底で活発に摂餌する。
【分布】フォッサマグナ以東の本州。日本固有種。
【特記事項】本種は、Tominaga et al. (2016) のカマツカのグループ C に該当し、2019 年に新種記載された。カマツカの移殖により、遺伝子汚染が生じている。種小名は「たくさんの斑点がある」という意味で、Eschmeyer (2019) に従い男性形である *polystictus* とした。

斑紋は金箔を散らした「砂子」のよう。

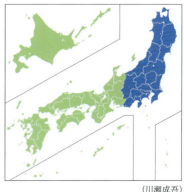

(川瀬成吾)

コイ目 コイ科
ツチフキ
Dwarf pike gudgeon

学 名 *Abbottina rivularis*
(Basilewsky, 1855)

全長(cm)	4～10	側線鱗数	37～39
背鰭条数	iii+7	脊椎骨数	35～37 (モード36)
臀鰭条数	iii+5	咽頭歯数	5-5

絶滅危惧IB類(EN)

- オスの背びれはよく伸長する
- 背びれと尾びれには濃い黒色斑が並ぶ
- 吻はやや長い
- 口ひげは短い
- 口唇に乳頭突起はない
- 繁殖期のオスは胸びれの前縁に大きな追星が生じる
- 分枝軟条数は5

オス 9.3cm 福岡県産

- メスはオスに比べて小さい

メス 7.7cm 福岡県産

【形態】体形や斑紋はカマツカに似るが吻が短く、唇はなめらかで、乳頭突起は発達しない。1対の短い口ひげを有する。背びれと尾びれには濃い黒色斑が並ぶ。オスはメスと比べると顕著に大きくなり、繁殖期になると胸びれ前縁に大きな追星が生じ、背びれが大きく伸長する。

【生態】平野部の池沼や農業水路の泥底に好んで生息する。繁殖期は4～7月。オスは繁殖期になると泥底にすりばち状の巣を作り、そこで産卵が行われる。卵は沈性粘着卵で寒天質様物質に包まれ、オスによって保護される。餌は底質の小動物やデトリタスを中心とする雑食性。

【分布】国内での分布は濃尾平野、近畿地方、山陽地方、九州北部。国外からは朝鮮半島から中国東部にかけて分布する。タイプ産地は中国。

【特記事項】各地で減少が著しい。2022年淀川水系から約30年ぶりに本種が発見された。ヘラブナの放流などに交ざって各地へ移殖されており、自然分布の実態は不明。近年の研究では東海地方の集団は移殖の可能性が高い。九州では中国中南部産のDNAが見つかっている。

(川瀬成吾)

摂餌行動 吻は短いが、上あごの突出能はあり、底の泥中に潜む小動物を食う。胸びれの追星が顕著。

威嚇 繁殖期になるとオスの気性は荒くなり、ほかのオスや他魚種がなわばりに入ってくると激しく追いやる。

顔 口には乳頭突起がなく、口ひげは短い。

稚魚 カマツカより吻が短い。

183

コイ目 コイ科
ゼゼラ
Biwa dwarf gudgeon

学名 *Biwia zezera*
(Ishikawa, 1895)

全長(cm)	4〜7		脊椎骨数	34〜38（モード35。琵琶湖淀川水系個体群 37）
背鰭条数	iii+7			
臀鰭条数	iii+6		咽頭歯数	5-5
側線鱗数	35〜38			

絶滅危惧II類(VU)

胸びれ前縁の追星は小さく、多い（15以上）
背びれの外縁は雌雄ともに[く]の字
吻は短く、丸い
口は小さく口唇はなめらかで、乳頭突起はない 口ひげはない
体高や尾柄高はヨドゼゼラよりも小さい

オス 5.5cm 滋賀県産

側線鱗数は35〜38

メス 6.2cm 滋賀県産

【形態】頭部は円筒形で、体後部に向けて側扁する。口は小さい。眼前部に暗斜体を、背面には鞍状斑を、体側部には暗色斑を有する。成熟したオスでは、体色が黒色となり暗色斑が消失し、胸びれ前縁に追星が現れる。

【生態】湖沼や河川中・下流域の、流れの緩やかな砂泥底から砂底を主な生息場所とする。繁殖期は4〜7月中旬。繁殖期になるとオスが抽水植物の根や沈水植物になわばりを持ち、そこで産卵が行われる。底質の表面に付着している藻類やデトリタスを中心とする雑食性。

【分布】日本固有種で、濃尾平野、琵琶湖・淀川水系、山陽地方、九州北部に不連続分布する。伊豆沼、関東地方、新潟県、福井県、静岡県などに移殖されている。タイプ産地は琵琶湖。

【特記事項】各地方集団は遺伝的に分化していることがわかっている。しかし、琵琶湖産アユの種苗放流に交ざって全国に拡散し、非生息地での定着や各地方集団への遺伝的撹乱が問題となっている。琵琶湖では近年、外来魚の減少に伴い、個体数が回復傾向にある。

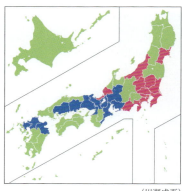

(川瀬成吾)

繁殖期の雌雄 繁殖期のオスは全身黒色になり、胸びれ、腹びれ、臀びれは青白くなる。

未成魚 体側や背面の暗色斑は、底の砂や砂泥とよくなじみ、野外では見つけづらい。

頭部 口の突出能が退化しているため、底の表面をつつくように餌を食べる。

コイ目 コイ科
ヨドゼゼラ
Yodo dwarf gudgeon

学 名 *Biwia yodoensis* Kawase and Hosoya, 2010

全長(cm)	4〜7	側線鱗数	34〜36
背鰭条数	iii〜iv+7	脊椎骨数	34〜36 (モード35)
臀鰭条数	iii+6	咽頭歯数	5-5

絶滅危惧IB類(EN)

- 胸びれ前縁には追星が現れる ゼゼラより大きく、数は少ない(15未満)
- 吻は短く、丸い
- 口は小さくなめらかで、乳頭突起はない 口ひげはない
- 繁殖期になると鰭条が伸長し、ふくらむ 外縁はギザギザした鋸歯状となる
- 体高や尾柄高がゼゼラよりも大きい

オス 5.8cm 京都府産

- メスと未成魚は直線状
- 側線鱗数は34〜36

メス 5.8cm 京都府産

【形態】体形や体色はゼゼラに似るが、眼はゼゼラに比べて小さい、体高や尾柄高が大きい、側線鱗数が少ないことなどで見分けることができる。成熟したオスでは、体色が銀黒色を帯び暗色斑が薄くなり、胸びれの前縁に追星が現れる。

【生態】淀川水系主要河川のワンドやタマリ、二次流路、本流と接続のある農業水路、支流の下流部に生息する。泥底から砂泥底を好む。繁殖期は4〜7月上旬。繁殖期になるとオスが抽水植物や陸上植物の根などになわばりを持ち、そこで産卵が行われる。1年で成熟し、繁殖期を過ぎると多くは死亡する。餌は底の表面の藻類やデトリタスなど。

【分布】琵琶湖・淀川水系固有種。当水系固有種のなかでは特異的に淀川水系中下流域を中心に分布。タイプ産地は京都府大山崎町桂川の三川合流付近。

【特記事項】従来日本にはゼゼラのみ分布すると考えられていたが、2010年にヨドゼゼラの存在が明らかにされた。河川環境の悪化、水田地帯の消失・圃場整備、外来魚類の影響などで近年減少しており、保護対策が急務となっている。

(川瀬成吾)

オス オスは繁殖期になると銀黒色の婚姻色を呈する。胸びれ、腹びれ、臀びれは青白くなり、よく目立つ。

産卵 オスがメスを産卵基質に誘い込み、雌雄1対で産卵する。

未成魚 仔稚魚から未成魚は、ワンドなどの浅い水域で成長する。

コイ目　ドジョウ科
アユモドキ
Japanese botia

学　名　*Parabotia curtus*
　　　　　(Temminck and Schlegel, 1846)

全長(cm)	15〜20	胸鰭条数	i+12〜14
背鰭条数	iv〜v+8〜10	腹鰭条数	ii+7
臀鰭条数	iv+5	側線鱗数	127〜138

絶滅危惧IA類(CR)
国内希少野生動植物種／天然記念物

未成魚　見るからにユニークな魚で、シーボルトもオランダに持ち帰っている。

【形態】体は細長く、やや側扁し、尾びれ後縁は二叉するのでコイ科のように見える。幼魚の体側には幅広い7〜11個の横帯が、尾びれ基底中央部には明瞭な暗色斑があり、成長とともにそれぞれ不明瞭になる。

【生態】湖、河川の下流域や農業水路の岸近く生息し、昼間は淀みの沈床や石垣の間に隠れ、夜間に活動する。繁殖期は6〜8月。親魚は増水をきっかけに水田やワンドに移動し産卵する。水温の低下にともない河川の本流に戻り越冬する。底生動物を主体とした雑食性。

【分布】日本固有種。琵琶湖・淀川水系、岡山県吉井川・旭川・高梁川、および広島県芦田川。琵琶湖と芦田川では絶滅した可能性がある。

【特記事項】本種は東南アジアに広く分布するボティアの仲間で、もっとも原始的な種とされる。絶滅寸前で国の天然記念物および種の保存法対象種となっている。

上あごに2対、下あごに1対の口ひげを備える。

（細谷和海）

column　アユモドキはどうして減ったのか？

　アユモドキは、現在日本でもっとも絶滅の恐れの高い淡水魚のひとつで、日本版（環境省）のみならず国際自然保護連合IUCNのレッドリストでも絶滅危惧IA類（CR）に選定され、世界的にも危機が認識されている。現在のアユモドキの生息地は、琵琶湖・淀川水系で1カ所、岡山平野の2カ所ときわめて局所的で、特に前者は大規模な開発が進行中で絶体絶命だ。

　もともと琵琶湖・淀川水系には多くのアユモドキが生息していた。これは古文書や古い文献、多くはないが今も残されている古い時代の標本によって明らかだ。なぜ、これほど減ってしまったのだろうか。

　アユモドキはモンスーンアジアの気候に特化した繁殖生態を有している。成魚は河川の本流に生息しているが、産卵期の雨季になると河川の増水によってできた水域（氾濫原水域）に侵入し一斉に産卵する。産卵のタイミングはきわめて限定的で、氾濫原水域が形成された直後の数時間だという。できたばかりの氾濫原水域は外敵が少ないだけでなく、稚魚のエサとなるプランクトンが大量発生し、生まれた仔稚魚はそれを独占できるのだ。日本で稲作がはじまると、多くの氾濫原水域は水田に変えられたが、水田稲作は四季の変化と調和したもので氾濫原水域の代替となり、アユモドキにとってなくてはならないものとなった。

　琵琶湖・淀川水系は、水量が豊富なだけでなく、琵琶湖の周囲に広がる内湖、淀川のワンド・タマリ、遊水池の役割を果たしていた巨椋池、水田地帯などの浅い湿地帯を数多く有していた。この広大な湿地帯が氾濫原水域としてアユモドキの生息を保証してきたのだ。しかし、多くの湿地は干拓や河川改修によって激減し、水田は宅地、工業、商業地に変えられて、消失または圃場整備によりその多面的機能が奪われた。さらに稲作は効率化や兼業化を背景に稲作の時期が早まり、アユモドキの産卵期とズレをきたすようになった。また、琵琶湖では湖岸堤の建設と瀬田川洗堰操作規則、淀川水系では淀川大堰やダム建設によって、不自然な水位変動を呈するようになったことも大きい。氾濫原水域への特化した生態を有するアユモドキは、それらが失われ、甚大な被害を受けた。

　このようにして、アユモドキは絶滅寸前にまで追いやられ、現状ではいつ絶滅してもおかしくない。種の進化は不可逆的なもので、一度絶滅すると二度と復元することはできない。アユモドキの存続は今を生きる私たちにかかっている。　　　　（川瀬成吾）

参考文献
阿部 司.2012.アユモドキ(*Parabotia curta*)の氾濫原環境への適応と繁殖場所の保全・復元.応用生態工学,15:243-248.
岩田明久.2006.アユモドキの生存条件について水田農業の持つ意味.保全生態学研究,11:133-144.
上原一彦.2013.琵琶湖淀川水系のアユモドキの現状と保全.地域自然史と保全,35:17-22.

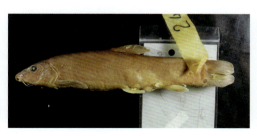

1992年、琵琶湖周辺（西ノ湖）で最後に採捕されたアユモドキの標本。琵琶湖博物館所蔵。（撮影／藤田朝彦）

コイ目 ドジョウ科
ドジョウ
Japanese weather loach

学 名 *Misgurnus anguillicaudatus* (Cantor, 1842)

全長(cm)	10〜30	側線鱗数	150〜180
背鰭条数	ii〜iii+6〜7	脊椎骨数	46〜53
臀鰭条数	iii+5〜6		

準絶滅危惧(NT)

【形態】体形は細長い。背部、体側に褐色の不明瞭な斑紋があるが、個体変異が激しい。背びれと尾びれにも小さな斑紋がある。口ひげは5対。オス成魚の胸びれは伸びて尖り、基部に骨質盤ができる。成魚の全長は10〜15cm程度。最大で20cmを超える。

【生態】水田や農業水路、湿地帯などの流れのない泥底の環境に生息する。初夏に、水田やタマリなどの一時的水域に遡上して産卵を行う。腸呼吸を行うことができる。雑食性。

【分布】日本全国に分布。北海道は移植の可能性がある。国外ではアムール川水系からインドシナ半島。

【特記事項】現在、日本国内には遺伝的に異なる複数の集団が確認されており、近い将来、ドジョウはいくつかの種に分かれる可能性がある。また、外国産の移入かといった判断も含めて混沌とした状態にある。食用や釣餌として輸入される量も多く、それらの野外流出も懸念されている。全長30cmに成長するジンダイドジョウと呼ばれる地域個体群が三重県に存在したとされるが、現在は絶滅した。近年の研究で、日本産のドジョウは複数の種に分けられており、今後も大陸のドジョウを含めた分類学的な研究を進めることが必要である。

(藤田朝彦)

比較的斑紋の目立つ個体 尾柄上部に目立つ黒斑があることが多い。

泥中に埋もれる個体 泥底を好んで生活する。

ドジョウの顔 ひげは5対10本。

コイ目 ドジョウ科
キタドジョウ
Northern weather loach

学 名 *Misgurnus chipisaniensis* Shedko and Vasil'eva, 2022

全長(cm)	20
背鰭条数	iii+6
臀鰭条数	iii+5
脊椎骨数	48〜51

情報不足(DD)

頭頂部から吻端にかけて直線的
尾びれ付け根上部に暗色斑
尾びれは円い

オス 10.5cm 北海道産

顔が細長い

メス 12.1cm 北海道産

【形態】きわめて大型になるドジョウ類。ドジョウに似るが、頭頂部から吻端にかけて直線的で顔が細長い。眼径は比較的小さい。口ひげは5対10本。体側には不規則な小斑点が散在する。ドジョウ同様に尾びれ付け根上部に暗色斑がある。雄成魚の骨質盤は小さく、しゃもじ状。

【生態】ドジョウ同様に、河川の中・下流域、用水路や池沼、湿地帯に生息する。ドジョウと混在する水系では同所的に両者が生息しているため、両者間に生殖隔離が成立しており、別種であることが確認されている。

【分布】福井県、神奈川県以北の本州および北海道。自然分布域の詳細は不明。

【特記事項】2017年に和名が提唱された種。種の異同について、中朝国境のトマンドジョウ *M. buphoensis* やアムール川の *M. nikolskyi* との比較が望まれる。

20cmを超える大型個体も多い。

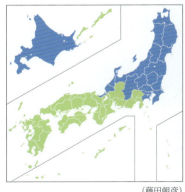

(藤田朝彦)

コイ目 ドジョウ科
ヒョウモンドジョウ
Leopard weathe loach

学　名　*Misgurnus* sp. OK

全長(cm)	8〜12
背鰭条数	iii+7
臀鰭条数	iii+5

情報不足(DD)

ドジョウよりやや口ひげが長い　　体側に目立つ斑紋　　尾びれ付け根上部に暗色斑

オス 10.5cm 沖縄県産

メス 8.9cm 沖縄県産

【形態】ドジョウに似るが、体形はやや太短く、体高が大きい。口ひげはドジョウよりやや長い。体の表面に眼径より大きな暗色斑点が分布する。雄胸鰭の骨質板は斧状で大きく、内縁がへこみ後端は円い。
【生態】池沼や水路、水田などの浅い湿地に生息する。あまり大型にならないとされる。
【分布】沖縄諸島（沖縄島）、八重山諸島（石垣島、与那国島）。自然分布域の詳細は不明。
【特記事項】過去の水田開発や稲作の副業目的で人為的な移入が生じている可能性もある。類似した斑紋を持つドジョウは台湾島など、アジアのほかの場所でも見られるようである。学名に付随している「OK」は Okinawa Island population の意。

ヒョウモンの名にふさわしい模様がある。

（藤田朝彦）

コイ目　ドジョウ科
シノビドジョウ
Shinobi weather loach

学　名　*Misgurnus amamianus*
　　　　　Nakajima and Hashiguchi, 2022

全長(cm)	7〜12
背鰭条数	iii+6
臀鰭条数	iii+4〜5

情報不足(DD)

ドジョウよりやや口ひげが長い

オス 9.6cm 鹿児島県産

尾びれ付け根の暗色斑は不明瞭

メス 15.4cm 鹿児島県産

【形態】ドジョウによく似るが、各鰭条は細く繊細。口ひげはドジョウよりやや長い。尾びれ後端の中央がやや突出することが多い。尾柄部の肉質は隆起しない。オスの胸びれの骨質盤は斧状で大きく、内縁がへこみ後端は円い。
【生態】ため池や池沼や水路などの浅い湿地に生息する。1年で成熟する。
【分布】奄美諸島（喜界島、徳之島、沖永良部島）、八重山諸島。ただし、西表島は浦内川左岸の水田地帯にも局在しているが、稲作に関連して移殖されたものと思われる。自然分布域の詳細は不明。
【特記事項】奄美諸島の固有種である可能性が高いとされている。人為的な移入が生じている可能性もあり、在来分布の詳細は不明である。標準和名はほかのドジョウ属と混同されてきたことに因む。種としての実態や類縁関係は不明のままである。

ほかのドジョウ類と同様に泥底を好むようだ。

（藤田朝彦）

コイ目　ドジョウ科
カラドジョウ
Continental weather loach

学　名 *Misgurnus dabryanus*
(Dabry de Thiersant, 1872)

全長(cm)	10〜30
背鰭条数	iii+7
臀鰭条数	iii+4〜5
側線鱗数	110〜140
脊椎骨数	51〜53

総合対策外来種（その他の総合対策外来種）

ドジョウよりもひげが長い 数は5対10本
体は同じ体長のドジョウよりも太い
ドジョウより尾柄が高い
尾びれ付け根上部の黒点はないことが多い
尾びれは丸い
尾柄のキールが顕著

11.2cm 岡山県産

【形態】ドジョウに似るが、口ひげが長い、尾柄上部の黒点が不明瞭なことが多い、尾柄高が大きいといった点で見分けられる。また、うろこがドジョウよりも大きく、側線鱗数も少ない。中国語名では「大鱗泥鰍」の字をあてられている。成魚の全長は10〜20cm程度。最大で約30cm。ドジョウと同じくらいの体長でも体高と体幅が大きくなる傾向があり、筆者も握っても指が回らないほどの太さの個体を確認したことがある。

【生態】ドジョウと同様に泥底の止水域に生息する。雑食性。在来のドジョウと競合し、影響を与えている可能性がある。繁殖期は6〜7月。

【分布】国外外来種。日本各地で確認例があるが、関東以西の本州および四国北部で定着している。国外での分布はアムール川からベトナム北部、海南島、台湾、朝鮮半島西部。

【特記事項】ドジョウとは染色体数が異なる。

ドジョウよりも長いひげが特徴。

（藤田朝彦）

コイ目 ドジョウ科
ニシシマドジョウ
Western Japanese spined loach

学　名　*Cobitis* sp. BIWAE type B

全長(cm)	8〜12
背鰭条数	iii+7
背鰭条数	iii+5

- 体側と背面には暗色斑が並ぶ
- 吻部に暗斜体がある
- 口ひげは3対6本
- オスにある骨質盤はくちばし状
- 体側斑紋の深層には濃紺の縦帯が走る
- 尾びれ基底には上下に黒色斑が並ぶが、腹側のものは不明瞭になる傾向

オス 7.5cm 岐阜県産

メス 8.4cm 滋賀県産

- 体側斑紋の深層には濃紺の縦帯が走る

【形態】ドジョウに似た体形をしているが口ひげが少なく、体色、斑紋が異なる。尾びれ基底には上下に黒色斑があり、腹側の斑紋が不明瞭になる傾向がある。斑紋には地理的変異や個体差が大きい。

【生態】河川中流域の砂底もしくは砂礫底に生息し、よく砂にもぐり込む。繁殖期は5〜6月。川に流れ込む細流などで産卵が行われる。砂中の小動物やデトリタスを食う。

【分布】日本固有種。本州中部に分布する。すなわち、日本海側の東限は新潟県、西限は島根県、太平洋側の東限は静岡県、西限は琵琶湖水系である。

【特記事項】本種は Kitagawa et al. (2003a) によってシマドジョウ西日本グループ2倍体型とされていた。分布パターンからオオシマドジョウよりも生態的に劣位にあると考えられる。

"シマ"模様は砂や砂礫とよくなじむ。

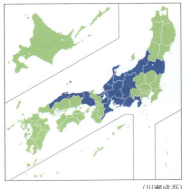

(川瀬成吾)

コイ目 ドジョウ科
ヒガシシマドジョウ
Eastern Japanese spined loach

学 名 *Cobitis* sp. BIWAE type C

全長(cm)	6〜10
背鰭条数	iii+7
臀鰭条数	iii+5

暗色斑は小さく、暗色斑間の距離はニシシマドジョウより広い傾向

オス 5.8cm 神奈川県産

上下ともに眼径より小さい黒色斑

メス 7.6cm 神奈川県産

【形態】体側の暗色斑はニシシマドジョウと比べると小さく、暗色斑間の距離は広い傾向がある。尾びれ基底には眼径より小さい黒色斑が上下に2つ並ぶ。東北地方ではこれが不明瞭になる個体が多い。

【生態】河川中流域の砂底もしくは砂礫底に生息し、よく砂にもぐり込む。繁殖期は5〜6月。川に流れ込む細流などで産卵が行われる。砂中の小動物やデトリタスを食う。詳しい生態は不明。

【分布】日本固有種。本州の東日本、すなわち、神奈川県以北の太平洋側と山形県以北の日本海側に分布する。

【特記事項】本種は Kitagawa et al. (2003a) によってシマドジョウ東日本グループとされた集団と一致する。2倍体である。古い系統と考えられている。高知県にもっとも近縁なトサシマドジョウ *Cobitis* sp. BIWAE typeD が分布する。

砂ごと口に入れ、砂中の小動物などを食べる。

(川瀬成吾)

コイ目　ドジョウ科
オオシマドジョウ
Large Japanese spined loach

学　名　*Cobitis* sp. BIWAE type A

全長(cm)	10〜14
背鰭条数	iii+7
臀鰭条数	iii+5

明瞭で濃い暗色斑　　体長が大きい

オス 10.9cm 和歌山県産

上下の黒色斑は濃く、多くの個体でつながる

メス 12.3cm 和歌山県産

【形態】体サイズがほかのシマドジョウ類より大きくなる。体の背面には不明瞭な暗色斑が、側面には明瞭な暗色斑が1列に並ぶ。また、体側には濃紺の縦帯が走る。尾びれ基底には2つの黒色斑がある。尾びれには2〜4列の黒色斑が並ぶ。

【生態】河川中流域の砂底もしくは砂礫底に生息し、よく砂にもぐり込む。繁殖期は5〜6月。川に流れ込む細流などで産卵が行われる。砂中の小動物やデトリタスを食う。詳しい生態は不明。

【分布】日本固有で、本州の瀬戸内海流入河川と福井県以西の一部の日本海流入河川、四国の瀬戸内海流入河川と九州の大分川と大野川に分布する。

【特記事項】本種は Kitagawa et al. (2003a) によってシマドジョウ西日本グループ4倍体型とされた集団である。正確に同定するためには、核型や赤血球サイズ、遺伝解析を行う必要がある。

眼の下には眼下棘がある。

(川瀬成吾)

コイ目　ドジョウ科
ヤマトシマドジョウ
Yamato spined loach

学　名　*Cobitis* sp. 'yamato' complex

全長(cm)	8〜12
背鰭条数	iii+7〜8
臀鰭条数	iii+5

絶滅危惧II類(VU)

斑紋は点列

眼径より大きく、上下ともに濃い。上下は分離

口ひげは3対

オス 8.0cm 福岡県産

メス 10.7cm 福岡県産

【形態】シマドジョウ類と似た体形をしており、口ひげは3対で、体側の暗色斑紋はふつう点列型。骨質盤が丸いことで、シマドジョウ類とは区別される。尾びれには3〜5列の弧状横帯がある。

【生態】河川中流域の流れの緩やかな砂底に生息するが、河川の生息範囲は限定的。岸際の植生が豊富で、水質が良好な環境を好む。繁殖期は4〜6月。産卵は植生のある岸際で行われる。雑食性。アリアケスジシマドジョウと分布が重なる地域では、本種の方が上流にいる。

【分布】日本固有種。山口県西部と九州。

【特記事項】本類はシマドジョウ類とスジシマドジョウ類の交雑に由来する異質4倍体の集団と考えられている。本類のなかには遺伝的に2型に分かれ、さらに核型の異なる5集団が含まれる。タイリクシマドジョウ *C. taenia* とされることがあったが、別種であることが明らかにされている。

斑紋はシマドジョウに似るが、骨質盤が丸い。

(川瀬成吾)

コイ目　ドジョウ科
オオヨドシマドジョウ
Oyodo spined loach

学　名　*Cobitis sakahoko*
　　　　　Nakajima and Suzawa, 2015

全長(cm)	8〜12
背鰭条数	iii+7
臀鰭条数	iii+5

絶滅危惧IB類（EN）

ヤマトシマドジョウに似た斑紋パターン
上あごのひげは眼径より長い
オスにある骨質盤は長方形で、中央部がくびれる
尾びれ基底の黒色斑は分離

オス 8.5cm 宮崎県産

筋節数は14が多い

メス 8.3cm 宮崎県産

【形態】口ひげは3対。吻部には暗斜体がある。胸びれから腹びれ間の筋節数は14である個体が多い。体側斑紋は通常点列型。尾びれ基底の黒色斑は、背側のものは眼径と同程度の大きさで、腹側のものは眼径の半分程度。尾びれには3〜5列の弧状横帯が存在する。

【生態】河川中流域の流れの緩やかな砂底に生息する。抽水植物などの植生が豊富で、水がきれいな場所を好む。

【分布】宮崎県大淀川水系のみ。

【特記事項】皆森（1951）は大淀川水系に特異なシマドジョウ属集団が存在することを報告したが、その後、近年までヤマトシマドジョウとされていた。中島ほか（2011）が精査した結果、ヤマトシマドジョウとは異なる独立した集団であることが改めて示され、2015年に独立種として新種記載された。分布や生活史に関する情報は絶対的に不足している。コウライオヤニラミの増加と時を同じくして、本種の個体数は激減している。

外見はヤマトシマドジョウに似る。

（川瀬成吾）

コイ目 ドジョウ科
オオガタスジシマドジョウ
Large stripe spined loach

学 名　*Cobitis magnostriata* Nakajima, 2012

全長(cm)	8〜12
背鰭条数	iii+7
臀鰭条数	iii+5
脊椎骨数	41〜45(モード43)

絶滅危惧IB類(EN)

雌雄ともに明瞭な縦帯。まれに線が途切れる

口ひげは3対

オスにある骨質盤は円形

オス 9.1cm 滋賀県産

尾びれ基底の黒色斑は眼径より大きく、上下はつながる

不規則な暗色斑。後縁は濃く縁どられる

メス 9.5cm 滋賀県産

【形態】スジシマドジョウ類は、シマドジョウ類と似た体形をしているが、体側の斑紋が縦帯となることや、骨質盤が円形となることで大別される。本種はスジシマドジョウ類のなかではもっとも大きい。胸びれから腹びれまでの筋節数は14〜15。

【生態】琵琶湖内や流入河川の砂底に多い。繁殖期は5〜6月。琵琶湖や河川周辺の農業水路や細流に遡上し、泥底で産卵が行われる。メスは3年、オスは2年で成熟する。雑食性。

【分布】琵琶湖とその周辺河川にのみ分布する。タイプ産地は滋賀県高島市安曇川の琵琶湖に流れ込む小河川。

【特記事項】従来、スジシマドジョウ大型種と呼ばれていた種で、近年、学名および和名がつけられた。2n=98の4倍体で、シマドジョウ2倍体種のメスとビワコガタスジシマドジョウのオスが交雑して生まれた異質4倍体の種と考えられている。琵琶湖特産だが三方湖にも似た集団が存在するとされている。

尾びれ基底の黒色斑は上下がつながるため目立つ。

(川瀬成吾)

コイ目　ドジョウ科
サンヨウコガタスジシマドジョウ
Sanyo small stripe spined loach

学　名　*Cobitis minamorii minamorii*
　　　　Nakajima, 2012

全長(cm)	4〜7
背鰭条数	iii+7
臀鰭条数	iii+5
脊椎骨数	38〜44(モード41)

絶滅危惧IA類(CR)

体側の斑紋は縦帯だが、切れることが多い
尾びれ基底にある上下の黒色斑は眼径より小さい。腹側は色が薄い
口ひげは3対
オスにある骨質盤は円形
オス 5.0cm 岡山県産
尾びれに1〜3列の不規則な弧状横帯。後縁は薄く縁どられることがある
筋節数11〜13
メス 7.4cm 岡山県産

【形態】コガタスジシマドジョウはスジシマドジョウ類のなかでもっとも小型の種で筋節が少ない。本亜種は、体長が最大で5cm程度と、コガタスジシマドジョウの亜種のなかでももっとも小さい。

【生態】河川中・下流域のワンドや水路の砂泥底に生息する。繁殖期は5〜7月。繁殖期になると水田やワンドなどの一時的水域に移動し、産卵する。卵は約1日でふ化する。雌雄ともに1年で成熟する。

【分布】兵庫県、岡山県、広島県の一部の瀬戸内海流入河川。タイプ産地は岡山県瀬戸内市吉井川水系。

【特記事項】コガタスジシマドジョウの基亜種。従来、スジシマドジョウ小型種山陽型と称されていた集団である。河川改修や圃場整備、宅地化などの氾濫原環境の破壊によって激減している。産卵回遊を行うため、落差工などによる回遊経路の分断は致命的となる。2n=50。

スジシマドジョウ類は顔が丸っこく可愛らしい。

(川瀬成吾)

コイ目 ドジョウ科
トウカイコガタスジシマドジョウ
Tokai small stripe spined loach

学　名　*Cobitis minamorii tokaiensis*
　　　　Nakajima, 2012

全長(cm)	4〜9
背鰭条数	iii+7
臀鰭条数	iii+5
脊椎骨数	38〜43(モード41)

絶滅危惧IB類(EN)

繁殖期のオスは縦帯となる

眼径と同じ大きさか、小さい
上下は分離する

オス 5.6cm 岐阜県産

体側斑紋は通常点列型

メス 7.4cm 岐阜県産

【形態】サンヨウコガタスジシマドジョウと似た体形、斑紋パターンを示す。尾びれ基底の2つの黒色斑は眼径と同じか小さく、腹側のものは色が薄い。尾びれには3〜4列の弧状横帯がある。
【生態】平野部の河川支流や農業水路の流れの緩やかな砂泥底に生息する。繁殖期は5〜6月で、水位の上昇とともに素掘りの水路や水田などの浅い水域に移動して産卵する。
【分布】静岡県西部と愛知県、岐阜県、三重県の伊勢湾流入河川にのみ分布。タイプ産地は三重県雲出川水系水路。
【特記事項】従来、スジシマドジョウ小型種東海型とされていた。通常、体側斑紋は点列型であるため、シマドジョウ類と混同されることがある。骨質盤を確かめるなどして、正確に同定する必要がある。圃場整備や宅地開発、水質汚濁などによって生息環境が悪化もしくは消失しており、個体群が縮小している。

シマドジョウ類と比べると全体的に丸みを帯びる。

(川瀬成吾)

コイ目　ドジョウ科
ビワコガタスジシマドジョウ
Biwa small stripe spined loach

学　名　*Cobitis minamorii oumiensis* Nakajima, 2012

全長(cm)	5～9
背鰭条数	iii+7
臀鰭条数	iii+5
脊椎骨数	40～44（モード42）

絶滅危惧IB類（EN）

雌雄ともに縦帯 / 不規則な暗色斑 / 後縁は縁どられる / 腹側の黒色斑が不明瞭

オス 5.5cm 滋賀県産

雌雄ともに縦帯

メス 8.4cm 滋賀県産

筋節数 11～14 (12であることが多い)

【形態】オオガタスジシマドジョウに似た斑紋を備えているが、本種の方が概して小さい。尾びれ基底の黒色斑は、腹側のものが薄い点でオオガタスジシマドジョウと異なる。

【生態】琵琶湖沿岸部および周囲の内湖、農業水路、細流の砂泥底に生息する。繁殖期の5～7月。水田や水路、細流などの一時的水域に移動して産卵する。卵は泥底にばらまかれる。

【分布】琵琶湖固有亜種。タイプ産地は滋賀県高島市新旭の琵琶湖に近い水田地帯。

【特記事項】従来、スジシマドジョウ小型種琵琶湖型とされていた集団である。同所的に生息するオオガタスジシマドジョウの仔稚魚や未成魚との区別は難しい。筋節数を数える必要がある。河川・湖岸改修や圃場整備、宅地化などによって本種を取り巻く環境はきわめて悪化している。

体側斑紋はきれいな縦帯であることが多い。

（川瀬成吾）

コイ目 ドジョウ科
ヨドコガタスジシマドジョウ
Yodo small stripe spined loach

学 名　*Cobitis minamorii yodoensis* Nakajima, 2012

全長(cm)	4〜7
背鰭条数	iii+7
臀鰭条数	iii+5

絶滅危惧IA類（CR）

- 縦帯だが細く、途切れることが多い
- 尾びれ基底の黒色斑の発達は悪い　背側は眼径より小さく、腹側は不明瞭
- 筋節数は11〜14
- 薄く縁どられる

メス 7.9cm 京都府産

【形態】ビワコガタスジシマドジョウとよく似るが、縦帯がよく切れ、尾びれの縁どりが浅いことで区別される。
【生態】淀川流域ではワンドに、宇治川では柳などの茂る岸に近い水の撓れた砂泥底に多く見られた。繁殖期は5〜7月。増水時に河川敷にできる浅い一時的水域に産卵する。雑食性。
【分布】淀川流域の固有亜種。淀川と宇治川から記録がある。桂川、木津川の下流部にも生息していた可能性は高い。タイプ産地は城北ワンド群のある大阪府旭区淀川。
【特記事項】河川改修によるタマリ、ワンドの減少、都市化、水田の圃場整備などによる氾濫原環境の消失・悪化、水系ネットワークの分断によって絶滅寸前の状態となっている。1996年以降採集例がなく、その生存が絶望的な状態である。京都府RDBでは絶滅種、大阪府RDBでは絶滅危惧I類となっている。

現在、生きた個体を見ることは不可能に近い。

（川瀬成吾）

コイ目　ドジョウ科
サンインコガタスジシマドジョウ
Sanin small stripe spined loach

学　名　*Cobitis minamorii saninensis* Nakajima, 2012

全長(cm)	6～10
背鰭条数	iii+7
臀鰭条数	iii+5
脊椎骨数	40～43(モード42)

絶滅危惧IB類(EN)

オス 6.1cm 島根県産

メス 4.7cm 島根県産

【形態】コガタスジシマドジョウの亜種のなかでは比較的大型になる。ほかのコガタスジシマドジョウ類同様3対の口ひげ、オスは円形の骨質盤を有する。非繁殖期では雌雄とも体側斑紋は点列だが、繁殖期になるとオスは縦帯となる。

【生態】河川の中・下流域や農業水路の砂泥底に生息する。岸際の植生が豊かな環境を好む。繁殖期は5～6月で、浅い一時的水域で産卵すると思われる。

【分布】兵庫県西部から島根県東部の日本海流入河川。比較的流程の短い河川にも分布する。タイプ産地は斐伊川下流の農業水路。

【特記事項】スジシマドジョウ小型種山陰型もしくは点小型と呼ばれていた集団と一致する。河川改修や圃場整備、水質汚濁などによって生息環境が消失・悪化しており、本亜種も例外なく減少している。

雑食性。比較的、体サイズが大きくなる。

(川瀬成吾)

コイ目　ドジョウ科
チュウガタスジシマドジョウ
Medium-sized stripe spined loach

全長(cm)	7〜11
背鰭条数	iii+7
臀鰭条数	iii+5
脊椎骨数	39〜45（モード43）

学　名　*Cobitis striata striata*
　　　　Ikeda, 1936

絶滅危惧II類（VU）

体側の斑紋は縦帯。後方で少し切れることがある

尾びれ基底の斑紋は発達する
眼形と同じ大きさで、上下は離れる

口ひげは3対

オスが持つ骨質盤は円形

2〜3列の太い横帯
尾びれの後縁は縁どられない

オス 8.3cm 岡山県産

メス 8.9cm 岡山県産　　　筋節数は通常13

ほかのスジシマドジョウと似た体形をしており、体サイズはオオガタスジシマドジョウとコガタスジシマドジョウの中間的な大きさとなる

【形態】口ひげは3対。胸びれから腹びれまでの筋節数の平均は13。背中線上には、斑点列が並び、斑点列の間には左右2個の小斑点がある。
【生態】河川中・下流域の本流や農業水路の流れの緩やかな水域に生息する。繁殖期は6〜7月。
【分布】本州の瀬戸内海流入河川および一部の日本海流入河川、四国の徳島県桑野川水系から愛媛県重信川水系、九州の福岡県長狭川水系から城井川水系に至る瀬戸内海流入河川に分布する。タイプ産地は香川県高松市近く。
【特記事項】ナミスジシマドジョウの基亜種。本亜種は北川ほか（2009）によってスジシマドジョウ中型種瀬戸内型とされた集団である。河川改修による砂底などの生息場の減少、圃場整備による産卵場の消失や移動阻害などによって個体数が減少している。2n = 50。

いわゆるスジシマドジョウらしい斑紋をしている。

（川瀬成吾）

コイ目 ドジョウ科
オンガスジシマドジョウ
Onga medium-sized stripe spined loach

学 名 *Cobitis striata fuchigamii* Nakajima, 2012

全長(cm)	7〜11
背鰭条数	iii+7
臀鰭条数	iii+5

絶滅危惧IB類(EN)

繁殖期のオスは縦帯となる
尾びれ基底の黒色斑は眼径と同程度の大きさで上下は分離
腹側の黒色斑は薄い

オス 6.7cm 福岡県産

体側の斑紋は通常点列型
3〜4列の弧状横帯

メス 6.3cm 福岡県産

【形態】基本的な形態はチュウガタスジシマドジョウに似るが、斑紋パターンが通常、点列型である点で異なる。尾びれ基底の斑紋の大きさは眼径と同程度。尾びれ基底腹側の暗色斑は消失する個体もいる。

【生態】河川中・下流域の流れの緩やかな水域に生息する。岸際の植生が豊かな砂泥底の場所を好む。

【分布】きわめて局所的で福岡県遠賀川水系のみ。タイプ産地は福岡県飯塚市遠賀川水系。

【特記事項】本亜種は北川ほか（2009）でスジシマドジョウ中型種遠賀型とされた集団と一致する。生息河川の開発や水路の改変、水質汚濁によって、生存が危ぶまれている。また、分布がきわめて限られているため、商業目的の捕獲などは慎むべきである。

非繁殖期のオス個体

(川瀬成吾)

コイ目　ドジョウ科
ハカタスジシマドジョウ
Hakata medium-sized stripe spined loach

学　名　*Cobitis striata hakataensis*
　　　　　Nakajima, 2012

全長(cm)	7〜11
背鰭条数	iii+7
臀鰭条数	iii+5

絶滅危惧IA類（CR）
国内希少野生動植物種

繁殖期のオスは明瞭な縦帯となる

尾びれ基底の黒色斑は眼径と同程度の大きさで上下は分離

オス 7.1cm 福岡県産

腹側の黒色斑は薄い

体側の斑紋は通常点列型

2〜4列の弧状横帯

メス 7.9cm 福岡県産

【形態】形態や斑紋パターンはオンガスジシマドジョウと酷似している。繁殖期のオスは1本の明瞭な縦帯を有する。尾びれ基底腹側の暗色斑は消失する個体もいる。
【生態】河川中・下流域の流れの緩やかな水域に生息する。岸際の植生が豊かな砂泥底の場所を好む。
【分布】福岡県博多湾に流入する3水系にのみ分布する。タイプ産地は福岡県糟屋郡多々良川。
【特記事項】本亜種は北川ほか（2009）でスジシマドジョウ中型種博多型とされた集団と一致する。生息地が福岡都市圏と重複するため、河川開発や水路の改変、水質汚濁によって、生存が脅かされている。また、商業目的の捕獲も行われている。早急な保護対策が求められる。

繁殖期のオス個体

（川瀬成吾）

コイ目　ドジョウ科
アリアケスジシマドジョウ
Ariake stripe spined loach

学　名　*Cobitis kaibarai*
　　　　　Nakajima, 2012

全長(cm)	6〜9
背鰭条数	iii+7
臀鰭条数	iii+5

絶滅危惧IB類(EN)

繁殖期のオスは縦帯

オス 6.4cm 佐賀県産

メスの体側斑紋は通常点列

3〜5列の弧状横帯

メス 6.5cm 佐賀県産

【形態】口ひげは3対。尾びれ基底の背側には眼径と同じ大きさの黒色斑が存在するが、腹側にはない、もしくはあっても小さい。胸びれから腹びれの筋節数の平均は13。卵径は0.8〜0.9 mmとほかのスジシマドジョウのものよりも小さい。
【生態】河川の中・下流域および周辺の農業水路の流れの緩やかな環境に生息し、岸際の植生が豊かな砂泥底を好む。
【分布】日本固有種。佐賀県六角川水系から熊本県菊池川水系間の有明海流入河川。タイプ産地は福岡県うきは市筑後川水系。
【特記事項】従来、スジシマドジョウ小型種九州型と呼ばれ、コガタスジシマドジョウの1地方集団と考えられていたが、近年の研究からコガタスジシマドジョウとは遺伝的に異なることがわかっている。学名の"*kaibarai*"は、福岡出身の江戸時代の本草学者"貝原益軒"に因む。

縦帯となった繁殖期のオス個体。

(川瀬成吾)

コイ目　ドジョウ科
タンゴスジシマドジョウ
Tango stripe spined loach

学　名　*Cobitis takenoi*
　　　　　Nakajima, 2016

全長(cm)	5〜9
背鰭条数	iii+7
臀鰭条数	iii+5
脊椎骨数	40〜44（モード42）

絶滅危惧IA類（CR）
国内希少野生動植物種

繁殖期のオスは縦帯
上下2つの黒色斑があり、互いに分離

オス 6.7cm 京都府産

体側の斑紋は通常点列
2〜4列の弧状横帯

メス 7.3cm 京都府産

【形態】口ひげは3対。体側斑紋は、繁殖期のオスは縦帯型となり、それ以外の季節とメスは点列型である。尾びれ基底には2つの黒色斑があり、これらは連続しない。

【生態】河川中・下流域の砂底から砂泥底に生息する。繁殖期は5〜6月頃で、産卵のために河川周辺の水田地帯にも移動すると推察される。

【分布】京都府丹後半島の1河川からのみ確認されている。

【特記事項】2010年に発見されたスジシマドジョウ丹後型とされていた集団である。分布がきわめて局所的で、わずか1河川からしか確認されていない。個体数は少なくないが、わずかな影響で絶滅しかねない。生活史に関する情報は絶対的に不足している。生息河川にはオオシマドジョウが同所的に分布しており、注意して同定する必要がある。

ふだんは点列型のためシマドジョウと間違いやすい。

（川瀬成吾）

コイ目 ドジョウ科
イシドジョウ
Gravel loach

学　名 *Cobitis takatsuensis* Mizuno, 1970

全長(cm)	5〜7
背鰭条数	iii+6
臀鰭条数	iii+5

絶滅危惧IB類(EN)

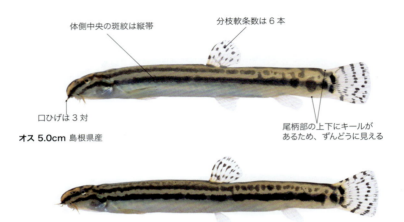

体側中央の斑紋は縦帯
分枝軟条数は6本
口ひげは3対
尾柄部の上下にキールがあるため、ずんどうに見える

オス 5.0cm 島根県産

メス 5.9cm 島根県産

【形態】口ひげは3対。吻部には暗斜体がある。眼の下には眼窩棘を有する。胸びれの骨質盤は第2軟条が太くなる程度。成熟したオスはメスよりも胸びれがやや大きく、先端が尖り、前縁が黒くなる。

【生態】河川上流域の礫底で、伏流水の多い淵尻に好んで生息する。湧水池などの止水域には生息しない。生息に適した水温は25℃以下。繁殖期は6〜8月。雑食性で藻類や水生昆虫を食う。

【分布】日本固有種で本州の中国地方と九州北東部の一部に分布。タイプ産地は島根県鹿足郡高津川水系椛谷川。

【特記事項】礫や石の隙間に隠れているため生息の確認が難しく、正確な分布域はまだ明らかになっていない。しかし、ダムや道路建設によって確実に生息地、個体数は減っていると考えられている。

人影を見るとすぐに隙間に隠れる。

(川瀬成吾)

コイ目 ドジョウ科
ヒナイシドジョウ
Dwarf gravel loach

全長(cm)	5〜7
背鰭条数	iii+6
臀鰭条数	iii+5

学 名 *Cobitis shikokuensis* Suzawa, 2006

絶滅危惧IB類(EN)

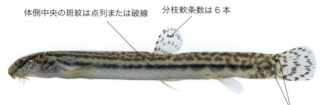

体側中央の斑紋は点列または破線　　分枝軟条数は6本

オス 4.8cm 愛媛県産（タイプ2）

尾柄部の上下にキールがあるため、ずんどうに見える

メス 5.7cm 愛媛県産（タイプ2）

【形態】形態はイシドジョウと酷似するが、体側中央の斑紋が点列または破線になることで区別される。胸びれの骨質盤は不明瞭。成熟したオスはメスよりも胸びれがやや大きく、先端が鋭く尖る。
【生態】山間部の河川上・中流域の流れの緩やかな岩や礫の隙間に生息する。繁殖期は6〜8月。産卵は間隙深くで行うと考えられている。
【分布】四国西部。愛媛県と高知県の一部のみ。ミトコンドリアDNAの違いから3つのタイプに分けられる。タイプ産地（模式）は高知県高岡郡四万十川水系日野地川。
【特記事項】森林伐採や河川開発、道路工事、ダム建設などで減少している。水系ごとに斑紋や遺伝子の差異が知られており、それぞれ保全単位として扱う必要がある。高知県では希少野生動植物保護条例によって捕獲が禁止されている。

斑紋パターンには、現在3タイプが知られる。

（川瀬成吾）

コイ目　ドジョウ科
アジメドジョウ
Delicate loach

学名 *Niwaella delicata* (Niwa, 1937)

全長(cm)	8〜10
背鰭条数	iii+6〜7
臀鰭条数	iii+5

絶滅危惧II類(VU)

吻部に暗斜帯がない／縦帯の上下は無斑のことが多い／1〜3列の弧状横帯／口唇は厚く吸盤状／体側中央の斑紋は直線状
斑紋収束型（Gタイプ）7.7cm 岐阜県産

吻部に暗斜帯がない／縦帯に逆三角形の斑紋が不規則に連なる／3〜8列の細い弧状横帯／口唇は厚く吸盤状／中央の縦帯の上下には小斑点が並ぶ
斑紋分散型（Sタイプ）10.1cm 富山県産

【形態】口ひげは3対。眼の下には眼窩棘がある。体は細長く、背びれ、腹びれ、臀びれが後方にある。体側や背面の斑紋は変異が大きい。ほかのシマドジョウ属で見られるオスの胸びれ基部の骨質盤がないため、雌雄の区別が難しい。

【生態】河川の上・中流域に生息し、平瀬の礫底を好む。晩秋、水温が下がると、伏流水が湧き出る礫間にもぐり、越冬する。春先、越冬のためにもぐった伏流水中で産卵すると考えられている。吸盤状の口で石や礫の上の藻類を食う。

【分布】日本固有種。本州の中部に分布する。すなわち、富山、長野、岐阜、福井、滋賀、京都、奈良、三重、大阪の各府県。タイプ産地は木曽川水系。

【特記事項】体側斑紋に2型があり、それぞれ地理的、遺伝的に分化していることが明らかとなっている。Gタイプは太平洋側に、Sタイプは日本海側に多く見られる。河川改修や森林伐採による河川への土砂の流入、伏流水の消失、ダムや堰堤の建設により生息環境の悪化が懸念される。生息するほとんどの府県のレッドリストに記載されている。

(川瀬成吾)

成魚・Gタイプ　吸盤状の口で石や礫などの表面についた藻類を摂餌する。

成魚・Gタイプ　平瀬や淵の礫間に生息しており、人影を見るとすぐに隠れてしまう。

稚魚　繁殖期は冬から春といわれているが、いまだ不明な点が多い。稚魚は浅い砂底から砂礫底で育つ。

コイ目　ドジョウ科
フクドジョウ
Siberian stone loach

学　名　*Barbatula oreas*
(Jordan and Fowler, 1903)

全長(cm)	8〜20
背鰭条数	iii+7〜8
臀鰭条数	iii+5〜6
側線鱗数	70〜79
脊椎骨数	40〜43

眼から吻端にかけて暗斜帯がある
体側から背部にぼやけた斑紋がある
各ひれに小黒斑による模様があるが腹びれ、臀びれにはないか、あっても少ない
口ひげは3対6本
腹部は白い
尾びれは截形

オス 13.7cm 北海道産

メス 13.8cm 北海道産

【形態】ドジョウに似るが、頭部がやや縦扁する。頭部を含む背部から体側部に緑褐色の斑紋があり、腹部は白い。オス成魚に骨質盤が生じない。背部と腹部の体色のコントラストが明瞭である。尾びれは角張る。成魚は全長8〜12cm程度だが、大きいものは20cmに達する。大陸産の近縁種では30cmを超えるものもある。
【生態】河川上流部から下流部の礫底に生息する。繁殖期は春から初夏。浅瀬の礫底に粘着糸のある粘着性の強い卵を産む。雑食性。
【分布】北海道の石狩低地以東北。国内移入として、北海道の石狩低地以南西、青森県、福島県、宮城県、山形県、新潟県、岐阜県で確認。国外ではシベリアから中国東北部、サハリンに分布。
【特記事項】本邦にはフクドジョウ類は本種しか生息していないが、ユーラシア大陸北部にかけては多くの仲間が存在しており、分類学的な精査を進める必要がある。食用にはされないが、北海道では「ドジョウ曳き」というイトウを狙う釣法に、本種が餌として用いられる。

(藤田朝彦)

成魚　斑紋は個体差が大きく、薄いものもいる。

未成魚　未成魚は体色の青みが強く、斑紋が明瞭。

正面　やや扁平した形状をしている。

稚魚　稚魚期でも吻側の暗斜帯は明瞭。

コイ目　ドジョウ科
エゾホトケドジョウ
Ainu eight barbeled loach

学名 *Lefua costata nikkonis*
(Jordan and Fowler, 1903)

全長(cm)	5〜10	側線鱗数	56〜75
背鰭条数	iii+6〜7	脊椎骨数	38〜40
臀鰭条数	iii+5		

絶滅危惧IB類(EN)

体側に1本の暗色縦帯がある
尾びれ基底中央に三角形の暗色斑がある
胸びれの付け根が斜めについている
オス 7.3cm 北海道産
尾びれに黒点が散在
体はやや太短い円筒形でホトケドジョウに似る
メス 8.1cm 北海道産
ホトケドジョウ属のなかで体高がもっとも大きい

【形態】体は紡錘形で、頭部はやや縦扁し、体後部は側扁する。メスの方がやや大きい。眼は頭部側面につく。雌雄とも尾びれ基底中央に菱形か三角形の暗色斑がある。オスには体側に1本の明瞭な黒色縦帯がある。ヒメドジョウと外見ではほとんど識別できないが、本亜種の方がやや小型で太短い。ホトケドジョウには三角暗斑と黒色縦帯がないので、よい識別点になる。

【生態】氾濫原内の湿地や細流、河川敷内の水たまり、浅い池沼のほか、素掘りの農業水路や道路脇の水溝などの半自然環境にも生息する。繁殖期は4〜9月。シーズン中複数回産卵し、産卵後も死亡せずに複数年繁殖する。餌は底生の小動物を中心とする雑食性。

【分布】日本固有亜種で、自然分布域は北海道。ただし、種小名が示す栃木県日光市には分布しない。青森県にも移殖されている。

【特記事項】北海道における本亜種の分布域は局所的で、しかも湿地の開発と再整備で個体群の分断が進んでいる。

(細谷和海)

成魚 体形、生態ともホトケドジョウによく似ている。

メス成魚 メスは成熟すると体側の縦帯は消失するが、尾びれの三角暗斑は残る。

抱卵したメス成魚 メスはオスよりも大型になる。水草などに卵を産みつける。

コイ目 ドジョウ科
ヒメドジョウ
Continental eight barbeled loach

学 名 *Lefua costata costata*
(Kessler, 1876)

全長(cm)	5～10
背鰭条数	iii+6～7
臀鰭条数	iii+5
側線鱗数	101～108
脊椎骨数	38～42

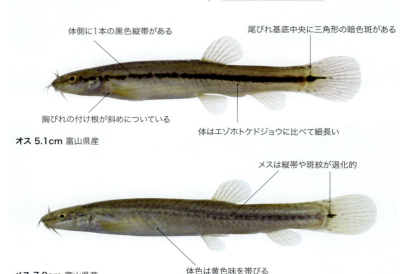

オス 5.1cm 富山県産
- 体側に1本の黒色縦帯がある
- 尾びれ基底中央に三角形の暗色斑がある
- 胸びれの付け根が斜めについている
- 体はエゾホトケドジョウに比べて細長い

メス 7.9cm 富山県産
- メスは縦帯や斑紋が退化的
- 体色は黄色味を帯びる

【形態】体は紡錘形で、頭部はやや縦扁し、体後部は側扁する。眼は頭部側面につく。雌雄とも尾びれ基底中央に菱形か三角形の暗色斑がある。オスには体側に1本の明瞭な黒色縦帯がある。エゾホトケドジョウよりやや細長く、体色は黄色みを帯びる。

【生態】湧水を水源とする湿地や細流、河川敷内の水たまり、浅い湖沼などに生息する。繁殖期は4～7月。餌は底生の小動物を中心とする雑食性。

【分布】本亜種はエゾホトケドジョウと同種別亜種の関係にあるが、遺伝的にはきわめて近縁であることが示されている。原産地はアムール川から黄河までの中国東北部、モンゴル、朝鮮半島。日本へは輸入ドジョウに混入し野外に放流されたと思われる個体、あるいはその後拡散した個体が、山梨県、静岡県、長野県、富山県で定着している。

【特記事項】本亜種の生態はホトケドジョウとエゾホトケドジョウに類似する。徐々に分布を拡大しており、種間競争や交雑など在来種への影響が危惧される。

（細谷和海）

オス成魚 どの大きさでもエゾホトケドジョウより細長い。

体色 吻部、胸びれ、尾柄は黄色みを帯びる。

頭部 顔つきはエゾホトケドジョウやホトケドジョウと同じ。眼が大きい。

コイ目　ドジョウ科
ホトケドジョウ
Japanese eight barbeled loach

学　名　*Lefua echigonia*
　　　　　　Jordan and Richardson, 1907

全長(cm)	4～8
背鰭条数	iii+6～7
臀鰭条数	iii+5
脊椎骨数	37～40

絶滅危惧IB類(EN)

眼はナガレホトケドジョウに比べて大きい
背びれと尾びれに黒点が散在
胸びれの付け根が斜めについている
体はやや太短い円筒形
オス 6.3cm 新潟県産

メス 6.2cm 新潟県産

【形態】体は紡錘形で、頭部はやや縦扁し、体後部は側扁する。眼は頭部側面につく。眼前部の暗斜帯は概して不明瞭で、近畿地方の集団ではまったく見られない。

【生態】湧水を水源とする湿地や細流、芹田やワサビ田、樹林と水田の境界にある小溝、河川敷内の水たまりなどに生息する。水温が低ければため池でも見られる。ナガレホトケドジョウやトウカイナガレホトケドジョウに比べてより開けた場所を好む。繁殖期は3～6月。仔稚魚は全長約2cmまで浮遊・遊泳生活をおくる。餌は底生の小動物を中心とする雑食性。

【分布】日本固有種で、タイプ産地は新潟県長岡市。東北地方から兵庫県までの本州に分布する。ただし、青森県、大阪府、和歌山県からの記録はない。岩手県と山口県（移殖）にも分布するが、由来は明らかではない。

【特記事項】本種は遺伝的に、東北、北陸、北関東、南関東、東海、近畿の6つの集団に細分され、どの地方集団も急減しており、保護対策を講じることが急務となっている。

（細谷和海）

産卵 １尾のメスをオスが追いかけ、水草などに産卵・放精する。

愛知県産の個体 個体差はあるが、中部地方以西の個体群では吻部の暗斜帯がないか、不明瞭。

頭部前面 下あごの下縁に１対の暗色斑がある。

浮遊稚魚 ホトケドジョウには浮遊期がある。

223

コイ目　ドジョウ科
ナガレホトケドジョウ
Stream eight barbeled loach

学　名　*Lefua torrentis*
Hosoya, Ito and Miyazaki, 2018

全長(cm)	4～8	側線鱗数	120～130
背鰭条数	iii～iv+6～7	脊椎骨数	37～42
臀鰭条数	iii～iv+4～6		

絶滅危惧IB類(EN)

眼はホトケドジョウに比べて小さい
体は細長い円筒形
尾びれ後端はわずかに丸い
胸びれの付け根が横についている
無斑型 6.6cm 和歌山県産
体側に斑紋がある個体と、ない個体とがいる
背びれと尾びれに黒点がない あってもごくわずか
斑紋型 6.4cm 和歌山県産

【形態】体は円筒形で、頭部はやや縦扁し、体後部は側扁する。メスの方がやや大きい。眼は頭部の背側面につく。胸びれから腹びれにかけて腹部に左右2本の白色線があり、個体ごとに形状が異なる。眼前部に1本の顕著な暗斜帯がある。
【生態】天然木が茂る山間の浅くて流れの緩やかな細流に生息する。夜行性で日中は礫間や岩の下に隠れている。繁殖期は5～7月。仔稚魚は直ちに底生生活に入り、ホトケドジョウで見られるような浮遊・遊泳生活期を持たない。寿命は長く15歳を超えるものもある。餌は底生の小動物を中心とする雑食性。
【分布】日本の固有種。福井県から鳥取県までの日本海側。和歌山県から岡山県までの本州、徳島県から愛媛県までの四国、淡路島など周瀬戸内地方に分布する。京都府と兵庫県にはホトケドジョウと共存する水系がある。
【特記事項】本種は遺伝的に山陽集団、紀伊・四国集団、日本海集団に三分され、紀伊・四国集団は体背部や不対鰭に斑点を備える個体が多い。将来的には亜種に分類されるべきである。

(細谷和海)

和歌山県産ナガレホトケドジョウ　眼前部の暗斜帯が目立つ。無斑型は山陽地方、兵庫県、京都府に多い。

和歌山県産ナガレホトケドジョウ　斑紋型は紀伊半島、淡路島、四国に多い。

コイ目 ドジョウ科
トウカイナガレホトケドジョウ
Tokai stream eight barbeled loach

学 名 *Lefua tokaiensis*
Ito, Hosoya and Miyazaki, 2019

全長(cm)	4〜8
背鰭条数	iii〜iv+5〜7
臀鰭条数	iii〜iv+4〜6
脊椎骨数	38〜43

絶滅危惧IB類(EN)

- 体形、体色ともナガレホトケドジョウに酷似する
- 尾びれ後縁は直線的かわずかにへこむ
- 吻部に暗斜帯がある
- 胸びれの付け根が横についている
- 尾びれがナガレホトケドジョウよりもわずかに長い

6.2cm 愛知県産

【形態】眼前部に1本の顕著な暗斜帯を持つなどナガレホトケドジョウに酷似するが、尾びれの形で識別することができる。ナガレホトケドジョウでは円形で後縁が丸みを帯びるのに対して、本種では角張り、上葉が下葉よりやや大きい。
【生態】生態はナガレホトケドジョウとほぼ同じ。流れの緩やかな砂礫底の細流に身を潜めている。繁殖期は長く、3〜12月。餌は底生の小動物を中心とする雑食性。
【分布】日本の固有種。静岡県西部から愛知県東部の諸河川の源流域や支川に分布。地域によっては下流域にホトケドジョウも分布する水系があるが、生息環境が異なるため、生息域が重なることはない。
【特記事項】本種は自然環境がよく保全された環境に生息する。ダム建設、河川改修、過度な森林開発が進むと存続が危ぶまれる。

眼前部の暗斜帯が目立つ。

(細谷和海)

コイ目　ドジョウ科
レイホクナガレホトケドジョウ
Tokai stream eight barbeled loach

学　名　*Lefua nishimurai*
　　　　Katayama, 2024

全長(cm)	4〜7	胸鰭条数	I, 10〜11
背鰭条数	iii〜iv, 5〜6	脊椎骨数	39〜43
臀鰭条数	iii〜iv, 5〜6		

緊急指定種

眼窩径が、ナガレホトケドジョウやトウカイナガレホトケドジョウより小さい。

全身に暗褐色斑が散在する

尾びれに黒色斑がある。

胸びれが体に水平についている

尾びれ基底付近の上下に黒色斑がある

6.5cm 福井産県産

【形態】吻側・眼前部に暗斜帯を備え、胸びれが体に水平についているなど、外観はナガレホトケドジョウやトウカイナガレホトケドジョウに似る。しかし、眼窩径がより小さく、胸びれ条数が多く、背びれおよび尾びれならびに尾びれの基底に黒色斑があり、全身に暗褐色斑が散在することにより区別できる。
【生態】自然度の高い山間の細流に生息し、砂礫底を好む。
【分布】九頭竜川流域の源流・上流域。福井県嶺北地域の限られた細流に局限されている。
【特記事項】環境省「種の保存法」に基づき緊急指定種に指定された。腹側の態様に加え、暗褐色斑が体表内散在し、尾鰭後縁が円みを帯びるなど、ホトケドジョウとの共通点も見られるので、今後、その由来について精査する必要がある。

頭部の形状は中部地方のホトケドジョウに似る。

（細谷和海）

column 環境DNAで淡水魚を追う

近年、注目を集めている技術として「環境DNA分析」がある。水や土壌などの環境中には、そこに生息している生物の体液やうろこ、糞などに由来するDNAの断片が散在している。そのようなDNAを、環境DNAと呼んでいる。つまり、環境DNA分析は、直接生物を採捕するのではなく、川や海の水をすくって、その中に存在するDNAを分析することで、生息している魚類の存在を把握するという技術である。

生き物を直接確認しなくても、水を分析するだけで魚類相がわかる画期的な技術。だが、まだまだ発展途上でもある。

水を調べるだけでどんな魚がいるかわかるのか!?と思う人も多いかもしれないが、実際に環境DNAを調べると、その環境にどんな魚類が生息しているかをある程度推測することができる。また、特定の種が生息しているかどうかも調べることができる。例えば、生息数が少なく、なかなか採捕できない希少種でも、水中のDNAなら、その種の生息を確認することもできる場合もある。さらに、一般的な調査として、網などを使って魚類を採捕し、同定し、調査記録を作るのに比べると、DNA分析は簡便でコストが低く実施できるのも利点だ。また、魚類の採捕許可取得の必要がなく、採捕してはいけない天然記念物などに対しても気にせず調査ができることや、採捕によって生息場所を荒らしてしまったり、採捕圧をかけないのもメリットだろう。

ただし、環境DNAの分析技術はまだまだ発展途上なのも事実。環境DNAは、環境水中の断片的なDNAを分析し、既往のデータと照らし合わせて調べるので、非常に近縁な種同士が区別できなかったり、参考となる十分な遺伝情報がない種は正確に同定できない場合もある。また、河川の場合は上流から環境DNAが流れてくるため、DNAが検出された調査地点においてその種がいるかどうかの判断が困難になる場合もある。これらのことから、環境DNAの情報を有効に使うには、得られた分析結果を、正確に評価する能力が必要である。さらにいえば、「DNAを分析できる機器がある環境」にないと、調査できない。もちろん、分析業者に委託することはできるが（現状では1検体3～5万円程度）、一般の方々やNPOが興味をもっても、気軽に使用するにはまだまだ敷居が高いといえるだろう。

しかし、今後、分析技術の発達や情報の蓄積により、どんどん環境DNA分析の精度が向上していくことと思われる。とはいえ、実際に魚を採捕して行う調査が、完全に環境DNAの調査に置き換わることはないだろう。DNAからのみであると、魚類の形態から得られる情報、例えば成魚か稚魚か、成長の良・不良といった情報は得られないし、標本などで得られる胃内容物（何を食べているか）や、奇形の状況といったデータも得られない。これらのことから、環境DNA分析が進んでも、実際に魚を採捕して標本を蓄積しておく作業がおざなりになることがあってはいけない。

今後は、環境DNAも採捕調査も、双方の利点を生かし欠点を補いながら併用し、より高精度な調査を行っていき、淡水魚の保全に寄与できる情報を得ていくべきであると考えている。

（藤田朝彦）

ナマズ目

Siluriformes

背びれと胸びれ前縁に棘が発達し、脂びれと複数対のひげを備えることを基本とする。一般に、骨鰾類のウェーベル氏器官は4個の椎体から構成されるのに対して、ナマズ目では5個から構成される。ほとんどが淡水種で、約40科約500属約3800種が知られる。熱帯域に種類数が集中し、南米のロリカリアやコリドラス、アフリカのサカサナマズやデンキナマズがその代表。チリとアルゼンチンに分布するディプロミスタス科がもっとも原始的とされる。日本列島周辺にはナマズ科、ギギ科、アカザ科、それに海産のゴンズイ科とハマギギ科が分布する。近年では北米からチャネルキャットフィシュが移殖され、徐々に分布域を拡大し、日本の在来魚を脅かしている。近年、おもにメコン川流域で養殖された通称バサ *Pangasius bocourti* が冷凍フィレとして日本のスーパーに並ぶようになった。

ナマズ目　ギギ科
ギギ
Folktailed bullhead

全長(cm)	15～40
背鰭条数	II, 5～7
臀鰭条数	18～20
胸鰭条数	I, 6～7

学　名　*Tachysurus nudiceps*
(Sauvage, 1883)

吻が尖る
ひげは4対8本
体形は比較的細長い
尾柄は低い
尾びれの切れ込みは深い

17.3cm 岡山県産

稚魚期は尾びれに黒い線が見られる
ギギ科は背びれ、胸びれに鋸歯の発達した棘がある

2.5cm 愛知県産　　　　　　　　　　　　　　　　**背面 18.0cm**

【形態】成魚の全長は20cm程度、最大で約40cmで、日本産のギギ科では最大種。体色は概ね黒色だが、幼魚は縦横に広がる黄褐色の模様が顕著。日本産の同属他種に比べ、尾びれが深く切れ込み、吻が尖る。胸びれと背びれに、後縁部が鋸歯になった棘があり、刺されると毒によって痛む。

【生態】河川の中流部に生息するが、琵琶湖や富士五湖のような大規模な止水域にも生息している。ため池などには見られない。昼間は礫間や抽水植物帯などに隠れているが、夜は遊泳して主に水生昆虫を捕食する。5～7月頃に、礫による間隙内でペアを作り産卵する。オス親は巣内で卵や仔稚魚を保護する。

【分布】日本固有種。琵琶湖・淀川水系以西の本州、四国の吉野川、九州北東部に分布。国内移入により秋田、新潟、福島、福井、山梨、愛知、岐阜、三重、熊本、大分（大分川）で確認されている。

【特記事項】コイ科のムギツクは、本種の巣に托卵を行うことが知られている。一方で、ギギも繁殖親やふ化後の稚魚がムギツクの産着卵を捕食する。

（藤田朝彦）

遊泳するギギ 昼間は間隙に潜むが、夜は活発に遊泳する。

ギギの未成魚 成長するにつれて体側の模様は不鮮明となる。

稚魚 稚幼魚期は体側の模様が目立つ。

ナマズ目　ギギ科
コウライギギ
Continental folktailed bullhead

学　名　*Tachysurus sinensis*
(Lacepède, 1803)

全長(cm)	8 ～ 34.5
背鰭条数	II, 6 ～ 7
臀鰭条数	19 ～ 22
胸鰭条数	I, 7

特定外来生物／総合対策外来種（その他の対策外来種）

ギギに比べて体高が大きい
2本の黄色い横帯が目立つ
2本の黄色い縦帯が目立つ
尾びれ上下葉に黒い縦帯がある
尾びれの切れ込みは深い

10.5cm 茨城県産

【形態】形態は尾鰭が深く2叉するなどギギによく似るが、体の地色がやや黄色く、地色を暗色域がいくつかに分けるような模様がある、尾鰭の上葉と下葉の中央を走る黒色帯がある、胸びれの棘の鋸歯が棘前部のほぼ全面にやや外向きに密生するといった違いがある。体側の模様は若い個体でよりはっきりと確認できる。

【生態】自然の分布域では河川の中・下流域、湖沼に生息。食性や産卵生態は日本産のほかのギギ属魚類と同様で、動物食性。産卵は礫などの間隙で行われ、雄親が卵から稚魚段階まで保護する。

【分布】霞ヶ浦から利根川水系、渡良瀬遊水地などに定着しており、茨城県、群馬県、千葉県、栃木県、埼玉県で報告されている。国外ではロシア（アムール川水系）から中国、朝鮮半島、ラオス、ベトナムにかけて、東アジアに広く分布している。

【特記事項】2008年に霞ヶ浦西部の小野川で確認され、利根川水系を通じ分布を広げており、今後の分布拡大に注意が必要。韓国、中国では重要な食用魚類であり、市場や食堂でよく見かける。

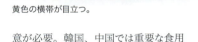

黄色の横帯が目立つ。

（藤田朝彦）

column 淡水魚の生息状況調査と記録の重要性

　日本の淡水魚の生息状況はどのように、どの程度調べられているのだろうか。

　現在、日本で行われているモニタリング調査として、もっとも規模の大きいのは「河川水辺の国勢調査」である。この調査は、河川事業や河川管理の際の河川生物に対する配慮への活用などのために、河川生物の基礎情報を収集整備するものである。これは国土交通省や自治体から民間の環境コンサルタント会社に委託され、全国の主に一級河川とダム湖を対象に実施されている（魚類以外にも、鳥類、陸上昆虫類、底生動物、両生類・爬虫類・哺乳類、植物なども調査）。河川水辺の国勢調査は1990年からはじまり、魚類は5年に一度の調査が継続的に行われ、現在は多くのデータが蓄積されている。

　また、湖沼や湿原では、環境省による基礎的な環境情報の収集を長期に継続し、日本の自然環境の劣化を把握する「モニタリングサイト1000」において、研究機関やNPOにより行われる淡水魚の調査が2015年から始まっている。さらに、水田環境においては、農林水産省と環境省が主体となり、自治体や地域住民などにより実施される「田んぼの生きもの調査」も2001年から行われてきている。また、琵琶湖博物館が行っている「うおの会」や、日本自然保護協会の「自然しらべ」などでは、一般の人も参加できる調査である。

　これらモニタリング調査の結果概要、またそのマニュアルなどはインターネット上で確認できるものが多く、誰でもある程度の情報を共有できるようになっている。

　このように、日本では多くの淡水魚のモニタリング調査が行われているが、希少な淡水魚はこれらのモニタリング調査の行われにくく、かつ身近な環境であるため、池やごく小規模な用水路などに生息している場合が多い。このような希少種の生息場はどんどん消失している。加えて国外外来種が新たに侵入し、意図的な移殖による国内外来種の分布拡大が生じているなど、本来あるべき日本の淡水魚類相は、その姿を変え続けている。いつか淡水魚の生息環境を復元しようと思っても、そこが本来どんな環境だったかという情報がなければ、その復元目標も立てにくくなってしまう。よって、魚をつかまえた場合、「どこで」「いつ」「何が」採れたかを記録し、個人でも生息状況を記録しておくことはきわめて重要である。記録することで、単なる趣味の採集が調査になるのだ。ただし、重要種の生息記録の情報が広がると、密漁や乱獲を招く危険があるのも事実。もしすばらしい淡水魚の生息場所を見つけ、その記録を残すことができたなら、ぜひ近くの博物館や水族館などに相談し、保全に向けた情報の有効活用を図ってほしい。

（藤田朝彦）

ガサガサでもきちんと記録を取っておこう。
（写真提供／草柳佳昭）

ナマズ目　ギギ科
ギバチ
Cuttailed bullhead

学　名　*Tachysurus tokiensis*
(Döderlein, 1887)

全長(cm)	15～30
背鰭条数	II, 6
臀鰭条数	22
胸鰭条数	I, 7

絶滅危惧II類（VU）

背びれの棘は短い
吻はやや丸い
ひげは4対8本
尾びれの切れ込みは浅い

10.2cm 千葉県産

3.5cm 宮城県産

【形態】ギギに似ているが、本種の方が尾びれの切れ込みが浅いことで区別できる。また、ギギよりも吻が丸い。体色はギギと同様に稚魚は黄褐色の模様が顕著であり、繁殖期の成魚は黄色味が増す。胸びれと背びれに毒棘がある。成魚の全長は15～20cm程度。最大で約30cm。メスの方がオスよりも大きくなる。
【生態】河川の中・下流域の淵など、流れの緩やかな場所に生息する。日本産ギギ科魚類のなかでは、比較的止水域に適応しており、ため池などにも生息する。定住性が強く、移動範囲は狭い。夜行性で、礫の間隙や岩の下に潜んでいる。主に水生昆虫、甲殻類などを捕食する。繁殖期は6～8月。
【分布】神奈川県・富山県以北の本州。日本固有種。本種は近縁種のアリアケギバチと近年（1995年）再記載されたため、古い文献ではギバチは九州西部にも不連続分布すると記されている。
【特記事項】神奈川県では保全のため本種をとりまく生態系を復元する研究の取り組みが行われている。

（藤田朝彦）

234

遊泳する成魚 顔の周りの点は感覚器官。

成魚の頭部 ギギよりも吻が丸く見える。

稚魚 成魚よりも寸詰まりに見える。

ナマズ目　ギギ科
アリアケギバチ
Ariake cuttailed bullhead

学　名　*Tachysurus aurantiacus*
　　　　　(Temminck and Schlegel, 1846)

全長(cm)	15～30
背鰭条数	II, 6～7
臀鰭条数	19～21
胸鰭条数	I, 7

絶滅危惧II類（VU）

胸びれの棘の鋸歯が顕著
体型は細長い
ひげは4対8本
23.5cm 福岡県産

背びれの棘は長い
5.2cm 福岡県産

【形態】ギギと比べて尾びれの切れ込みが浅く、ギバチよりも背びれが高いのが特徴。体形は細長く、ギバチより体高が小さい。胸びれの棘の鋸歯がより顕著であることでもギギ・ギバチと区別できる。ほかのギギ属魚類と同様に、稚魚は黄褐色の模様が顕著である。成魚の全長は15～20cm程度。最大で約30cmになる。

【生態】河川中流域の流れの緩やかな場所や、用水路などに生息する。夜行性で、抽水植物帯や、浮石、石垣の間などに潜んでいる。繁殖期は6～8月。

【分布】日本固有種。九州西部の福岡県那珂川から鹿児島県川内川、および宮崎県大淀川に生息する。壱岐島の集団は絶滅した。

【特記事項】本種は絶滅危惧II類で、減少要因としては河川の改修や連続性の分断とともに、国内外来種の影響も考えられる。朝鮮半島の *T.koreanus* は同種の可能性がある。

成魚は細長く見える。長い背びれ棘が目立つ。

（藤田朝彦）

ナマズ目　ギギ科
ネコギギ
Catface bullhead

全長(cm)	7～15	臀鰭条数	14～18
背鰭条数	II, 7	胸鰭条数	I, 7

絶滅危惧IB類（EN）
天然記念物

学　名　*Tachysurus ichikawai*
(Okada and Kubota, 1957)

成魚　吻は丸い。体形は比較的寸詰まりで、尾柄は高い。

【形態】尾びれの切れ込みはやや深く、尾柄は高い。日本産のギギ科魚類のなかではもっとも小型で、体が短い。和名の「ネコ」は、ギギよりも丸みがある外見に由来するとされている。成魚の全長は7～10cm程度。最大約15cmになる。
【生態】河川中流域の流れが緩やかな淵や平瀬に生息し、昼間は礫の間隙などに潜んでいる。夜に活発に行動し、主に水生昆虫を摂餌する。繁殖期は6～8月で、オスが間隙の周辺になわばりを形成して行う。2～3年で成熟する。寿命はオスで3～5年であるが、メスはそれより長いとされる。
【分布】日本固有種。伊勢湾、三河湾に流入する河川に生息する。
【特記事項】原記載時の和名は「ギギモドキ」であった。また、ギギの仲間の和名にはウサギギギ、イノシシギギなど（いずれも大陸産）、動物名がつくものが多くある。

日中は礫の間隙に潜む。

（藤田朝彦）

237

ナマズ目　アカザ科
アカザ
Torrent reddish bullhead

学名 *Liobagrus reinii*
　　　Hilgendorf, 1878

全長(cm)	8〜15
背鰭条数	I, 6〜7
臀鰭条数	11〜13
胸鰭条数	I, 5〜6

絶滅危惧Ⅱ類（VU）

成熟したオスの項部は肉が盛り上がる　体は赤褐色　尾柄は高い

ひげは4対8本

8.4cm 岐阜県産

2.0cm 京都府産

【形態】成魚の全長は8〜10cm。最大15cm。細長い体形と、赤色から赤褐色の体が特徴。側線は不完全で、胸びれの上方にわずかに存在する。尾びれは切れ込まず、後端は丸くなっている。繁殖期のオスは、頭部背面から背びれにかけての筋肉が顕著に盛り上がる。背びれと胸びれの棘には毒があり、不用意に触ると容易に刺さり、痛い。和名も「赤くて刺す魚」であることが由来である。京都での地方名はニョロキン。
【生態】水のきれいな上・中流の礫環境に生息し、礫間を泳いで生活する。石の下や礫のかなり狭い間隙にもぐりこむが、このような行動は主に間隙を遊泳する近縁のギギ類では見られない。水生昆虫を捕食する。繁殖期は5〜6月頃に石の下や間隙で産卵する。卵は寒天状の物質に覆われ、不規則な卵塊を形成する。産卵後はオス親が保護を行う。
【分布】宮城県・秋田県以南の本州、四国、九州。岩手県の個体は国内外来種であるとされる。日本固有種であるが、地方分化が進んでいる。近縁種は極東アジアに複数分布している。

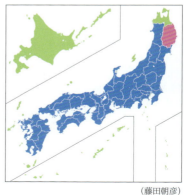

（藤田朝彦）

成魚 体色は赤いが白いひげが目立つ。

夜間の成魚 夜間は礫中から出てきて遊泳する姿も見られる。

成魚 大きな礫の間隙に身を寄せる個体。ひげがレーダーアンテナとなっている。

ナマズ目 ナマズ科
ナマズ
Far Eastern catfish

学　名　*Silurus asotus*
　　　　　Linnaeus, 1758

全長(cm)	50〜70
背鰭条数	5
臀鰭条数	71〜85
鰓耙数	11〜13
脊椎骨数	58〜63

背びれは小さい
体表には雲状斑が見られることが多い
成魚のひげは2対4本
腹部の体色は白みがかる
25.5cm 岡山県産

5.8cm 滋賀県産

【形態】体表にうろこがなく、粘液による滑りが強い。口はやや上を向いて開き、口ひげは上下両あごに2本ずつ、計4本ある（稚魚期には6本。下あごの2本は成長にともない消失する）。長い臀びれ基底と、短い背びれ基底が特徴的である。成魚の全長は50cm程度。最大で約70cmに達する。
【生態】純淡水魚。主に河川に生息するが、繁殖期である初夏には水田、氾濫原、ワンドなどの小規模水域に遡上する。動物食性であり、魚類、両生類などを捕食。魚類などの死骸も摂餌する。
【分布】九州、四国、本州。東日本の集団は移殖であるとされる。国外では、朝鮮半島東部を除くロシアから中国の極東アジア全域、台湾島。
【特記事項】長年食用として地域的に利用されてきた。養殖、人工授精による種苗生産なども行われるようになっている。地震を起こす伝説があるなど、多くの昔話にも登場する日本文化の上でも重要な種である。近年はルアー釣りの対象魚としても人気があり、管理釣り場に放流されている例もある。

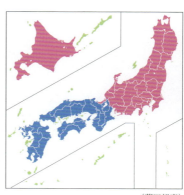

（藤田朝彦）

成魚　ふだんは障害物の多い環境に潜む。

成魚の頭部　体表に見える白い点は感覚器官。

未成魚　ひげは2対4本。

稚魚　ひげは3対6本で、1対は成長とともに消失する。

ナマズの産卵行動 オスがメスに巻きつく。基本的には雌雄が1対1で行うが、1個体のメスに複数のオスが

つくこともある。

ナマズ目　ナマズ科
イワトコナマズ
Rock catfish

学　名　*Silurus lithophilus*
　　　　　(Tomoda, 1961)

全長(cm)	40〜65	鰓耙数	9〜11
背鰭条数	4〜5	脊椎骨数	63〜66
臀鰭条数	75〜88		

準絶滅危惧（NT）

眼は体の側面に存在する　　　体は茶色から黄褐色のまだら模様

53.0cm 滋賀県産

18.6cm 滋賀県産

4.8cm 滋賀県産

【形態】ナマズ、ビワコオオナマズと類似するが、眼が側方に突出し、腹面から確認できる点で区別できる。また、前鼻孔が発達した鼻管がある、体色は黄色味が強い、斑紋が背部から全体にある、体後半部が幅広いといった点でも区別できる。成魚の全長は40〜50cm程度。最大で約65cmに達する。
【生態】琵琶湖の岩礁帯に生息する。ほかのナマズ類との眼の位置および体色の違いは、生息環境に適応したものであると考えらえる。動物食性で、魚類や甲殻類を捕食する。産卵はビワコオオナマズと同様に、梅雨頃、湖岸の石礫のある浅場で行われる。琵琶湖の流出河川で確認されることもあるが、河川集団の存在については不明。
【分布】琵琶湖、余呉湖。
【特記事項】琵琶湖に生息するナマズ類ではもっとも美味。1961年に新種記載される以前も、漁師は腹部の黄色いナマズを「いわとこ」と称し区別しており、本種を認識していたと思われる。また、黄変個体の出現率が高く、それらは「弁天ナマズ」と称される。

（藤田朝彦）

成魚 成魚は黄褐色の体でまだら模様が顕著。

餌の探索 岩礁帯を遊泳する。

背面 眼が真横についているのがわかる。

稚魚 ナマズ同様、稚魚のひげは3対6本。

ナマズ目　ナマズ科
タニガワナマズ
Stream catfish

学　名　*Silurus tomodai*
　　　　　Hibino and Tabata, 2018

全長(cm)	40 〜 60
背鰭条数	4 〜 5
臀鰭条数	77 〜 84
鰓耙数	9 〜 11
脊椎骨数	62 〜 65

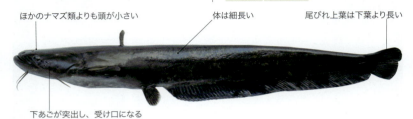

ほかのナマズ類よりも頭が小さい　　体は細長い　　尾びれ上葉は下葉より長い
下あごが突出し、受け口になる
34.0cm 愛知県産

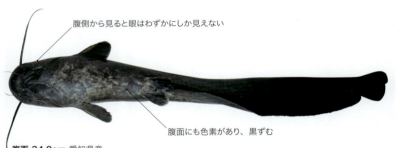

腹側から見ると眼はわずかにしか見えない
腹面にも色素があり、黒ずむ
腹面 34.0cm 愛知県産

【形態】基本的な外部形態はほかのナマズ類と酷似するが、頭が小さく体形が細長いという特徴がある。もっとも近縁なイワトコナマズとは、眼が腹側からわずかにしか見えないこと、下あごのひげが長いことなどで、同所的に出現するナマズとは、鋤骨歯帯が分離する傾向があること、両眼間隔が広い、脊椎骨数が多い、頭部腹面にも色素があること、卵の色が黄色いことなどで区別可能である。
【生態】"タニガワ"という名前がつく通り、平野部よりも山間部の河川中上流域に多い。岩の多い場所で岩盤や大きな石の間隙などに潜む。カワムツ、カワヨシノボリなどと同所的に生息する。小魚や水生昆虫などを食すと考えられる
【分布】新潟県、長野県、静岡県、愛知県、岐阜県、三重県。
【特記事項】本種は近年の遺伝的な研究で存在が明らかになった。イワトコナマズと姉妹種で、脊椎骨数や斑紋パターンなどの形質を共有している。本種は河川中上流域、イワトコナマズは湖沼という生息場所の違いはあるが、両種とも岩が多い環境を好む点で共通している。

(川瀬成吾)

遊泳するタニガワナマズの成魚　河川中上流域の巨石、岩盤の下や窪みに潜む。

頭部　下あごが突出して受け口になる。

ひげ　下あごのひげはほかのナマズ類より長い。

鋤骨歯帯　中央で左右が分離するものが多い。

ナマズ目　ナマズ科
ビワコオオナマズ
Biwa giant catfish

学　名　*Silurus biwaensis*
　　　　　(Tomoda, 1961)

全長(cm)	70～130
背鰭条数	5～6
臀鰭条数	77～82
鰓耙数	12～14
脊椎骨数	66～69

ほかのナマズ類よりも頭が長い
尾びれ上葉は下葉より長い
下あごが突出し、受け口になる
腹部は白い
99.5cm 滋賀県産
23.6cm 滋賀県産
7.4cm 滋賀県産

【形態】ナマズと類似するが、下あごが前に突出して受け口であること、頭部が強く縦扁することで区別できる。ほかにも、尾びれの上葉が下葉よりも長くなる、体色は背部が光沢のある黒色（体後部に雲状斑が出ることもある）、腹部が白色になるといった点で異なる。成魚の全長は70～100cm程度。最大で1.3mに達する。

【生態】琵琶湖の沿岸から沖合に生息する。中層を遊泳し、魚類を捕食する。ナマズとの形態の違いはこのような生態の違いを反映していると考えられる。繁殖期の6～7月に、沿岸や農業水路で産卵する。一方で、琵琶湖流出河川の個体群（瀬田川、宇治川・淀川）は河川内で生活史を完結しており、流水環境でも適応できるようである。

【分布】琵琶湖・淀川水系の固有種。琵琶湖および流出河川。

【特記事項】1961年に新種記載されるまでは、漁師にはオオナマズ、シロナマズと呼称されていた。不味であることから食用にはならない。近年はルアーフィッシングの対象魚となっている。

（藤田朝彦）

大型の個体 日本産淡水魚としてはもっとも大きくなる種の一つ。20kg近くにまで成長する。

未成魚 未成魚期であるが、上葉が長い尾びれの特徴は顕著である。

頭部 平たい頭部と受け口は魚食性への適応。

幼魚 ナマズ同様に、幼魚のひげは3対6本。

ナマズ目　アメリカナマズ科
チャネルキャットフィッシュ
Channel catfish

学　名　*Ictalurus punctatus*
(Rafinesque, 1818)

全長(cm)	60～130	胸鰭条数	I, 8～9
背鰭条数	I, 6	脊椎骨数	42～44
臀鰭条数	23～26		

特定外来生物／総合対策外来種(緊急対策外来種)

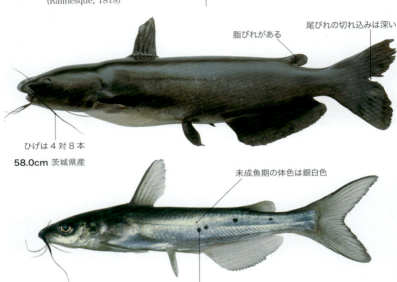

脂びれがある
尾びれの切れ込みは深い
ひげは4対8本
58.0cm 茨城県産

未成魚期の体色は銀白色
未成魚期では黒斑が散在する
12.8cm 養殖個体

【形態】ナマズよりギギに似るが、より大きく成長する。頭部は縦扁し、ひげは8本ある。成魚は、背部が暗灰色からオリーブ色で、腹部が黄白色である。幼魚は全体的に光沢のある体色で、未成魚期以降には不規則な黒斑を持つものが多い。背びれと胸びれには鋭い棘があり、漁網への破損など漁業被害も大きい。成魚の全長は60～70cm程度。最大で1.3mを超える。「アメリカナマズ」とも呼ばれる。

【生態】河川の下流域、湖沼に生息する。基本的に動物食性であるが、水生昆虫、貝類、甲殻類、魚類およびその死骸など様々なものを捕食する。繁殖は5～7月頃に産卵床を掘って行い、オス親がふ化仔魚を保護する。

【分布】阿武隈川水系、利根川水系、琵琶湖・淀川水系などに定着している。原産地はカナダ南部からアメリカ東部を経て、メキシコ北東部にかけて。

【特記事項】特定外来種、総合対策外来種。本邦に導入されたのは1981年とされているが、1995年頃から個体数が増加し、現在も分布が広がっている。

(藤田朝彦)

大型個体 成長にともない、体色の光沢は失われていく。

未成魚 体には光沢と黒斑が目立つ。

幼魚 体色は淡い。

ナマズ目　ヒレナマズ科
ヒレナマズ
Hong Kong walking catfish

学　名　*Clarias fuscus* (Lacepède, 1803)

全長(cm)	20〜30	胸鰭条数	I, 9〜10
背鰭条数	56〜63	脊椎骨数	57〜61
臀鰭条数	43〜50		

総合対策外来種（その他の総合対策外来種）

背びれ基底は長く尾柄まで

臀びれ基底は長く尾柄まで

ひげは4対8本

24.8cm 沖縄県産

【形態】体形はナマズに類似するが、名前が示す通り背びれ基底が著しく長い。尾びれ後縁は丸く、腹びれ、脂びれがない。口ひげは8本存在する。最大で全長30cm程度に達する。

【生態】河川の中・下流域や池沼、水路などの流れの緩やかな場所にすむ。空気呼吸を行う。産卵は、水中の浅場に横穴を掘って行う。動物食性で、魚類、甲殻類、昆虫類などを捕食する。

【分布】石垣島に定着。沖縄島でも確認されている。自然分布は長江以南の中国南部からベトナム、台湾、海南島、フィリピン諸島。ハワイにも移殖されている。

【特記事項】国外外来種、総合対策外来種。石垣島の個体は台湾由来であるとされる。沖縄島には近縁のウォーキングキャットフィッシュ *C. batrachus* も確認された記録がある。

体の大きさに対してひげが長い。

（藤田朝彦）

ナマズ目　ロリカリア科
マダラロリカリア
Vermiculated sailfin catfish

学　名　*Pterygoplichthys disjunctivus*
(Weber, 1991)

全長(cm)	30～70	胸鰭条数	I, 6
背鰭条数	I, 12	側線鱗数	29
臀鰭条数	I, 4		

総合対策外来種（その他の総合対策外来種）

すべてのひれを含めて全身に黒いまだら模様が存在する
背びれと尾びれは大きい
口は完全に下を向く

11.5cm 沖縄県産

【形態】体は縦扁している。背部から体側に強靭なうろこがあり、触るとゴツゴツとしているため容易に手でつかめる。腹部はうろこがなく軟らかい。体表と各ひれに黒と黄白色のまだら模様がある。吸盤状の口と、きわめて長い腸を持つ。成魚の全長は50cm程度。最大で70cm以上に達する。

【生態】河川の中・下流域、池沼に生息する。吸盤状の口で水底のデトリタスや付着藻類を食べる。空気呼吸ができる。繁殖期は5～10月頃。

【分布】比謝川、牧港川水系を中心とした沖縄島南部の河川、池沼に定着。原産地はアマゾン川水系マデイラ川。北米やハワイ、フィリピンにも移殖されている。

【特記事項】国外外来種、総合対策外来種。観賞魚として安価に流通しており、沖縄島の集団も観賞魚の投棄由来であると考えられている。

吸盤状の口が特徴的。

（藤田朝彦）

column 琵琶湖の淡水魚研究史

　琵琶湖は日本でもっとも淡水魚研究の歴史が古く、研究の盛んな場所と言って過言ではない。たとえば、江戸時代、日本では中国から影響を受けた本草学が発達し、日本各地に自生する動植物の記載的研究が行われ、琵琶湖の魚類も衆鱗図、湖魚考、湖中産物圖證などで取り上げられるなど注目されていた。そして、1823年に来日したシーボルトから琵琶湖の魚の近代科学研究が始まった。シーボルトが持ち帰った魚類コレクションから琵琶湖の固有種のゲンゴロウブナやニゴロブナを含む50種の日本の淡水魚が新種記載され、そのうち35種が現在でも有効となっている。

　明治時代になると分類学研究が一気に進む。フランスのソーバージュに始まり、アメリカのジョルダン、イギリスのリーガン、そして日本の石川千代松、田中茂穂と、多くの博物学・魚類学者の手によって、次々と琵琶湖の魚類相が明らかにされていった。昭和の中期になって、友田淑郎によってビワコオオナマズ、イワトコナマズが発見され、中村守純によって分類がかなり整理された。

　昭和中期以降、魚類相が大方明らかになると、宮地伝三郎をはじめとする京都大学グループによる生態研究や友田淑郎をはじめとするグループによる化石、進化研究が精力的に行われた。昭和後期に入ると、日本でも解剖学的形質による分岐分類学が魚類学へ応用され、タナゴ亜科、カマツカ亜科、ドジョウ科、ナマズ科などの系統解析が進み、これまでの慣習的な分類体系から、より進化実態を反映した分類体系となった。その中で、ビワコオオナマズが遺存的な種であることなどが明らかにされた。

　遺伝学的な研究は、90年代頃までタンパク質レベルの研究が主流であったが、2000年を超えた頃からDNA（特にミトコンドリアDNA）の部分領域を用いた研究

シーボルトが見た江戸時代の琵琶湖。シーボルト著 Nippon II より

ワタカの模式標本（パリ国立自然史博物館所蔵）

が一気に増加した。イサザの姉妹種がウキゴリではなさそうだということや、アブラヒガイが岩礁帯に適応進化したのがごく最近であること、ほとんどの種に関しても琵琶湖集団のハプロタイプがきわめて多いことなどがわかってきた。進化に中立な非遺伝領域では、塩基置換が一定のペースで起こると仮定して、いつその集団が分化したのかという分岐年代推定も可能となる。まだ課題も多いものの様々な分類群で分岐年代推定が行われ、琵琶湖の歴史とそれぞれの集団の分岐年代との照合が行われ、必ずしも琵琶湖の歴史ときれいに一致するわけではないことがわかってきている。

　さらに、遺伝解析技術の進展は早く、2020年代に入るとゲノムレベルでの解析が行われるようになってきた。これまでの知見の積み重ねと新たな解析技術によって、今後もワクワクするような琵琶湖の魚に関する新発見が続くに違いない。

（川瀬成吾）

サケ目

Salmoniformes

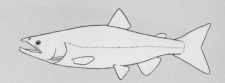

　脂びれを備えることを特徴とし、サケ亜目とキュウリウオ亜目に分けられる。魚類の分類の成書ともいえるNelson et al. (2016)では両者を切り離し、それぞれ独立した目に格上げしている。それによればサケ目はサケ科からなる単型的なグループで、いずれも北半球のみに分布し、シロマスとグレーリングを含む3亜科10属223種が知られている。キュウリウオ亜目は北半球のキュウリウオ科、アユ科、シラウオ科、南半球のプロトトロクテス科とレトロピンナ科合わせて5科20属約50種が知られている。アユ科ははたして独自の科か、あるいはキュウリウオ科の内群なのか議論の余地は残る。キュウリウオ亜目において、北半球の種ではどの種も受精卵は反転付着膜で石に産みつけられ、南半球の種はアユ同様、生鮮時にキュウリ臭を発する。

サケ目　キュウリウオ科
キュウリウオ
Olive rainbow smelt

全長(cm)	20〜30	縦列鱗数	61〜69
背鰭条数	8〜11	鰓耙数	27〜36
臀鰭条数	12〜16	幽門垂数	4〜8

学　名　*Osmerus dentex*
　　　　　Steindachner and Kner, 1870

吻は尖る
かなり大型になる
上あごの後端は眼の後端直下を越える
臀びれ外縁は直線的か、へこむ

オス 27.5cm 北海道産

メス 25.9cm 北海道産

【形態】体形はやや側扁した細長い円筒形。シシャモよりも大型で、20cm以上の個体も珍しくない。口裂は大きく、下あごは突出し「受け口」をなし、数本の鋭い円錐歯を備える。体色は銀白色で、背部はやや緑色を帯びる。

【生態】浅海域を主な生息場とする遡河回遊魚。生後2〜3歳の親魚が4〜6月に産卵のため河川を遡上する。卵は付着膜が杯状に反転することで、砂礫にしっかりと付着する。動物プランクトン、小型の甲殻類、小魚などを食べる。

【分布】ロシア沿海州からカナダまでの北太平洋のほぼ北緯40度以北に分布。日本では北海道の日本海側とオホーツク海側の沿岸部。

【特記事項】和名は、漁獲したばかりの鮮魚がキュウリ臭を発することに因む。アユとの共通点も多い。類縁性が示唆される。北海道では食材として市場に出回っている。

親魚。アユと異なり成熟に2〜3年かかる。

（細谷和海）

サケ目　キュウリウオ科
シシャモ
Shishamo smelt

全長(cm)	20～30	縦列鱗数	59～70
背鰭条数	9～10	鰓耙数	36～39
臀鰭条数	16～17	幽門垂数	3～5

学　名 *Spirinchus lanceolatus*
(Hikita, 1913)

絶滅のおそれのある地域個体群（LP）

側線は不完全
胸びれは10～12軟条
河川遡上個体 オス 15.9cm 北海道産
成熟個体では臀びれ外縁が張り出す
海産個体 メス 14.2cm 北海道産

【形態】一般に流通するカラフトシシャモとは、側線が不完全であることで区別できる。
【生態】海域沿岸部の水深20～30mを主な生息場とする遡河回遊魚。生後2～3歳の親魚が10～12月に産卵のため河川を遡上する。オスでは成熟とともに臀びれが伸長して雌抱卵器官となる。メスは流れがある砂礫底に産卵する。動物プランクトン、小型の甲殻類、ゴカイなどを食べる。
【分布】北海道の固有種で、北海道太平洋岸にのみ分布する。襟裳岬を境に、太平洋側西部海域と東部海域における系群の相違が示唆されている。
【特記事項】和名はアイヌ語のsusam（柳葉の意）に由来する。襟裳岬以西のシシャモは環境省版レッドリスト(2019)では絶滅のおそれのある地域個体群（LP）に、北海道レッドデータブックでは留意種にそれぞれ位置づけられている。

婚姻色を発現した成熟オス。

（細谷和海）

サケ目　キュウリウオ科
ワカサギ
Japanese smelt

学　名　*Hypomesus nipponensis*
McAllister, 1963

全長(cm)	10〜20	縦列鱗数	54〜60
背鰭条数	7〜10	鰓耙数	9〜11
臀鰭条数	13〜18	幽門垂数	4〜7

側線は不完全

脂びれは小さく、その基底は眼径より小さい

8.6cm 北海道産

【形態】体は細長く、背びれの後ろに小さな脂びれがあり、その基底は眼径より短い。背びれは、腹びれよりやや後ろについていることで海産種のチカから、体の黒色素が少ないことで近縁種のイシカリワカサギから区別できる。側線は不完全。

【生態】生息域は広く、湖沼、ダム湖、河川の下流域から内湾の沿岸域まで見られる。成長のために降海する個体や一生を淡水で生活する個体など生活史多型が見られる。繁殖期は冬から春にかけて。卵は直径約1mm、アユ同様杯状に反転した付着膜で、水草や枯れ木などに産みつけられる。寿命はふつう1年。主としてケンミジンコやヨコエビなどを食べる動物プランクトン食性。

【分布】自然分布域はロシアの沿海州・サハリン・南千島から、太平洋側では東京湾まで、日本海側では宍道湖まで。日本各地に移殖されている。北日本でも自然分布の実態がわからなくなっている。

産卵のため河川を遡上する群れ。

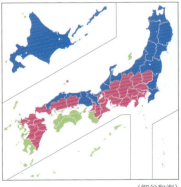

（細谷和海）

258

サケ目　キュウリウオ科
イシカリワカサギ
Pond smelt

学　名　*Hypomesus olidus* (Pallas, 1814)

全長(cm)	10〜20	縦列鱗数	51〜60
背鰭条数	7〜9	鰓耙数	26〜34
臀鰭条数	12〜16	幽門垂数	0〜4

準絶滅危惧（NT）

側線は不完全

脂びれは大きく、その基底は眼径と同じか、それ以上

7.5cm 北海道産

ワカサギに比べて黒色素が多い

【形態】ワカサギに似るが、腹びれの位置がやや後ろにあり、背びれ基部の直下もしくはそれより前からはじまる。また、ワカサギに比べて吻が短く、脂びれも大きい。その基底長は眼径と同じかそれを超える。気道はうきぶくろの中央やや前寄りから発する。体色は全般にワカサギより暗い。

【生態】河川の下流域の流れのない水域、河跡湖、平野部の湖沼に生息する。ワカサギよりも淡水適応が進み、北海道の個体は海を下ることがない。繁殖期は4月。産卵場は湖の沿岸やこれに連なる水路で、ヤナギの根や砂礫に卵を産み付ける。動物プランクトン食性で、ユスリカ幼虫などのベントスも食べる。

【分布】カナダ西部からアラスカ、シベリア東部、沿海州、サハリン、朝鮮半島東岸まで。日本では北海道のみで、天塩川、石狩川、十勝川、釧路川、塘路湖などの水系から知られている。

一生を淡水で生活する。

（細谷和海）

サケ目　アユ科
アユ
Ayu

学　名 *Plecoglossus altivelis altivelis* (Temminck and Schlegel, 1846)

全長(cm)	15〜25	胸鰭条数	12〜15 (通常14)
背鰭条数	10〜11	側線鱗数	67〜68
臀鰭条数	14〜15	幽門垂数	350〜400

- 成熟すると全身が黒くなる（サビアユ）
- 吻端がカギ鼻状
- 側線は完全
- あごは櫛状歯板が顕著

21.5cm 和歌山県産

- 黄色い長楕円斑が見られる

17.0cm 和歌山県産

【形態】唇は柔らかく、鰓耙と同じ構造の歯が櫛のように並び、付着藻類をはぎ取るのに適している。秋に成熟すると橙色と黒の婚姻色を発現し、オスでは背びれがかなり伸びる。琵琶湖のコアユは体長約15cmで成熟する。

【生態】河川の上・中流域や清澄な湖やダム湖に生息する。アユの寿命は1年で、秋に生まれた仔稚魚は海まで流された後越冬し、翌春再び母川へ遡上する。これは両側回遊と呼ばれる。卵は直径約1mm、卵を覆っていた付着膜が杯状に反転することで砂礫に産みつけられる。仔稚魚はシラスと呼ばれ、円錐歯を備えた動物プランクトン食性であるが、変態すると櫛状歯に変わり付着藻類食性となってなわばりを持ちはじめる。アユのキュウリ臭は食性に基づくものではなく、体表から放出されるヒトの加齢臭と同じ化学物質による。

【分布】北海道・朝鮮半島からベトナム北部まで東アジア一帯に分布し、日本がその中心で、天塩川から屋久島まで分布。

【特記事項】台湾では絶滅。中国産を別亜種 *P. a. chinensis* とする見解もある。

（細谷和海）

6.0cm 神奈川県産

ヒウオ 3.7cm 神奈川県産

コアユ 9.7cm 滋賀県産

産卵親魚 雌雄とも婚姻色を発現し、サビアユになっている。

261

ジャンプ 初夏に上流に向かって河川を遡上する。

なわばり個体 体は大きく、黄色長楕円斑が明瞭になる。

稚魚 透明感が残る。

発眼卵 反転付着膜で石にくっついている。

コアユの群れ 琵琶湖産アユは大きくならない。漢字では湖鮎とも小鮎とも表記。

ヒウオ イワシ類のシラスに相当する。漢字では氷魚と表記。

サケ目　アユ科
リュウキュウアユ
Ryukyu ayu

学　名　*Plecoglossus altivelis ryukyuensis*
　　　　　Nishida, 1988

全長(cm)	12〜20	胸鰭条数	11〜13(通常12)
背鰭条数	10〜11	側線鱗数	59〜63
臀鰭条数	14〜18	鰓耙数	33〜39

絶滅危惧 IA 類（CR）

リュウキュウアユ　本土のアユより小ぶりであるが、生態は同じで付着藻類食性、なわばりを持つ。

【形態】日本本土に分布する模式亜種アユに似ているが、リュウキュウアユの方が小型で太短く、胸びれの軟条数、側線上方横列鱗数、側線下方横列鱗数はアユよりやや少ない。成熟すると背びれはかなり長くなる。これらの特徴は低緯度地方の環境と関連するものと思われる。

【生態】繁殖期はアユに比べて遅く11〜3月で、稚魚の遡上は1〜5月。亜熱帯域に分布するが、繁殖には20℃以下の汽水域が必要。現在、個体群が残されている奄美大島では河川改修、道路整備、土地造成にともなう赤土流入によりが生息環境が著しく損なわれ、生息数が減少している。

【分布】自然分布域は奄美大島と沖縄本島の名護以北の西海岸沿いの河川であったが、沖縄本島では1970年代末に絶滅した。その後、奄美大島産の個体が沖縄本島に移殖された。

【特記事項】同じリュウキュウアユでも沖縄本島産と奄美大島産では、側線横列鱗数、脊椎骨数、上顎上の櫛状歯数などが異なっている。さらに奄美大島では住用・伊須湾域と焼内湾域では遺伝的分化が認められ、東西両集団は交流のない集団となっており、個別の保全単位として保護する必要がある。

（細谷和海）

サケ目　シラウオ科
シラウオ
Japanese icefish

学　名　*Salangichthys microdon* (Bleeker, 1860)

全長(cm)	6～10	胸鰭条数	13～19
背鰭条数	11～15	脊椎骨数	60～62
臀鰭条数	24～29	鰓耙数	17～20

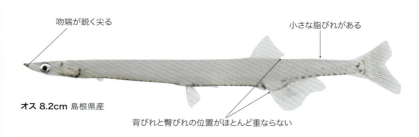

吻端が鋭く尖る
小さな脂びれがある
オス 8.2cm 島根県産
背びれと臀びれの位置がほとんど重ならない

メス 8.3cm 島根県産

【形態】体は小さくて細長い。生きている時は半透明の白色で、背骨や内臓などが透けて見える。外観や生態がよく似たハゼ科のシロウオとは、頭が尖り脂びれを備えることで区別できる。外観は異なるが、アユやキュウリウオ科の仔稚魚(シラス)に似ているため、これらのグループが幼形化することによって進化したと考えられている。

【生態】河口域から内湾の沿岸域まで分布する典型的な汽水魚。年魚で、繁殖期は2～5月。河川に雌雄別々に遡上し、メスは砂底に産卵する。卵はアユやキュウリウオ科と同じように反転膜を備え、砂粒に付着する。ワムシ類からイサザアミまでを食べる動物プランクトン食性。

【分布】サハリン、沿海州から朝鮮半島東岸まで日本海沿岸域に分布する。日本では北海道から九州北部の主要河川の河口域と汽水湖に分布している。

汽水域を主な生息場所としている。

(細谷和海)

サケ目　シラウオ科
アリアケシラウオ
Ariake icefish

全長(cm)	10〜15	胸鰭条数	9〜10
背鰭条数	11〜13	脊椎骨数	72〜75
臀鰭条数	27〜32	鰓耙数	8〜10

学　名　*Salanx ariakensis* Kishinouye, 1902

絶滅危惧IA類（CR）

吻端がするどく尖る

頭部が縦扁

黒色素胞が腹縁部に1列に並ぶ

12.3cm 福岡県産

【形態】日本産シラウオ科魚類のなかでもっとも大型の種。シラウオに似るが、はるかに大きく、頭部が尖り、上あごが下あごより前に出ている。黒色素胞が胸びれ直下から尾びれ基底にかけての腹縁部に1列に並ぶ。

【生態】成魚は主に低塩分、遠浅で濁りのある海の内湾に生息している。大型種ではあるが年魚で、繁殖期は10〜11月、筑後川などの流入河川を遡上し、砂礫底で産卵する。卵は他魚種に比べて小さく約0.75mm。

【分布】朝鮮半島南岸以南の中国大陸沿岸分に広く分布し、日本では有明海に限られる遺存種（レリック）。

【特記事項】福岡県では絶滅危惧IA類（CR）、長崎県では絶滅危惧IB類（EN）、熊本県では絶滅危惧I類（CR+EN）にそれぞれ位置づけられている。

生きている時はほぼ透明。

（細谷和海）

サケ目　シラウオ科
アリアケヒメシラウオ
Ariake dwarf icefish

全長(cm)	4〜5.5	胸鰭条数	22〜26
背鰭条数	13〜14	脊椎骨数	52〜56
臀鰭条数	23〜29	鰓耙数	15

学　名　*Neosalanx reganius*
　　　　Wakiya and Takahasi, 1937

絶滅危惧 IA 類（CR）
国内希少野生動植物種

小型で体高が大きい

オス 6.0cm 福岡県産

黒色素胞は腹縁部に集中

メス 5.6cm 福岡県産

【形態】日本産シラウオ科魚類のなかでもっとも小型の種。シラウオ科の他魚種に比べて体高が大きく、頭部が丸みを帯び、ふつう口の中にあるはずの口蓋骨歯を欠き、黒色素胞が腹縁部に集中することを特徴とする。

【生態】日本産シラウオ科魚類のなかで唯一の純淡水種。繁殖期は 3〜6 月、メスの体内卵数は 300〜700 個で、川の水草や底の砂粒に産卵する。卵径は約 0.9〜1.0mm。

【分布】日本の固有種。有明海へ流入する筑後川と熊本県緑川の下流域に生息する。中国および朝鮮半島にもヒメシラウオ属の別種が分布する。

【特記事項】福岡県では絶滅危惧 IA 類（CR）、佐賀県と熊本県では絶滅危惧 I 類（CR+EN）にそれぞれ位置づけられている。実効性のある保護対策を講じる必要がある。

食べた動物プランクトンが透けて見える。

（細谷和海）

サケ目　サケ科
サケ
Chum salmon

全長(cm)	70〜120	側線鱗数	125〜153
背鰭条数	10〜16	幽門垂数	121〜246
臀鰭条数	13〜19	鰓条骨数	11〜16

学　名　*Oncorhynchus keta* (Walbaum, 1792)

成熟したオスは吻が曲がる
婚姻色はえんじ色の雲状斑
オス 69.5cm 北海道産（河川遡上個体）
体表および各ひれに黒点がない
77.0cm 北海道産(海産個体)
5.7cm 北海道産

【形態】体形は細長くやや側扁する。海では背部が暗い銀青色、腹部が白色であるが、河川に遡上すると婚姻色として雌雄とも体色が緑黄色がかり、紫色からえんじ色の模様が出現する（ブナ化）。カラフトマスやギンザケと異なり、体側に小黒点は出現しない。成魚の全長は70〜80cm程度。最大で1.2m程度。
【生態】産卵のために川を遡上する遡河回遊を行う。日本では9〜11月頃に遡上し、河川上流域で産卵する。ふ化後、翌春に降海する。降海後はオホーツク海からシベリア沿岸を回遊して生活し、概ね2〜5年程度で自分が生まれた河川に遡上する。産卵後、親個体は死亡する。海では魚類、甲殻類などを捕食し、河川遡上時は摂餌しない。
【分布】九州遠賀川水系以北の日本海側、利根川水系以北の太平洋側、北海道全域に生息。国外では、カリフォルニア北部から朝鮮半島南部の太平洋側、カナダのマッケンジー川からロシアのレナ川までの北極海側。
【特記事項】本邦産サケ類の代表種であり、単純に「サケ」というと本種を指す。

（藤田朝彦）

繁殖期の成魚 河川を遡上し、産卵する個体。雌雄とも婚姻色が目立つ。（ブナ化）

降河時期の個体 体色は銀毛化し、パーマークは薄れている。

稚魚 稚魚期はほかのサケ科魚類同様にパーマークが顕著。

サケ目　サケ科
ギンザケ
Coho salmon

全長(cm)	50〜60	側線鱗数	120〜148
背鰭条数	9〜15	幽門垂数	40〜115
臀鰭条数	12〜17	鰓条骨数	11〜15

学　名　*Oncorhynchus kisutch*
　　　　(Walbaum, 1792)

背びれ・尾びれ・体背部にわずかに黒点がある

オス 62.5cm 北海道産

メス 65.0cm 北海道産

【形態】河川生活期はニジマスに似るが、背部の斑紋が虫食い状になっている。背びれの基部と尾びれに小黒斑が散在している。成魚は銀目の強い体色になる。成魚の全長は50〜60cm程度。1mを超えることはまれ。

【生態】河川上流域と海を回遊する遡河回遊魚。秋から冬に遡上して産卵する。ふ化仔魚は1年間河川で生息した後海へ下る。河川に残留することはほとんどない。河川では昆虫などを捕食するが、海では魚食性が強くなる。降海後、2〜5年で河川を遡上するが、降海した年の秋に成熟して遡上する個体（ジャック）も存在する。

【分布】日本沿岸ではまれに回遊個体が漁獲される程度であるが、北海道、青森で産卵遡上した記録もある。自然分布域は、沿海州中部以北の日本海北部か らカリフォルニア沿岸までの北太平洋。

【特記事項】国内で流通している「塩鮭」などの加工品の多くは、南米で養殖された本種である。近年は国内各地でもさかんに養殖されている。管理釣り場における釣魚としても利用される。

（藤田朝彦）

"ジャック" 33.5cm 北海道産
1年のみ海域で生活し、小型で成熟した
ジャックと呼ばれるオス個体

9.8cm 養殖個体　　稚魚期はパーマークが顕著

未成魚　背側の斑紋と体側のカラーパターンはニジマスによく似る。

銀毛化がはじまった未成魚　この程度の大きさの個体は、国内の管理釣り場でもよく放されている。

サケ目　サケ科
カラフトマス
Pink salmon

全長(cm)	50～80	側線鱗数	150～240
背鰭条数	12～18	幽門垂数	90～190
臀鰭条数	16～19	鰓条骨数	11～12

学　名　*Oncorhynchus gorbuscha* (Walbaum, 1792)

オスの背部は著しく盛り上がる

尾びれ全体、背びれ、背部の一部に黒点が散在

オス 65.5cm 北海道産

婚姻色として体側にえんじ色の模様

メス 60.0cm 北海道産

【形態】背びれと尾びれに全体的に小黒斑が散在している。うろこが細かく、側線鱗数が多い。幼魚期にパーマークは存在しない。繁殖期のオス成魚は背が張り出し体高が大きくなる。日本産のサケ類としてはやや小型で、成魚の全長は40～60cm程度。最大約80cmに達する。
【生態】河川の上流域と海を回遊する遡河回遊魚。夏から秋に遡上して産卵するが、河川へは産卵のため遡上するのみであり、生活史の大部分を海で過ごす。ふ化魚も河川内では摂餌を行わない。動物食性で魚類、イカ類、カイアシ類、等脚類などを捕食する。
【分布】広域分布種で、北太平洋全域に生息する。日本では日本海の富山県以北、太平洋の福島県以北で確認されるが、北海道のオホーツク沿岸域から根室半島周辺が主な生息域である。現在は、国内での定期的な河川遡上は北海道のみである。
【特記事項】再生産のサイクルは2年であり、偶数年遡上群と奇数年遡上群は遺伝的に異なっている。

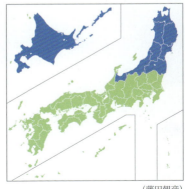

（藤田朝彦）

産卵に向かう遡上群 白い腹部が水中でよく目立つ。

産卵行動 比較的流速のある場所を産卵場として利用する。

産卵群 オス個体は吻が著しく伸び、背が張り出して体高が大きくなっているのがわかる。

稚魚 ベニザケやシロザケ（サケ）などと異なり、パーマークがない。

サケ目　サケ科
マスノスケ
Chinook salmon

学　名 *Oncorhynchus tshawytscha*
(Walbaum, 1792)

全長(cm)	80～150	幽門垂数	127～170
背鰭条数	10～15	鰓条骨数	13～19
臀鰭条数	13～19		
側線鱗数	130～165		

背びれ・尾びれ・背部に小黒点が散在する

婚姻色は主に頬部から後方が紅色に染まる

85.0cm 北海道産

13.4cm 繁殖個体

【形態】尾びれには黒斑が散在し、後端が黒く縁どられる。海中においては、尾部を含む全体が銀毛化する。下あごの基肉部が黒い。婚姻色は朱赤色から濃緑色であり、体側の黒斑が明瞭になる。サケ科の中でもっとも大きくなる種の一つであり、成魚の全長は80～90cm程度、最大は1.5mに達する。キングサーモンと呼ばれる。

【生態】遡河回遊を行うが、ふ化後すぐ降海するものと、しばらく河川生活を行うものがある。サケ科魚類としてはきわめて魚食性が強い。産卵は河川最上流部で初秋から冬頃に行われる。

【分布】日本海、オホーツク海、ベーリング海、北太平洋全域に生息するが、主に北米に多い。日本では北海道、山形県、新潟県、三陸で漁獲されることがあるが、再生産は行われていない。

【特記事項】ニュージーランドでは移植によって定着し、湖沼陸封型も存在する。

未成魚は小黒点が密に存在する。

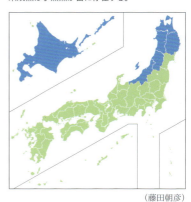

（藤田朝彦）

サケ目　サケ科
ベニザケ・ヒメマス
Sockeye salmon, Kokanee

学　名 *Oncorhynchus nerka*
(Walbaum, 1792)

全長(cm)	30〜90	側線鱗数	120〜144
背鰭条数	10〜11	鰓耙数	27〜38
臀鰭条数	13〜16		

絶滅危惧IA類（CR）

オスは成熟するとあごが伸び、背が盛り上がる
尾びれに銀白色の放射状線がない

オス 52.0cm 北海道産

朱紅色の婚姻色

メス 60.2cm 北海道産

【形態】体形はやや側扁した紡錘形。鰓耙数はサケ科のなかでもっとも多く、動物プランクトン食性に適している。海洋や湖に降りた個体の体色は、銀白色で腹部は白みがかっている。成熟すると、雌雄とも頭部を除き全身が紅色に染まる。

【生態】途中に湖沼がある河川を繁殖場とし、正確に母川回帰する。サケとは異なり、稚魚はすぐには降海しないで途中の湖で1〜3年を過ごす。海洋での生息適水温は約3〜13℃。繁殖期は7〜12月。カイアシ類、オキアミ類などの動物プランクトン、甲殻類、イカを摂餌する。

【分布】ベニザケもヒメマスも同種で、降海するかしないかの違い。降海型すなわちベニザケの自然分布域は千島列島からカリフォルニア州コロンビア川までの北太平洋・ベーリング海・オホーツク海。千島列島側では択捉島得茂別湖（ウルモベツ湖）がベニザケの生息南限とされる。陸封型すなわちヒメマスは北海道の阿寒湖とチミケップ湖原産。そこから各地へ移殖されている。

（細谷和海）

釣魚として一般的なサイズ

すでに銀毛化（スモルト化）し、湖へ下る準備に入っている

18.1cm 北海道産

4.3cm 繁殖個体　パーマークは体の背方にずれる。側線をわずかに越える程度

ヒメマスの群泳　未成熟だと、クニマスと区別がつかない個体も交じっている。

ヒメマスの稚幼魚　ベニザケが降海をやめたのがヒメマス。河川ではなく湖を主な生息場所としている。

サケ目　サケ科
クニマス
Black kokanee

学　名　*Oncorhynchus kawamurae*
　　　　　Jordan and McGregor, 1925

全長(cm)	30〜60	側線鱗数	126〜144
背鰭条数	10〜11	鰓耙数	31〜43
臀鰭条数	13〜14	幽門垂数	47〜62

野生絶滅（EW）

頭から背までは直線的
体全体が黒い
サケ科としては小型種

オス 30.5cm 山梨県産（あぶらびれを切除）

体表には目立った黒点がない

24.0cm 山梨県産（あぶらびれを切除）

【形態】ヒメマスに似るが、全体に体色が黒みを帯び、背面に黒点がないことで区別できる。
【生態】西湖での繁殖期は11〜2月。産卵場所は水深30〜40mの湧水がある砂礫質の湖底。流入河川には遡上しない。産卵場所の水温は4〜5℃。原産地の田沢湖では水深100〜300m付近の深部に生息し、付着藻類や動物プランクトンを餌としていたと考えられている。
【分布】原産地は秋田県田沢湖。戦前に各地に移殖された。田沢湖では1940年代に玉川から強酸性水が導入されたため水質が悪化し、その結果絶滅した。2010年に京都大学の中坊徹次教授が富士五湖の西湖に生息していることを確認した。
【特記事項】西湖は移殖地ではあるが、個体群は存在するので、野生絶滅という表現はかならずしも適切ではない。生物多様性の視点からすれば、野生を原生息地と置き換えればよい。京都大学の研究チームは、本栖湖から本種とヒメマスの交雑個体を発見している。

（細谷和海）

オス 黒い体色は深海魚を思わせる。深い湖の環境に適応した結果と思われる。

メス 成魚の黒い体色には雌雄差はない。

サケ目　サケ科
サクラマス・ヤマメ
Cherry salmon, Yamame

学　名 *Oncorhynchus masou masou*
(Brevoort, 1856)

全長(cm)	30～70（降海個体：サクラマス）		
	20～30（陸封個体：ヤマメ）		
背鰭条数	12～17	側線鱗数	118～138
臀鰭条数	12～17	脊椎骨数	63～67

準絶滅危惧（NT）

婚姻色 52.0cm 北海道産

生時、体側に朱点がない

メス 44.5cm 北海道産

【形態】河川生活期の幼魚および河川陸封個体は体側に7～10個のパーマークが並ぶ。幼魚が海に下る時、パーマークが消失し、銀毛化する。海洋生活期の成魚は、銀白色を呈し、背部と尾びれに小さな黒点が散在する。繁殖期になると、体が黒ずみ、桜色のまだら模様を呈す。
【生態】一生のうち海へ下り大型化するものをサクラマス、淡水域で過ごすものをヤマメと呼ぶ。本州のヤマメは河川形態がAa型、夏季水温が20℃未満の河川に生息する。イワナの生息する河川では、イワナの生息域よりも下流にいて、九州ではイワナがいないため、最上流域まで出現する。サクラマスは満1年半で海へ下り、約1年後母川に帰ってくる。繁殖期は10月中旬から11月下旬。淵から瀬に移行する砂礫底が産卵場となる。河川では水生昆虫などの小動物を、海では小魚などを餌としている。
【分布】北海道、静岡以北の太平洋側、山口県以北の日本海側および大分県を除く九州に分布する。
【特記事項】台湾には別亜種のタイワンマス *O. m. formosanus* が分布している。

（川瀬成吾）

18.3cm 北海道産

パーマークがある

生時、体側に朱点がない

婚姻色 25.8cm 東京都産

5.2cm 北海道産

産卵のために遡上してきたサクラマスのオス（中央） まわりにいるのは河川に残留した成熟ヤマメ。

遡上期 滝をジャンプして上流を目指すサクラマス。

遡上したてのサクラマス 雪融けと同時に遡上がはじまる。

銀毛（スモルト）化がはじまった個体 降海型は背びれの先端が黒くなる。

岩で出来た淵に潜むヤマメ 河川に残留する個体をヤマメと呼ぶ。パーマークを有したまま成熟する。

稚魚 明瞭なパーマークがある。

サケ目　サケ科
サツキマス・アマゴ
Azelea salmon, Amago

学　名　*Oncorhynchus masou ishikawae*
Jordan and McGregor, 1925

全長(cm)	25〜50（降海型：サツキマス）		
	20〜25（陸封型：アマゴ）		
背鰭条数	13〜18	側線鱗数	120〜135
臀鰭条数	13〜17	脊椎骨数	63〜68

準絶滅危惧（NT）

体側の朱点は終生明瞭

サツキマス 28.0cm 和歌山県産

体側に朱点がある　　　　パーマーク（斑紋）がある"有斑型"

アマゴ 14.5cm 岐阜県産

【形態】基本的な形態や色彩は、河川生活期の幼魚および河川陸封個体はヤマメに、降海個体はサクラマスに酷似する。体側上方には朱点が散在し、成魚になっても残ることでヤマメおよびサクラマスと区別される。

【生態】一生のうち海に下り大型化するものをサツキマス、一生を淡水域で過ごすものをアマゴと呼ぶ。基本的な生活様式はサクラマス・ヤマメに似るが、サツキマスの海洋生活期は半年程度と短い。5月頃、降雨後の増水時に川へ遡上する。繁殖期は10月下旬。河川では水生昆虫などの小動物を、海では小魚などを摂餌する。

【分布】日本固有亜種で静岡県以南の本州太平洋・瀬戸内海側、四国、大分県、宮崎県に分布。各地へ移殖。実態は不明。

【特記事項】ヤマメとは軽微ながら形態的・遺伝的差異が認められることおよび異所的に分布していることから、互いに亜種関係にあると考えられる。Kimura and Nakamura (1961) によって記載されたイワメ *O. iwame* は、アマゴの色彩変異個体と考えられることから、現在はアマゴのシノニムとされている。

(川瀬成吾)

3.2cm 繁殖個体

パーマーク（斑紋）のない"無斑型"。
体は白っぽい

イワメ 15.4cm 三重県産

サツキマス銀毛（スモルト）個体　パーマークが薄れ、銀毛化がはじまっている。

遡上してきたサツキマス　5月前後に遡上がはじまり、10月頃上流で産卵する。

アマゴ　河川で残留する個体をアマゴという。

アマゴの稚魚　稚魚になるまで産卵床で過ごし、春の3〜5月に浮上する。

イワメ 体側には1本の黒い縦帯が入ることもある。

サケ目　サケ科
ビワマス
Biwa salmon

学　名　*Oncorhynchus biwaensis*

全長(cm)	30〜70	側線鱗数	122〜133
背鰭条数	13〜16	脊椎骨数	63〜69
臀鰭条数	13〜17		

準絶滅危惧（NT）

眼径が大きい

20cm以上になると朱点は消失する

オス 46.0cm 滋賀県産

メス 62.5cm 滋賀県産

4.3cm 滋賀県産

【形態】形態や体色、斑紋はサツキマスに酷似するが、20 cm以上の成魚で朱点が消失、眼が大きくやや前方に位置することで区別される。幽門垂数が50〜63あり、サクラマス、サツキマスより多い。
【生態】降雨後の増水時に、産卵のため琵琶湖流入河川に遡上する。河川残留型の報告もあるが、基本的には5〜6月、全長80〜100 mmで琵琶湖へ下る。繁殖期は10〜11月。河川生活期の幼魚は水生昆虫などを、湖に下るとアナンデールヨコエビなどの甲殻類を食う。成魚になるとコアユやイサザなどの魚類も食べるようになる。
【分布】琵琶湖固有種。
【特記事項】滋賀県では本種とアマゴが分布し、互いに生息域が重複することもあるが、野生下で交雑はほとんど生じていない。琵琶湖流入河川における産卵遡上個体やその卵・仔稚魚は資源保護のため全面採集禁止となっている。繁殖期、降雨時に群れをなして河川を遡上する。

(川瀬成吾)

婚姻色の出たオス 9〜11月の降雨後の増水時に河川に遡上するため「アメノウオ」とも呼ばれる。

成魚 夏は水深15〜20mの水温躍層付近で過ごす。

ビワマスの稚魚 稚幼魚期はアマゴとの識別が特に難しい。ただし銀毛化はかなり早い。

サケ目　サケ科
ニジマス
Rainbow trout

全長(cm)	30～80	側線鱗数	125～150
背鰭条数	10～12	鰓耙数	16～22
臀鰭条数	10～12	幽門垂数	53～69

産業管理外来種

学 名 *Oncorhynchus mykiss*
　　　　(Walbaum, 1792)

背びれ、脂びれ、尾びれ、
体背部に小黒点が散在する

吻端は比較的丸い

50.4cm 北海道産

体側中央に赤色からピンク色の縦帯

19.3cm 北海道産

4.1cm 養殖個体

【形態】背側が灰緑色で、腹部は白い。体側中央にピンク色の縦条が走る。全身と各ひれに小黒点が存在するが、ヤシオマスでは少ないなど養殖品種により差異がある。成魚で全長30～40cm程度であるが、品種によっては80cmを越える。
【生態】河川上・中流域に生息する。原産地では、陸封型と降海型が存在し、降海型はスチールヘッド（テツガシラ）と呼ばれる。自然河川では昆虫類などの小動物を主に捕食する。繁殖期は秋から春。
【分布】自然分布域はカムチャッカ半島、アラスカからカリフォルニアまでの太平洋側。日本でも放流により各地で確認されているが、定着しているのは北海道と本州の一部。
【特記事項】養殖技術が進んでおり、重要な水産魚種である。高級品種は特に美味。一方、自然水域への放流、流出、定着が問題になっている。釣魚として管理釣り場で重用されているが、自然水域への放流は厳に慎むべきである。本種とイワナ類との交雑品種はロックトラウトと呼ばれ、釣魚として利用されている。

（藤田朝彦）

290

大型化するドナルドソンと呼ばれる品種
体色の赤味が弱く、銀色味が強い。黒点が小さい

49.3cm（ドナルドソン） 北海道産

未成魚 ほかのサケ科魚類と群れをなしている。体側中央の赤い縦帯が顕著

稚魚 朱条は現れておらず、ほかのサケ科との見分けもつきづらい

サケ目　サケ科
ブラウントラウト
Brown trout

学　名　*Salmo trutta* Linnaeus, 1758

全長(cm)	30～100	側線鱗数	114～130
背鰭条数	9～14	鰓耙数	14～19
臀鰭条数	9～12	幽門垂数	40～47

産業管理外来種

オス 43.5cm 神奈川県産
メス 47.0cm 神奈川県産
4.2cm 北海道産

体色は茶色
体側に黒斑が散在する
赤斑も散在するが系統・個体による差が大きい

【形態】背面はやや緑がかった褐色であり、腹部は白色から黄色を呈す。体側と背びれ基部に黒斑が散在し、体側には白く縁どられた赤斑がある。ほかのマス類に比べ尾柄が高い。成魚で全長30～40cm程度。最大100cmに達する。

【生態】河川中・上流域から湖沼に生息する。ニジマスよりも冷水を好むとされる。原産地では、陸封型と降海型が存在し、降海型はシートラウトと呼ばれる。繁殖期は秋から初冬。強い魚食性を示す。ほかのマス類に比べ、底生性が強い。

【分布】自然分布域はイギリスを含むヨーロッパ北部から北アフリカ。日本では、放流により北海道、秋田県、栃木県、新潟県、富山県、神奈川県、山梨県、長野県、奈良県などで確認されている。

【特記事項】日本へは昭和初期に導入されているが、詳細は不明。現在は日本各地の管理釣り場で重用されているが、野外に逸出した本種が定着するなど、環境への影響が懸念される事例もあるため、取扱いは注意すべきである。本種は複数の亜種名や型を用いて区別される場合がある。

(藤田朝彦)

産卵期の成魚 国内でも繁殖し、定着してしまっている。在来サケ科の相当な脅威となる。

未成魚 体色は名前どおりすでに茶色味がかっている。

稚魚 パーマークが顕著。水底で静止していることも多い。

サケ目　サケ科
ニッコウイワナ
Nikko charr

学　名　*Salvelinus leucomaenis pluvius*
(Hilgendorf, 1876)

全長(cm)	30〜60
背鰭条数	10〜14
臀鰭条数	8〜12

側線有孔鱗数	115〜130
鰓耙数	11〜18
鰓条骨数	12

情報不足（DD）

銀毛（スモルト）化すると斑点は薄くなる

27.5cm 滋賀県産

各斑点は大きく、瞳孔径の半分を超える

18.7cm 長野県産

体側に白色斑点と桃色斑点が混在

6.9cm 岐阜県産

【形態】アメマス・エゾイワナに似るが、体側には白色斑に加え、大きな橙色または桃色の斑紋が散在する。頭部背面の白色斑は吻端にまで及ばない。
【生態】夏の最高水温が15℃以下の河川の上流域に生息する。アメマスほどではないが、北方ほど降海型が現れる。繁殖期は10〜1月。メスは、支流の淵や瀬の岸辺に点在する岩や流木の際など、地形の変化に富んだ緩流部を産卵場に選ぶ。肉食性で、動物性プランクトン、水生昆虫、ほかの魚、河畔樹木から落下する虫、そのほかの水底の小動物などを食べる。ヤマメやアマゴも分布する河川では、本種の方が上流に生息し互いにすみ分ける。
【分布】イワナの日本固有亜種で、太平洋側では山梨県富士川、日本海側では鳥取県日野川以北の本州に分布。

【特記事項】長野県上高地・梓川、明神池などには本亜種が生息していたが、導入された北米産カワマスと交雑した結果、純系の個体群は消滅したといわれる。

（細谷和海）

摂餌行動 流れの落ち込みや滝つぼで定位し、流下昆虫などを待ち構えている。

なわばり争い よい場所をめぐり、他魚種とも競争する。左前方はヤマメ。

頭部 頭部背面の白色斑点は吻端近くでは不明瞭。

稚魚 礫の上で休むこともある。

サケ目　サケ科
ヤマトイワナ
Japanese charr

学　名　*Salvelinus leucomaenis japonicus* Oshima, 1961

全長(cm)	20〜40	側線有孔鱗数	112〜127
背鰭条数	10〜14	鰓耙数	11〜18
臀鰭条数	8〜12	鰓条骨数	14

絶滅のおそれのある地域個体群（LP）

体に白色斑点がほとんどない　　桃色斑点は大きく、瞳孔径の半分を超える

19.1cm 長野県産

キリクチ オス 21.5cm 奈良県産

【形態】体側の白色斑はイワナ類のなかでもっとも目立たず、かわりに橙黄斑または朱斑が散らばる。
【生態】夏の最高水温が15℃以下の山岳地帯の河川に生息。降海型はあまり知られていない。繁殖期は10〜11月。産卵生態はほかのイワナ類と変わらないがメスは、適度の流れさえあれば閉鎖的な場所でも産卵する。主として流下・落下昆虫を食べるが、底生動物も食べる。アマゴも分布する河川では、本種の方が上流に生息し、互いにすみ分ける。
【分布】イワナの日本固有亜種で、神奈川県相模川以西の太平洋側、琵琶湖流入河川に分布。
【特記事項】キリクチは紀伊半島に分布するヤマトイワナの地方個体群で、環境省版レッドリスト（2019）では絶滅のおそれのある地域個体群（LP）に、奈良県版レッドリストでは絶滅寸前種に、それぞれ位置づけられている。ほかのヤマトイワナ個体群とは遺伝的に大きく分化していることが報告されている。早急に実効性のある保護がなされるべきである。

（細谷和海）

ヤマトイワナ　西日本を代表するイワナ。ひれの前縁の白い縁どりが目立つ。

キリクチ　イワナの分布域の南限に生息するヤマトイワナ系のイワナ。体色は黄色味を帯びる。

ナガレモンイワナ　交雑や近交弱勢により遺伝的に劣化すると、体側の斑紋は流れ紋に変わる。

サケ目　サケ科
ゴギ
Spotted head charr

学　名　*Salvelinus leucomaenis imbrius*
　　　　　Jordan and McGregor, 1925

全長(cm)	20～30
背鰭条数	11～14
臀鰭条数	9～12

側線有孔鱗数	111～128
鰓耙数	11～18
鰓条骨数	10～13

絶滅危惧Ⅱ類（VU）

体側にぼやけた白色斑点がある間に小さな赤点が散在する

18.8cm 島根県産

6.5cm 島根県産

【形態】ニッコウイワナによく似るが、頭部背面にある白色斑が吻端に及ぶことで区別できる。ほかのイワナ類に比べて、計数形質がわずかに少ない傾向にある。
【生態】夏の最高水温が20℃以下の河川の上流域に生息する。淵や滝壺の底層にいる。礫底を好み、頭部白色斑は鳥の捕食から逃れるための、礫に似せたカモフラージュ形質と考えらえている。繁殖期は10～11月。流下や落下する昆虫、水生昆虫、小魚などを食べる。
【分布】イワナ類としてもっとも西に分布する。すなわち、岡山県吉井川・島根県斐伊川以西の中国地方。
【特記事項】環境省版レッドリスト(2019)では絶滅危惧Ⅱ類（VU）、水産庁データブックでは危急種、広島県、島根県では絶滅危惧Ⅰ類、山口県では絶滅危惧ⅠB類、鳥取県では絶滅危惧Ⅱ類にそれぞれ指定されている。本亜種は、第五種共同漁業権魚種であるために、増殖目的に発眼卵・種苗放流されることがあり、遺伝的撹乱が危惧される。

（細谷和海）

スニーカー なわばりオスの放精のタイミングをうかがっている。

頭部の斑紋 白色斑点が頭部背面を吻端まで覆う。

稚魚 ほかのイワナ類に比べて厳しい環境条件下で育つ。

サケ目　サケ科
アメマス・エゾイワナ
White spotted charr

学　名 *Salvelinus leucomaenis leucomaenis*
(Pallas, 1814)

全長(cm)	アメマス 30〜80
	エゾイワナ 15〜40
背鰭条数	10〜14
臀鰭条数	8〜11
鰓耙数	12〜19
幽門垂数	18〜34

体に大きな白色斑がある
背びれに斑紋がない
桃色斑や赤点がまったくない

46.2cm 北海道産

12.7cm 北海道産

【形態】日本産イワナのなかでもっとも北に分布し、降海型のアメマスと陸封型のエゾイワナに分かれる。背部から体側にかけて瞳孔径と同じかそれより大きい白色斑が散在する。朱点や黄色斑がないのが特徴。背びれにはカワマスで見られる虫食い斑はない。変態し銀毛（スモルト）になると白色斑は不明瞭になる。

【生態】降海型はふ化後2〜3年を河川で過ごし、銀毛化したのち降海する。降海型にはメスが、河川に残留する個体にはオスが多い。ダム湖や河川につながる湖沼があれば、銀毛化し海の代用として利用する。繁殖期は9〜11月。河川では水生昆虫、落下昆虫、ニホンザリガニなどを、海洋では小魚、アミエビ、甲殻類などを食べる。

【分布】サハリン、千島列島、沿海州、朝鮮半島北部。日本では新潟県以北の日本海沿岸部、千葉県以北の太平洋沿岸部。南下は最近の出来事で、ニッコウイワナとの境界はあいまいである。

【特記事項】ほかのイワナ類に比べ酸素欠乏や病気に強いので、放流種苗として各地に移植されている。

（細谷和海）

定位 深い落ち込みの下にいた80cm近い大型個体。流下する餌を待ちかまえている。

識別形質 体形はマス化しているが、白色斑がしっかり残っている。

サケ目　サケ科
オショロコマ
Dolly varden

学　名 *Salvelinus curilus krascheninnikovi* Taranetz, 1933

全長(cm)	降海型 30〜70cm
	河川残留型 15〜30cm
背鰭条数	9〜12
臀鰭条数	8〜12
鰓耙数	11〜26
幽門垂数	13〜35

絶滅危惧Ⅱ類（VU）

体の赤点は小さく、瞳孔径の半分以下
胸びれは短い
オス 18.5cm 北海道産

メス 19.5cm 北海道産

【形態】河川残留型と降海型があるが、日本に分布するオショロコマはほとんど河川残留型である。河川残留型は、背部に白色の斑点、体側に5〜10個のパーマークがある。さらに体側のやや腹側には朱点が散在する。成熟すると、腹部やひれの赤色が濃くなり、胸びれ、腹びれ、臀びれの前縁が白く縁どられる。

【生態】山岳地帯から湿原にまで分布する。一般にほかのイワナ類よりも上流部や冷水域に生息するが、知床半島などの流れる距離の短い川では、源流から河口まで生息する。繁殖期は10〜11月。落下昆虫、トビケラやカゲロウなどの水生昆虫を食べる。降海型は高緯度地方ほど出現し、北海道では知床半島付近からしばしば報告されている。

【分布】サハリンから北海道までのオホーツク海沿岸部、ロシア沿海州から北朝鮮までの沿岸部に分布する。日本では北海道のみに分布し、道南部を除く全域に分布する。

【特記事項】北海道では外来のニジマスとブラウントラウト、および在来のアメマスとの競争により個体群が縮小している。

（細谷和海）

銀毛(スモルト) 25.1cm 北海道産

5.6cm 北海道産

成魚 胸びれ、腹びれ、臀びれ前縁が白くなるのはイワナ属の特徴。

釣魚 ルアーにかかった成熟したオス。すでに2次性徴が発現している。

サケ目　サケ科
ミヤベイワナ
Miyabe's charr

全長(cm)	25～60	鰓耙数	21～30
背鰭条数	10～12	幽門垂数	24～33
臀鰭条数	9～11	脊椎骨数	62～63

学　名　*Salvelinus curilus miyabei* Oshima, 1938

絶滅危惧II類（VU）

胸びれは長い

オス 34.2cm 北海道産

メス 26.3cm 北海道産

【形態】祖先型であるオショロコマとは、本亜種の方が尾びれと胸びれが大きいことや、鰓耙数が多いことなどで区別できる。これらの形質はいずれも、湖で遊泳しながら動物プランクトンを採るのに適している。

【生態】湖を主要な生活の場とし、産卵期に流入河川を遡上する。オスの一部には湖へ降りない河川残留型もいる。オスは成熟すると背中が盛り上がり、吻が曲がる。繁殖期は9～11月、母川への回帰性が強い。メスは砂利底に産卵する。稚魚は翌年春に湖に下り、湖中生活に入る。湖では動物プランクトンのほか、水生昆虫、ワカサギなども食べる。

【分布】北海道の然別湖原産。現在では、北海道南部のいくつかの河川にも移殖され、定着している。

【特記事項】和名と亜種小名は、この魚を最初に発見した札幌農学校（現北海道大学農学部）の宮部金吾教授に因んだもの。北海道では天然記念物に指定されている。

（細谷和海）

成熟オス 背が張り、吻が曲がりはじめている。

産卵回避 湖の流入河川を遡上する。

産卵行動 メスが産卵床を掘る行動は、サケ科の一般の様式と同じ。

サケ目　サケ科
カワマス
Brook trout

学　名　*Salvelinus fontinalis*
(Mitchill, 1814)

全長(cm)	30〜50	側線鱗数	108〜116
背鰭条数	9〜14	鰓耙数	14〜22
臀鰭条数	8〜13	幽門垂数	33〜40

総合対策外来種（その他の総合対策外来種）

成魚の背びれは虫食い斑が顕著
体側に赤・淡黄色の斑紋
22.4cm 北海道産
胸びれ・腹びれ・臀びれは赤味が強く、前縁は白くなる

3.3cm 養殖個体

【形態】体形は紡錘形。背びれに斑紋がある。体側は暗褐色で、黄色と赤の斑紋がある。赤斑は周縁が青白い眼状斑になるが、個体差がある。不対鰭と臀びれは赤く、前端が白い。腹部は白い。ニジマスやブラウントラウトと比べると小型で、最大で全長50cm程度。
【生態】河川上・中流域に生息する。原産地では降海する個体もいる。ほかのニジマス、ブラウントラウトより低水温を好む。繁殖期は秋から春であり、多回産卵型。動物食性。
【分布】自然分布域は北米の大西洋側。日本でも放流により、主に中部地方以北で確認できる。日光の湯ノ湖、摩周湖周辺、梓川などで定着している。
【特記事項】釣魚として管理釣り場で重用されているが、自然水域への放流は厳に慎むべきである。本種とイワナ類との交雑品種はジャガートラウトと呼ばれ、釣魚として利用されている。

胸びれ、腹びれ、臀びれの赤味が目立つ。

（藤田朝彦）

サケ目　サケ科
レイクトラウト
Lake trout

全長(cm)	60〜100	幽門垂数	120〜180
背鰭条数	8〜10	鰓耙数	16〜26
臀鰭条数	8〜10		

学　名　*Salvelinus namaycush*
(Walbaum, 1792)

産業管理外来種

斑紋は頭部から尾びれまで全体に散在する

オス 53.0cm 養殖個体

ほかのサケ科魚類に比べ体幅が厚く紡錘形をなす

頭部先端は尖る

12.6cm 養殖個体

【形態】体形は、体幅が厚く円筒形をなし、尾柄は低い。全体的にほかのサケ・マス類よりも細長く見える。体色は灰褐色で、背部は黒く、腹部は白いが変異も大きい。頭部を含めた全体に白小斑が散在する。成魚は全長60〜90cm程度。最大で全長100cmに達する。
【生態】水温の低い湖沼に生息する。また、水深50m以上の水域にも生息する。原産地では9〜11月に産卵する。魚食性であるが、原産地ではプランクトン食性を持つ個体群が生じることがある。
【分布】自然分布域はアラスカを除く北米大陸北部。日本では1966年以降、複数回カナダから中禅寺湖に導入され、定着している。近年、本栖湖でも確認。
【特記事項】海外では水産種苗としてカワマスと交雑させたスプレイクと呼ばれる品種が利用されている。大型になるため釣り人に人気があり、トローリングなどで狙われている。

体形がスマートなのが本種の特徴。

（藤田朝彦）

サケ目 サケ科
イトウ
Japanese huchen

学　名　*Hucho perryi*
(Brevoort, 1856)

全長(cm)	80～150	側線鱗数	97～121
背鰭条数	9～12	鰓耙数	15～20
臀鰭条数	9～10	幽門垂数	157～192

絶滅危惧 IB 類（EN）

頭頂部は平ら
暗色点以外に目立った斑紋はない
あごはそれほど長くない
腹縁部は灰白色
大きいものでは1mを超える
60.0cm 北海道産

稚魚や幼魚にはパーマークがある
3.3cm 養殖個体

【形態】体は全体的に細長い円筒形で、体高は小さい。両あごは頑丈で、口腔背面にある鋤骨と口蓋骨に付く歯は M 字型を呈する。幼魚の体側にはサケ科特有のパーマークが 6 ～ 7 個並ぶ。成魚の背は青みがかった褐色、側面は銀白色、腹は白色で背と側面には無数の小黒点がある。オスは成熟すると婚姻色が現れ、全体に赤みを帯びる。

【生態】湿地帯のある河川の下流域や海岸近くの湖沼に生息し、一部は降海する。性成熟には時間がかかり、メスは 6 ～ 7 歳、オスは 4 ～ 6 歳で迎える。北海道での繁殖期は 3 ～ 5 月。メスは直径 2 ～ 3m の産卵床を作り、5,000 ～ 10,000 粒の卵を産む。寿命は長く、20 年以上生きることもある。

【分布】ロシアの沿海州、サハリン、南千島から北海道まで。かつては青森県以北の本州太平洋岸にも分布していたが絶滅した。北海道内での減少も著しい。

【特記事項】減少要因として、堰堤などの移動阻害、河川改修、森林伐採や農地開発などの生息環境の悪化に加え、釣り人による乱獲も無視できない。

（細谷和海）

成熟親魚 上のオス個体の体側には、婚姻色が現れはじめている。

未成魚(約50cm) 成熟にはもうしばらく時間がかかる。

約10cmの稚魚 小黒点がある。

ふ化後間もない個体 小黒点がない。

サケ目 サケ科
シナノユキマス
European whitefish

学 名 *Coregonus maraena* (Bloch, 1779)

全長(cm)	30 ～ 60
背鰭条数	Ⅲ ～ Ⅴ + 9 ～ 12
臀鰭条数	10 ～ 13
側線鱗数	108 ～ 116
鰓耙数	20 ～ 36

背鰭条数 Ⅲ ～ Ⅴ,9 ～

- サケ科魚類に比べてうろこが大きい
- 養殖個体は吻がかなり円い
- 口は小さい
- 体色は銀白色で斑紋などを欠く

メス 42.5cm 養殖個体

- ほかのサケ科魚類と異なり幼魚にパーマークがない

9.5cm 養殖個体

【形態】日本で見られるほかのサケ科魚類と外見は大きく異なる。口が小さく、上あごが下あごより前方に伸びる。うろこが大きく、全体的に銀白色を帯びる。成魚で全長30 ～ 40cm程度。最大で全長60cm程度。養殖魚では80cm以上。

【生態】湖沼性であるが、原産地では河川下流から河口域にも見られる。冷水を好む。主にミジンコなどのプランクトンを食べる。

【分布】自然分布域は北ヨーロッパのバルト海沿岸。食用魚として世界各国に移殖されている。日本では、長野県の湖沼に放流されているが、定着はしていない。

【特記事項】コレゴヌスの仲間はきわめて美味であるとされ、複数の種が世界で水産種苗として利用されている。日本にも複数のコレゴヌス類の導入履歴があり、当初シナノユキマスと命名されたのは*C. peled*であるが、本書では現在利用されている*C. m.*をシナノユキマスとした。

外見はコイ科のような印象を受ける。

(藤田朝彦)

トゲウオ目

Gastrosteiformes

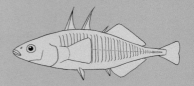

トゲウオ亜目とヨウジウオ亜目に分けられ、体がかたい鱗板や骨板で覆われることを共有するので類縁関係にあるとされてきた。ところが近年の分子系統解析はトゲウオ亜目がゲンゲ亜目と、ヨウジウオ亜目がセミホウボウ科・ヒメジ科・ネズッポ科とそれぞれ類縁関係にあることを明らかにしている。トゲウオ亜目は4科9属24種が知られ、遡河回遊を基本とする淡水魚で、陸封型も多い。ただし、分類学的整理がなされていないため、明確な保護目標が設定されていない。日本列島では陸封型はどの種も絶滅の危機にさらされており、ミナミトミヨはすでに絶滅している。ヨウジウオ亜目は8科約70属約350種が知られ、多くが海水魚で黒潮によって運ばれた一部の種が淡水域に浸入する。

トゲウオ目　トゲウオ科
ニホンイトヨ
Japanese threespine stickleback

学　名　*Gasterosteus nipponicus*
　　　　　Higuchi, Sakai and Goto, 2014

全長(cm)	7～10
背鰭条数	III, 12～14
臀鰭条数	I, 9～11
鱗板数	32～35

絶滅のおそれのある地域個体群（LP）

背びれの棘は3本
体高は小さい
体は大きく、全長10cm近くまで成長する
背びれはふつう14軟条
7.9cm 北海道産
尾柄部のキールは柔らかい
鱗板は完全
体形はサバ形
8.3cm 北海道産
メスは泌尿生殖孔付近が張り出す

【形態】背びれの棘が3本あることでトミヨ属から、銀白色の体色を持つことで太平洋系陸封型イトヨから、鱗板がつながり完全であることでハリヨから、背びれ軟条数がやや多く（通常14）尾柄部隆起縁が柔らかいことで太平洋系降海イトヨからそれぞれ識別できる。

【生態】淡水域で生まれ、海域で成長する遡河回遊の生活史を持ち、陸封型は知られていない。成魚はふつう海域の沿岸部、内湾、潮だまりなどに生息している。繁殖期は3～5月。水田周りの小溝や小川にまで遡上する。

【分布】サハリン、千島列島から千葉県銚子付近までの太平洋沿岸部、沿海州と朝鮮半島東岸部を含む日本海をとりまく各地。かつてイトヨ日本海型と呼ばれていたが、実際には分布域はかなり広い。

【特記事項】河川の横断工作物の構築と河川改修、圃場整備により産卵場への遡上が妨げられ、減少している。

オスは成熟すると頭部から体側にかけて朱色になる。

（細谷和海）

トゲウオ目　トゲウオ科
太平洋系降海型イトヨ
Pacific threespine stickleback

全長(cm)	7〜11
背鰭条数	III, 11〜14
臀鰭条数	I, 7〜10
鱗板数	32〜37

学　名 *Gasterosteus aculeatus aculeatus* Linnaeus, 1758

営巣中の個体。背びれ軟条数は12。

【形態】ニホンイトヨに似るが、背びれの軟条数がやや少なく（通常12）、尾柄部隆起縁が骨質化しキールを形成することで分けられるという。しかし実際には、これらから明瞭に識別することは困難で、遺伝的手法に頼らざるを得ない。一方、イトヨ淡水型からは、より大形で背びれの棘が長く、鰭膜があまり発達しないことで識別できる。
【生態】オスは水草で作った鳥の巣状の巣をつくり、メスを巣の中のトンネルに誘う。食性は肉食性で、動物プランクトンや小型の甲殻類などを捕食する。
【分布】北太平洋沿岸部に広く分布し、アジア側では千島列島から北海道の太平洋側。本州まで南下しないが北海道ではニホンイトヨと分布が重なり、一部交雑している。
【特記事項】ニホンイトヨと約200万年前（鮮新世後期から更新世初期にかけて）に分化した種で、本種をもとに淡水型イトヨやハリヨが陸封されたと考えられている。標準和名の提唱が望まれる。

（細谷和海）

トゲウオ目　トゲウオ科
太平洋系陸封型イトヨ
Landlock threespine stickleback

学　名　*Gasterosteus aculeatus* subspp.

全長(cm)	5～7
背鰭条数	III～IV, 10～14
臀鰭条数	I, 7～11
鱗板数	18～34

絶滅のおそれのある地域個体群（LP）

降海型イトヨよりも太短い

体は小さく、せいぜい全長7cmくらいまで

オス 5.9cm 福井県産

体側の鱗板は体前部から尾柄部まで連続する

メス 5.8cm 福井県産

【形態】ニホンイトヨや太平洋系降海型イトヨよりずっと小型。ハリヨに似るが、鱗板が体前部から尾柄部まで連続することで識別できる。

【生態】夏季水温が20℃以下で、湧水を源に持つ水の澄んだ細流や池に生息し、一生を淡水域で過ごす。繁殖期は4～8月。動物プランクトン、カゲロウの幼生、ヨコエビなどを食べる。

【分布】降海型イトヨに比べ分布域が狭く、不連続に分布している。北海道大沼、青森県、福島県会津田島、栃木県那須、福井県大野から知られる。陸封化は個別に起こった可能性があり、これらの地方集団を1つにまとめることには議論の余地がある。

【特記事項】福島県以南の個体群は環境省版レッドリスト(2019)において絶滅のおそれのある地域個体群（LP）に位置づけられている。

婚姻色が発現した成熟オス。

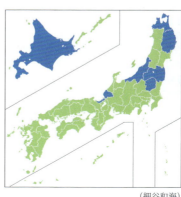

（細谷和海）

トゲウオ目　トゲウオ科
ハリヨ
Naked threespine stickleback

学　名　*Gasterosteus aculeatus* subsp.

全長(cm)	5～7
背鰭条数	Ⅲ～Ⅴ, 11～14
臀鰭条数	Ⅰ, 7～9
鱗板数	0～15

絶滅危惧ⅠA類（CR）

体高は大きい　　体側に鞍状の雲状斑がある

オス 5.7cm 岐阜県産

体側の鱗板は体前部に限られる

メス 5.8cm 岐阜県産　　腹びれ膜が桃色

【形態】太平洋系陸封イトヨに似るが、体側の鱗板は体前部に限られ、うろこのないものもいる。体色は若魚とメスでは黄褐色、成熟したオスは体側が青緑っぽくなり、のどから腹部にかけて橙色の婚姻色を発現する。

【生態】夏季水温が20℃以下で、湧水を源に持つ水の澄んだ細流や池に生息する。一生を淡水で生活する。繁殖期は3～5月。婚姻色が出たオスはなわばりを作り、同種のオスを激しく追い払う。寿命は1～2年。食性は肉食性で、小型の甲殻類や水生昆虫などを捕食する。

【分布】岐阜県と滋賀県にのみ分布する。国外でもヨーロッパと北アメリカでも見られるが、日本産は独自の集団と考えるべきである。さらに岐阜県産と滋賀県産の間でも遺伝的分化が進んでいる。

【特記事項】滋賀県米原市の河川では、人為的に放流された太平洋系陸封型イトヨと交雑が起こり、純系が消滅している。

オスは成熟すると頭部腹面が朱色に染まる。

（細谷和海）

トゲウオ目　トゲウオ科
エゾトミヨ
Ainu ninespine stickleback

全長(cm)	4〜7
背鰭条数	IX〜XIII, 10〜13
臀鰭条数	I, 9〜10
鱗板数	0〜5+4〜8

学　名　*Pungitius tymensis*
(Nicolskii, 1889)

絶滅危惧II類（VU）

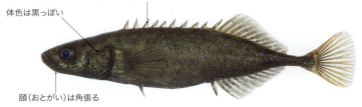

背びれの棘は7本以上で、どれも短い
体色は黒っぽい
頤（おとがい）は角張る

オス 5.5cm 北海道産

体高は小さい
体側には鱗板やうろこがない
口の先は丸い

メス 6.1cm 北海道産

【形態】背びれの棘が9本以上あることでイトヨ属から、背びれの棘はどれも短く、特に軟条部直前の棘が短くて眼径の58％以下しかないことでほかのトミヨ属からそれぞれ識別できる。また、体高が小さく、鱗板が不完全なことも本種の特徴。

【生態】トミヨ属のなかでもっとも淡水適応が進んだ種で、一生を淡水域で過ごす。平野部の河川の下流域、湿地地帯や低地帯を流れる細流や水たまりに生息する。他魚種に比べてやや底層を好む。繁殖期は4〜7月。寿命は2〜3年でメスの方がやや長い。動物プランクトン、カゲロウの幼生、ヨコエビなどを食べる。

【分布】北海道とサハリン。北海道では、天北原野、根釧原野、石狩川水系に分布する。

【特記事項】湿地の埋め立て、ニジマスの生息地への侵入などにより、個体数を減らしている。トミヨ属の他魚種との交雑も報告されている。

基質に寄り添う未成熟個体

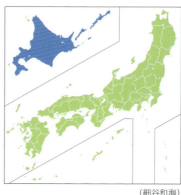

（細谷和海）

トゲウオ目　トゲウオ科
トミヨ属淡水型
Ninespine stickleback freshwater type

学　名　*Pungitius* sp. 1

全長(cm)	6～9
背鰭条数	VII～XII,8～12
臀鰭条数	I, 7～11

オス 4.6cm 新潟県産

メス 4.7cm 新潟県産

【形態】鱗板には完全型と不完全型がある。かつて完全型はトミヨ *P. sinensis*、不完全型はイバラトミヨまたはキタノトミヨ *P. pungitius* と呼ばれていたが、現在では同一種と考えられている。体は細長く、背びれの棘が長く、その鰭膜は透明で、体色は銀白色が強く、体側に緑色の雲状斑を備える個体が多い。

【生態】湧水を源に持つ水の澄んだ細流、池、扇状地内の湿地に生息し、一生を淡水域で過ごす。繁殖期は4～6月。動物プランクトン、カゲロウの幼生、ヨコエビなど水生の小動物を食べる。

【分布】カムチャッカ半島、アムール川流域から朝鮮半島東岸までのオホーツク海・日本海沿岸部に不連続に分布する。分類学的に整理されていない種として**トミヨ属汽水型** *P.* sp.3 があり、環境省版レッドリスト (2019) で準絶滅危惧（NT）に選定。淡水型と同所的に分布する北海道では一部交雑が起こっている。

トミヨ属汽水型（写真提供／高田啓介）

（細谷和海）

トゲウオ目　トゲウオ科
トミヨ属雄物型
Ninespine stickleback Omono type

学　名　*Pungitius* sp. 3

全長(cm)	5〜7
背鰭条数	VII〜XI, 8〜12
臀鰭条数	I, 6〜12

絶滅危惧 IA 類（CR）

背びれの棘は、どれも短い　　背びれの鰭膜は、雌雄ともに黒い

オス　4.5cm　秋田県産

メス　6.0cm　秋田県産

【形態】鱗板は不連続型を基本とするが、その形状と数は変異に富む。発達した鱗板を持つ個体は、淡水型との交雑に由来するといわれている。体色は灰黒色から灰緑色、背びれの棘は短い。

【生態】陸封型のみで、水温が13℃前後の湧泉とそれに連なる水路で過ごす。繁殖期は3〜8月で、最盛期は5〜6月。オスは水深30cm以下で流速5cm/秒以内の流れの緩やかな場所に営巣する。平均寿命は1年だが、2年まで生残する個体もある。スギナモ、ミクリなどの水生植物が繁茂する環境を好む。トビケラやユスリカ幼虫などを餌としている。

【分布】秋田県雄物川水系の一部に分布する。

【特記事項】圃場整備などにより絶滅寸前。秋田県と山形県の個体群は比較的大きな遺伝的差異が認められるので、近年、山形県の集団はカクレトミヨ *P. modestus* として新種記載された。

（細谷和海）

トゲウオ目　トゲウオ科
カクレトミヨ
Moderately behavioral ninespine stickleback

学　名　*Pungitius modestus*
　　　　Matsumoto, Matsuura and Hanzawa, 2021

全長(cm)	4～6
背鰭条数	VIII～IX, 9～11
臀鰭条数	I, 7～10
胸鰭条数	10
鱗板数	30～32

絶滅危惧 IA 類（CR）

オス　背びれの棘膜は雌雄ともに黒い。

【形態】背びれの棘は低く、鰭膜は鈍い黒色。体側の鱗板は不完全ではあるが、小さな鱗が痕跡的に認められる。オスは繁殖期を迎えると全身が黒色を呈するようになる。

【生態】標準和名は常に水草に隠れていることに由来する。水温が年間を通じて約16℃の湧水を源とする小川や池沼に生息する。仔稚魚や幼魚はカイアシ類などの動物プランクトンを、成長に伴いイトミミズやユスリカ幼虫などの小動物を食し、成魚になるとキタヨコエビ類を好む。繁殖期のピークは5月、ほかのトゲウオ科魚類同様オスが鳥の巣状の巣を作りメスを誘う。メスは21時から夜明けまでの夜間に産卵する。

【分布】従来、トミヨ属雄物型最上川集団とされていたもの。山形県天童市(タイプ産地)と東根市の湧水地帯に局在する。

【特記事項】原記載では秋田県に分布するトミヨ属雄物型との違いが示されていない。

メス　湧水に生息する絶滅危惧種。

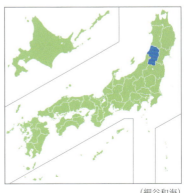

（細谷和海）

トゲウオ目　トゲウオ科
ムサシトミヨ
Musashi ninespine stickleback

学　名　*Pungitius* sp. 4

全長(cm)	5～7
背鰭条数	VIII～IX, 9～11
臀鰭条数	I, 9～11
鱗板数	4～7

絶滅危惧 IA 類（CR）

トミヨ属としては体高が大きい。うろこがなく鞍状の雲状斑が現れる。

【形態】鱗板は不完全型で尾柄部に4～7枚あるのみ。頭部は丸く、体高はトミヨ属のなかではもっとも大きく、体長の21～25%ある。背びれの棘は短く、鰭膜は橙黄色を帯びる。体色はくすんだ暗緑色で、小さな黒斑が散在する。オスは成熟すると黒ずむ。

【生態】一生を淡水で過ごす。湧水を水源とする水温が10～18℃の河川、小川、池沼に生息する。繁殖期は長く3～11月、最盛期は5～9月。寿命は野外では約1年、飼育下では約1年半である。付着珪藻や水生小動物を食べる。

【分布】和名のとおり、かつては東京都、埼玉県、千葉県、茨城県の一部に分布していたが、現在では埼玉県熊谷市の元荒川源流域のみに限られる。

【特記事項】遺伝的にはトミヨ属淡水型と類縁性を示すが、独自の分化を遂げている。埼玉県では県の魚とともに天然記念物に指定されている。

巣を守るオス。湧水環境が必要。

（細谷和海）

トゲウオ目　トゲウオ科
ミナミトミヨ
Southern ninespine stickleback

学　名　*Pungitius kaibarae*
　　　　(Tanaka, 1915)

全長(cm)	5〜7
背鰭条数	VIII〜IX, 10〜11
臀鰭条数	I, 8〜9
鱗板数	28〜30

絶滅 (EX)

韓国産ミナミトミヨ　体側の鱗板は完全で、背びれの棘の膜は黒い。

【形態】体は灰緑色で、暗緑色の不規則な縦条や横帯を持つ個体もある。ホルマリン固定の標本には婚姻色と思われる紫黒色のオス個体も残存する。

【生態】湧水を水源とする稲田、芹田、小川、池沼に生息する。繁殖期は2〜7月、最盛期は3〜4月。オスは抽水植物の水面近くにある茎に直径約3〜4cmの丸い巣を作り、3〜10尾のメスを誘って、合計400〜1200個の卵を産着させ、その後、卵・仔稚魚を守る。

【分布】和名はトミヨ属魚類でもっとも南に分布することに因む。かつては京都府桂川水系と兵庫県加古川水系に分布していたが、1960年代までに絶滅した。本種の種小名 *kaibarae* は、兵庫県氷上郡柏原町に因んでつけられたものであるが、実際のタイプ産地は京都市吉祥院である。

【特記事項】朝鮮半島では現存するが、種の異同については検討を要する。

ホロタイプ。京都市吉祥院産

（細谷和海）

トゲウオ目　ヨウジウオ科
ヨウジウオ
Pacific pipefish

学　名　*Syngnathus schlegeli* Kaup, 1853

全長(cm)	20 〜 30
背鰭条数	30 〜 47
臀鰭条数	2 〜 4
躯幹輪数	18 〜 20
尾輪数	38 〜 46

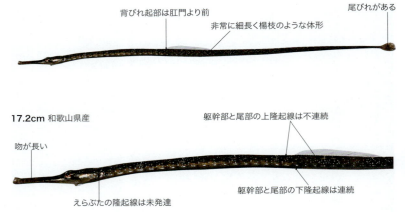

背びれ起部は肛門より前
非常に細長く楊枝のような体形
尾びれがある

17.2cm 和歌山県産

吻が長い
えらぶたの隆起線は未発達
躯幹部と尾部の上隆起線は不連続
躯幹部と尾部の下隆起線は連続

拡大

【形態】大型のヨウジウオで、吻は長い。体は真皮性の骨板からなる体輪におおわれる。背びれは1基のみで軟条のみからなる。えらぶたの隆起線は未発達。躯幹部と尾部の上隆起線は不連続だが、下隆起線は連続している。体表はなめらか。
【生態】河川汽水域や内湾の藻場に生息し、日本産ヨウジウオ類のなかでもっともふつうに見られる。オスの腹部には育児のうがあり、子育てを行う。育児のうから産出される仔魚の体長は9〜11mm。
【分布】北海道から九州の太平洋、日本海、東シナ海、瀬戸内海の沿岸域。まれに八丈島からも発見される。国外からはロシアの沿海州からベトナム北部のトンキン湾まで分布する。
【特記事項】日本国内では北へ行くほど、体が細長く、躯幹輪数が増す傾向があるといわれている。高知県、宮崎県ではレッドデータブックに記載されている。

体長20cmくらいのものが多い。

(川瀬成吾)

トゲウオ目　ヨウジウオ科
カワヨウジ
River pipefish

全長(cm)	12～20
背鰭条数	25～30
臀鰭条数	2～3
躯幹輪数	14～16
尾輪数	36～41

学　名　*Hippichthys spicifer*
　　　　　(Rüppell, 1838)

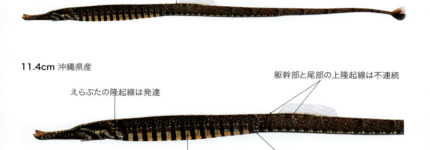

背びれ起部は肛門よりも後にある

11.4cm 沖縄県産

えらぶたの隆起線は発達

躯幹部と尾部の上隆起線は不連続

13 前後の白い横帯がある

躯幹部と尾部の下隆起線は連続

拡大

【形態】ヨウジウオと同じく、きわめて細長い"楊枝"のような体形をしている。えらぶたの隆起線は発達。躯幹部と尾部の上隆起線は不連続だが、下隆起線は連続している。体表はなめらか。体色は濃い茶色で体側に約13本の白色横帯がある点で他種のヨウジウオ類と区別される。背びれは肛門よりも後ろに位置する。オスが有する育児のうは尾部下面にあり、保護板を備える。
【生態】河川汽水域に生息し、マングローブ帯の泥底の水路を好む。開けた水域にはいない。繁殖期は夏から秋。河川で産卵する。
【分布】関東地方以西の本州から種子島・屋久島の太平洋沿岸、琉球列島。国外からは台湾、海南島、インド−太平洋から知られる。
【特記事項】静岡県、高知県、長崎県ではレッドデータブックに記載されている。

ヒルギ類などの根の隙間に潜んでいる。

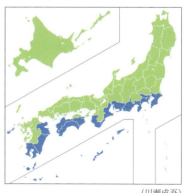

(川瀬成吾)

トゲウオ目　ヨウジウオ科
アミメカワヨウジ
Reticulate river pipefish

学　名　*Hippichthys heptagonus* Bleeker, 1849

全長(cm)	11～15
背鰭条数	23～30
臀鰭条数	2～3
躯幹輪数	14～15
尾輪数	36～42

絶滅危惧IB類（EN）

目立った斑紋がない　背びれ起部は肛門より後にある

11.9cm 沖縄県産

吻が短い　えらぶたの隆起線は発達　躯幹部と尾部の上隆起線は不連続　躯幹部と尾部の下隆起線は連続

拡大

【形態】カワヨウジとよく似た体形を有するが、白い横帯がないことや、より背びれが後方にある（2輪分後ろ。カワヨウジは1輪）ことで区別される。えらぶたの隆起線は発達している。躯幹部と尾部の上隆起線は不連続だが、下隆起線は連続している。オスは尾部に育児のうを有する。

【生態】河川汽水域から干潮域上端の干満の影響をうける淡水域に好んで生息する。流れの緩やかな水域の枯れ枝や水生植物の間に潜む。小型の甲殻類などを摂餌する。

【分布】八重山諸島以南。ただし、高知県からも記録がある。国外からは、インド−西太平洋から広く知られる。

【特記事項】河川工事やリゾート開発などにより生息環境は悪化・消失しており、生息個体数が減少している。鹿児島県では情報不足種としてレッドデータブックに記載されている。

枯れ枝や水生植物になりすます。

（川瀬成吾）

トゲウオ目　ヨウジウオ科
イッセンヨウジ
Coclonotous pipefish

学　名　*Coelonotus leiaspis*
(Bleeker, 1854)

全長(cm)	13～19
背鰭条数	53～63
臀鰭条数	4～5
躯幹輪数	16～18
尾輪数	30～34

背びれ基底は長く、条数も多い

15.3cm 和歌山県産

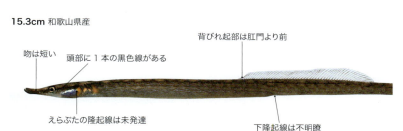

吻は短い　頭部に1本の黒色線がある
背びれ起部は肛門より前
えらぶたの隆起線は未発達
下隆起線は不明瞭

拡大

【形態】ほかのヨウジウオ類同様、細長い体形を有する。えらぶたの隆起線は未発達。躯幹部と尾部の上隆起線とは不連続で、下隆起線は不明瞭となる。胸びれから肛門までの躯幹輪数は17。頭部には名前の由来ともなった1本の黒色線が走る。躯幹部に斑紋はない。
【生態】純淡水域の瀬などの流水環境に生息する。河川に出現するヨウジウオ類のなかではもっとも流水環境に適応しているといわれ、琉球列島では河川中流域でも見ることができる。産卵は河川で行われ、卵はオスの育児のうで保護される。水中の小さな水生昆虫や甲殻類などを食う。
【分布】熱帯域から亜熱帯域にかけて分布する南方系種で、日本では黒潮の影響を受ける地域に分布。国外ではマダガスカル、中・西部太平洋に分布する。
【特記事項】神奈川県、静岡県、長崎県ではレッドデータブックに記載されている。

吻が短く、頭部に1本の黒色線が走る。

(川瀬成吾)

トゲウオ目　ヨウジウオ科
テングヨウジ
Shorttailed pipefish

学　名　*Oostethus brachyurus brachyurus*
(Bleeker, 1854)

全長(cm)	22～25
背鰭条数	36～48
臀鰭条数	3～4
躯幹輪数	19～22
尾輪数	20～24

背びれ基底が長く、条数は多め
尾部は短い
躯幹部と尾部の下隆起線は不連続

14.2cm 静岡県産

吻が長い
主鰓蓋骨の隆起線は明瞭

拡大

【形態】河川性のヨウジウオ類のなかでは比較的大型になる。ほかのヨウジウオ類と似た体形を示すが、尾部が短い。吻は比較的長く、目立つ虫食い斑がある。えらぶたの隆起線は明瞭。躯幹部と尾部の上隆起線と下隆起線はともに不連続。胸びれから肛門までの躯幹輪数はふつう21。オスの育児のうは未発達。
【生態】純淡水域の流れの緩やかな水域に生息する。枯れ枝や水生植物の間に潜む。八重山諸島では周年産卵する。オスの腹面に産みつけられた卵塊は、左右の骨盤によって保護される。小型の甲殻類などを食う。
【分布】日本では黒潮の影響を受ける地域に分布。国外では中部インド洋から中部太平洋にかけて分布する。
【特記事項】神奈川県、静岡県、長崎県、熊本県ではレッドデータブックに記載されている。

枯れ枝や水生植物の間でじっとしている。

(川瀬成吾)

ボラ目

Mugiliformes

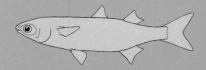

2 基の分離した背びれを備え、胸びれと腹びれを支える担鰭骨は相互に関節を介したつながりがない。胃は筋肉性でボラのへそとして知られ、卵巣はからすみの原料となる。従来、スズキ型魚類のなかでもっとも原始的と考えられてきた。ボラ科のみからなる単型的な一群で、世界中の温・熱帯の沿岸域に分布し、20 属約 80 種が知られる。はぎ取り用の下あご、極度に長い腸、濾過摂食に適した鰓耙と咽頭装置などを備え、藻類やデトリタスを食べるための草食性に適した特殊化が見られる。多くの種が多かれ少なかれ淡水域に浸入するが、西表島浦内川に局在するカワボラとナガレフウライボラは生活史の大半を上流域で過ごす点できわめて特異である。

ボラ目　ボラ科
ボラ
Flathead grey mullet

学　名　*Mugil cephalus cephalus* Linnaeus, 1758

全長(cm)	35～60
背鰭条数	IV-8～9
臀鰭条数	III, 8～9
縦列鱗数	37～44

25.5cm 静岡県産

3.3cm 和歌山県産

【形態】背びれを2基有する。胸びれは高い位置にある。体長が5cmを超えてくると、眼の周囲に脂瞼が発達し、体形も側扁形から円筒形に変化する。ボラの仲間は口や歯の形状が重要な分類形質となるが、本種の上唇はなめらかで、主上顎骨の後端は口角部よりわずかに伸びる。また、1列の歯があり、細長い犬歯状をしている。

【生態】成魚は内湾などの浅い水域に生息する。繁殖期は10～1月。繁殖期になると外海または外海に面した海域へ移動し、産卵する。幼魚や未成魚は沿岸域から汽水域、河川にも来遊し、そこで成長する。主に付着藻類やデトリタスを食う。

【分布】日本全国に広く分布。国外からは、別亜種の分布する熱帯西アフリカからモロッコ沿岸を除く全世界の暖海に分布する。

【特記事項】出世魚の一つで、小さいものから順にハク（～30 mm）、オボコ（30～180mm）、イナ（180～300mm）、ボラ（300mm以上）、トド・トビ（大型のもの）と呼ばれる。

(川瀬成吾)

若魚 淀川水系では木津川、桂川、宇治川まで遡上する。琵琶湖まで遡っていたという記録もある。

幼魚の群れ ハクの段階になると群れをなして沿岸域に接岸し、河川などにも侵入する。

ボラ目　ボラ科
セスジボラ
Eastern keelback mullet

学　名　*Chelon affinis*
　　　　　(Günther, 1861)

全長(cm)	20〜30
背鰭条数	IV-8〜10
臀鰭条数	III, 8〜10
縦列鱗数	33〜43

12.1cm 沖縄県産

脂瞼は発達する
第1背びれ起部が体の中央より前方にある
正中線に1本の隆起線
臀びれの軟条数は8〜10

【形態】基本的な形態や体色はボラに似るが、第1背びれ前方の背中線が隆起縁となることで他種と区別される。この隆起縁は幼魚期でも明瞭である。和名の"セスジ"は、この隆起縁に由来する。脂瞼は発達する。上唇はなめらかで、主上顎骨の後端は口角部より大きく後方に位置する。臀びれ軟条数は8〜10。比較的小型で、全長は大きくても30cmほどである。

【生態】幼魚、成魚に関係なく、河口とその近隣海域に生息する。幼魚は春から秋にかけて河川汽水域に侵入する。春に産卵すると考えられている。泥底の藻類やデトリタスを主に食す。生態には不明な点が多い。

【分布】日本全国に分布。しかし、北海道ではまれ。国外では朝鮮半島、中国、台湾から知られている。

背面にスジがある。

(川瀬成吾)

ボラ目 ボラ科
メナダ
So-iuy mullet

全長(cm)	50 〜 100
背鰭条数	IV-8 〜 10
臀鰭条数	III, 8 〜 10
縦列鱗数	36 〜 43

学 名 *Chelon haematocheilus*
　　　　(Temminck and Schlegel, 1845)

脂瞼は発達しせず、眼の上部は橙色がかる
頭部は著しく縦扁する
橙色がかる
第1背びれ起部はやや前方にある

18.2cm 福岡県産

【形態】基本的な形態や体色はボラに似るが、体は細長く、頭部は著しく縦扁し、脂瞼が未発達であることなどが特徴である。眼が赤っぽくなる。上唇はなめらかで、主上顎骨の後端は、口角部のはるか後方に達する。臀びれ軟条数は8〜10。胸びれ起部の上方に黒斑がない。
【生態】濁りのある内湾や潟湖に生息する。幼魚は春から秋にかけて河川汽水域に侵入する。繁殖期は3月下旬から5月頃。生態には不明な点が多い。
【分布】国内では九州以北に分布し、北海道ではふつうに見られる。国外では、アムール川、朝鮮半島から中国まで分布する。亜寒帯域に多い。
【特記事項】埼玉県、東京都、神奈川県、高知県、鹿児島県では、いずれかのカテゴリーでレッドデータブックに記載されている。

眼が赤っぽい。

(川瀬成吾)

ボラ目 ボラ科
コボラ
Dwarf mullet

学　名 *Chelon macrolepis*
(Smith, 1846)

全長(cm)	25〜35
背鰭条数	IV-8〜9
臀鰭条数	III, 8〜10
縦列鱗数	30〜34

胸びれの基部に黄金色の斑紋
脂瞼は発達しない

8.5cm 和歌山県産

【形態】その名の通り、ボラ類のなかでは比較的小型の種である。基本的な形態や体色はボラに似て、胸びれは上方にあるが、起部に黄金色の斑紋があることで他種と区別される。尾びれは湾入する。上唇はなめらか。縦列鱗数は他種より少なめで、30〜34枚。
【生態】河川汽水域から沿岸域の浅い水域に広く生息する。成魚は潮の干満に合わせて河川と海を行き来する。泥底上の藻類やデトリタスを食う。
【分布】国内では黒潮の影響を受ける海域に分布し、まれに能登半島や五島列島、宮城県からも見つかる。国外からはインドから太平洋の熱帯域に広く知られる。
【特記事項】高知県では、情報不足種としてレッドデータブックに記載されている。

少し寸詰まった印象を受ける

(川瀬成吾)

ボラ目 ボラ科
ナガレフウライボラ
Fringelip Mullet

学　名　*Crenimugil heterocheilos*
　　　　(Bleeker, 1855)

全長(cm)	30～50
背鰭条数	III～IV-8～10
臀鰭条数	8～9
縦列鱗数	36～39

絶滅危惧IB類（EN）

上唇が厚い

暗青色の斑紋がある

18.4cm 沖縄県産

【形態】上唇が著しく厚く、下部にイボ状突起が密に分布。胸びれ基底上部に暗青色の目立つ斑紋がある。

【生態】本種は一般のボラ類とは異なり、渓流域を主な生息場所とし、冬季もあまり移動しない点で特異である。西表島の浦内川では大きな岩に付着する藻類をはぎ取りながら移動するなど、アユと同じ摂餌生態を示す。生活環の詳細は明らかにされていないが、成魚が海域で見つからない一方、稚魚は採集されていることから、淡水性両側回遊をするものと思われる。

【分布】フィリピン、インドネシア、オーストラリア・クイーンズランドなど西部太平洋の熱帯域を中心に分布する。インド洋のモーリシャスからも記録がある。わが国では西表島の浦内川と仲間川から知られる。近年、沖縄本島北部からも確認された。

渓流性のボラという特異な種。

（細谷和海）

column 地球温暖化が淡水魚に与える影響

沖縄県で採集されたピエロカエルアンコウ
(写真提供／神奈川県立生命の星・地球博物館　瀬能 宏)

　地球温暖化は水温上昇をもたらし、結果として水圏生態系に様々な影響を与えている。それには魚の分布域の変化、プランクトン量の減少、水の動きの変化や酸性化などがあり、これらの影響は、魚類個体群の退縮、小型化、魚類相の変化、ひいては漁業へのダメージとして現れてくる。

南方系迷魚の定着

　本来の分布域を外れた水域において稀に採集されることがある。これらの個体は迷魚と見なされ、繁殖には寄与しない無効分散と考えられてきた。近年、特に南方系魚類の北上が顕著で、あるものは黒潮から外れて淡水域まで浸入している。

　迷魚を日本の魚類多様性の一員として認めるか否かについては、議論の余地がある。実際、環境省版レッドリストの委員会において、長年その判定をめぐりさまざまに議論されてきた。

　今まで低水温により冬季には死滅する運命であった仔稚魚がそのまま冬を耐え抜き、新たな生活環を形成する事例が報告されている。汽水域に生息する**ピエロカエルアンコウ**の成熟個体が屋久島および沖縄本島の河川から記録されている。西表島の浦内川に生息するカワボラが長期にわたり定着していることも確認されている。これらの南方系魚種に対するカテゴリーはグレー(迷魚)から白（定住魚）へ評価が変わってきている。

　多様性が増すことは一見好ましいと思われるが、在来種間では見られなかった負の種間関係が成立することもありうる。

深呼吸をやめた琵琶湖

　最大水深100 mもある琵琶湖では1年に1回、1月に表層の水と低層の水が交互に循環する、いわば深呼吸をすることが知られている。夏には温かく軽い水は表層に、冷たくて重い水は低層に滞留する。この現象を成層と呼ぶ。冬になると温度差がなくなるので上下の循環が始まり、表層水に豊富に含まれている酸素は低層へ、逆に底にたまった栄養塩は表層にいる植物プランクトンに供給される。

　琵琶湖では毎年このような全循環を繰り返してきたが、近年、夏の高水温の影響をそのまま引きずることによって冬でも成層することが、繰り返されるようになってきた。その度ごとに北湖底を占める第1湖盆は貧酸素状態となり、ビワマスの主要な餌であるヨコエビやスジエビなどの底生動物は死滅し、越冬するイサザの大量死も引き起こしている。そればかりか、栄養塩の供給が止まれば食物連鎖が断たれ、いくつかの魚種では小型化することも考えられる。

(細谷和海)

トウゴロウイワシ目
Atheriniformes

イワシ類ではなく、メダカ、サンマ、トビウオ、サヨリなどともにオヴァレンタリア亜系に分類される (Waingwright, et al., 2012)。その名称はラテン語の卵 ova と粘着性 lentaria の意味で、メダカのようにメスが抱く卵塊に見られるように絡みつくための付着用の糸、すなわち纏絡糸を共有することにちなんでいる。トウゴロウイワシ目は沿岸域を中心に6科48属約300種が知られ、コイ科のような骨鰾類がいないオーストラリアやパプアニューギニアでは、純淡水魚として適応放散している。熱帯魚で知られるレインボーフィッシュはその代表。わが国では南米からぺヘレイが食用魚として移殖され定着している。大潮の満潮の夜に南カリフォルニアの砂浜に大挙して産卵するグルニオンは、トウゴロウイワシの仲間である。

トウゴロウイワシ目　トウゴロウイワシ科
ペヘレイ
Pez del Rey

学名 *Odontesthes bonariensis*
(Valenciennes, 1835)

全長(cm)	40〜60
背鰭条数	IV〜VI-I, 9〜11
臀鰭条数	I, 16-19
縦列鱗数	56〜66

総合対策外来種（その他の総合対策外来種）

銀色の縦条が走る
背びれが2つある
体色は透明感が強い

23.2cm 養殖個体

【形態】体形は細長い紡錘形をしている。背部は淡黒色、腹部は銀白色であり、体側に銀青色の縦帯がある。外見はボラに似ているが、顔が尖り、体色は透明感が強い。成魚の全長は40〜50cm程度。最大で60cmを超える。
【生態】淡水から汽水域の湖沼に生息し、群れで表層を遊泳する。プランクトン食性が強いが、小魚を捕食することも多い。繁殖期は3〜6月頃で、浅場の水生植物帯に卵を産みつける。
【分布】国外外来魚で、霞ヶ浦・北浦では定着している。そのほか、丹沢湖、相模湖、津久井湖に導入された。原産地はアルゼンチンからブラジル南部であるが、南米の各地やイタリア、イスラエルにも導入されている。
【特記事項】きわめて美味であり、魚の王様とも称される。味わいは海産魚のサヨリに近い。

透明感のある体が特徴的。

（藤田朝彦）

カダヤシ目

Cyprinodontiformes

カダヤシ亜目とアプロケイルス亜目に二分され、熱帯域を中心に10科131属、1000を超える種が報告されている。広義のメダカ類を指し、鑑賞魚や実験魚と知られる魚種が多い。生殖方法はさまざまで卵生と卵胎生があり、発生・遺伝の方法も多様で通常の受精に加え、モーリーではメスの遺伝情報しか子孫に伝わらない雌性発生や雑種発生が知られている。卵胎生の魚種ではオスの臀びれ前縁が交接脚に変形しているが、単純に受精卵がメスの体内でふ化するだけで、子宮が存在するわけではない。カダヤシ科は北米東部から南米にかけての地域、マダガスカルを含むアフリカに分布し、わが国ではいずれも外来種としてカダヤシが全国的に、グッピー、モーリー、ソードテール、プラティが沖縄本島や温泉などで見られる。

カダヤシ目　カダヤシ科
カダヤシ
Western mosquitofish

学 名 *Gambusia affinis*
(Baird and Girard, 1853)

全長(cm)	3～5.5
背鰭条数	7～9
臀鰭条数	8～10
縦列鱗数	28～32

特定外来生物／総合対策外来種（重点対策外来種）

背びれ起部は臀びれ基底よりも後ろにある
尾びれは丸みを帯びる
オスは交接脚を有する
青みを帯びる
オス 2.7cm 和歌山県産
メダカのような黒いラインは見られない
臀びれの基底は短い
メス 3.3cm 和歌山県産
背面 3.0cm 和歌山県産

【形態】体形はメダカに似るが、体色が青っぽいことや尾びれが丸いこと、背びれ・臀びれの位置がより前方で、臀びれの基底が短いことなどで区別することができる。メスの方が体が大きい。オスの臀びれは交接脚に変形し、前後に動かすことができる。

【生態】平野部の水路・クリークや小河川、池沼のほか、河川のワンドにも生息する。塩分や水質汚濁に非常に強い。繁殖期は春から秋まで続く。卵胎生で、交接脚を使って交尾し、体内受精して仔魚を産出する。水草などの基質がなくても産卵できるため、コンクリート護岸された水路でも生息できる。繁殖力が強く、1腹の仔魚数は最大300にもなる。

【分布】国外外来種。原産地は北アメリカ大陸のミシシッピ川からメキシコ北部。その名の通り「蚊絶やし」を目的として全世界に移殖され、現在は熱帯から温帯域に広く分布している。日本では福島県以南の本州、四国、九州、南西諸島、小笠原諸島で確認されている。

【特記事項】世界および日本の侵略的外来種ワースト100に選定されている。

(川瀬成吾)

成熟したオス メダカと間違われることが多いが、背びれの位置や臀びれに注目するとすぐに見分けられる。

出産 仔魚の産まれる瞬間。臀びれ直前の排出口から仔魚が顔を出している。

カダヤシの群れ すべてカダヤシ。メダカとハビタットが重なるため、競合によるメダカの減少が懸念される。

カダヤシ目　カダヤシ科
グッピー
Guppy

学　名　*Poecilia reticulata*
　　　　　Peters, 1859

全長(cm)	3～5.5
背鰭条数	7～8
臀鰭条数	8～9
縦列鱗数	26～28

総合対策外来種（その他の総合対策外来種）

尾びれは丸みを帯びる

オス 2.2cm 大分県産

オスは交接脚を有する

背びれ起部は臀びれ起部より前か、同じくらい

メス 3.5cm 沖縄県産

臀びれの基底は短い

【形態】体形はメダカに似るが、オスの体色がカラフルなことや、背びれ・臀びれの位置がより前方で、臀びれの基底が短いことなどで区別することができる。また、カダヤシより背びれが前についている。オスの臀びれは交接脚に変形し、これを使って交尾する。

【生態】琉球列島では平野部の農業水路や池沼などに生息する。本州などでは温泉や工場の温排水の流れ込む河川や池沼に限って生息する。生息には水温の制約があるが、カダヤシよりも塩分や水質汚濁に強い。水温20℃以上で周年産卵する。

【分布】国外外来種。原産地は南アメリカのベネズエラからギアナ。日本では、北海道、青森県から愛知県の太平洋側、富山県、山梨県、長野県、大阪府、岡山県、熊本県、大分県、鹿児島県、南西諸島から報告されている。定着していると思われる地域は右図の通りである。

観賞用として人気が高く、多様な品種がある。

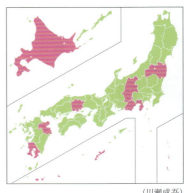

(川瀬成吾)

ダツ目

Beloniformes

メダカ亜目とダツ亜目（トビウオ亜目）に分けられ、6科34属約300種が報告されている。そのうち約100種が淡水または汽水域に生息する。卵生を基本とするが卵胎生の魚種も見られる。産卵後の雌親魚は、しばらくの間、卵を粘着性の卵糸で腹部にぶらさげている。メダカ亜目は以前カダヤシ目に分類されていたが、Rosen and Parenti (1981) により鰓弓と舌装置の特徴からダツ目の一員と見なされるようになった。メダカ属 *Oryzias* に属する種は東南アジアを中心に35種が知られている。インド・ケララ州の汽水域に生息する *Oryzias setnai* のオスは交接脚を備え、繁殖の際、精子カプセルをメスに提供する。ダツ亜目はトビウオ上科とサンマ上科に細分され、ダツ、サヨリ、サンマなど下顎が突出する魚種が多い。

ダツ目　メダカ科
ミナミメダカ
Southern medaka

学　名　*Oryzias latipes*
(Temminck and Schlegel, 1846)

全長(cm)	4～5
背鰭条数	5～7
臀鰭条数	14～21
縦列鱗数	24～33

絶滅危惧II類（VU）

オス 東日本型 2.7cm 愛知県産

メス 東日本型 3.0cm 愛知県産

背面 3.3cm 和歌山県産

【形態】口は上を向く。胸びれは高い位置にあり、背びれは後方についている。オスは背びれに切れ込みがあり、臀びれが大きく長方形になる。

【生態】平野部の河川、池沼、水田、農業水路などの流れの緩やかで、水生植物が豊かな場所に生息する。浅い水域を好み、表層を群泳する。繁殖期は4～8月で、この間メスは卵を産み続ける。自然下の寿命は約1年。雑食性。

【分布】日本固有種。日本海側では京都府以西、太平洋側では岩手県以西の本州、四国、九州、琉球列島。隠岐や壱岐、対馬などの島嶼にも分布する。タイプ産地は不明。

【特記事項】近年、日本産メダカは2種に分けられた。本種は南日本集団といわれていた集団で、従来の学名を引き継ぎ、ミナミメダカの和名が与えられた。本種は地域変異が大きく遺伝的に10の地方集団に分かれる。各地で放流による遺伝子汚染が問題となっており、安易な放流は避けなければならない。圃場整備や都市化、河川改修による生息地の消失・悪化などにより個体数が減少している。

(川瀬成吾)

オス（東瀬戸内集団） 繁殖期になるとオスは婚姻色が現われ、腹びれが顕著に黒くなる。

交尾 オス（奥）が大きな背びれと臀びれを使ってメス（手前）を抱くように交尾する。

卵を抱くメス メスは一度に10〜30個の卵を産み、数時間は腹に抱えた後、水草などに卵を絡める。

column ミナミメダカの地方集団

　一口にミナミメダカといっても地域によってDNAに違いがあり、実に10集団から構成される（内山・酒泉 2015）。DNAに隠されている目に見えない違いは、各地方集団が日本列島の地史や環境の影響を受けて独自の進化を歩みはじめていることを示している。

東日本型（岩手県から東海地方までの本州の太平洋側）地方集団のなかでも分布域が広い。

東瀬戸内型（本州と四国の瀬戸内海東部地域）

西瀬戸内型（本州と四国、九州の瀬戸内海西部地域）

山陰型（京都府丹後半島から山口県までの日本海側）

高知型（四国の太平洋側）

琉球型（琉球列島）個体数の減少や遺伝子汚染により、絶滅が心配される。

北部九州型（九州北部と対馬、壱岐、五島列島）

有明型（佐賀県、長崎県の有明海周辺と熊本県）

大隅型（大隅半島とその周辺）

薩摩型（薩摩半島とその周辺）

ダツ目　メダカ科
キタノメダカ
Northern medaka

学　名　*Oryzias sakaizumii*
　　　　　Asai, Senou and Hosoya, 2012

全長(cm)	4～5
背鰭条数	5～6
臀鰭条数	16～19
縦列鱗数	26～33

絶滅危惧Ⅱ類（VU）

網目状の黒斑がある
切れ込みが浅い
オス 4.0cm 福井県産
所々に濃いしみ状の黒斑

メス 3.5cm 福井県産
尾びれ基底に白色の三日月斑がない

【形態】形態はミナミメダカと酷似するが、体側面の黒色素胞が濃く網目状になる点や、オスの背びれの欠刻が浅い点で見分けることができる。

【生態】生息場所や生活史もミナミメダカと類似するが、群れ行動で差異が認められている。しかし、日本産メダカ2種の生態学的知見は不足しており、今後さらなる比較研究を行う必要がある。

【分布】日本固有種。日本海側では兵庫県、太平洋側では青森県以北の本州に分布する。タイプ産地は福井県敦賀市の中池見湿地。

【特記事項】本種はメダカ北日本集団と呼ばれていた集団で、ミナミメダカとは遺伝・形態的差異が大きく、さらに未記載であったことから、2012年に新種記載された。京都府と兵庫県の北部でミナミメダカと側所的に分布している。ミナミメダカ同様に、生息地や個体数が減少している。

上がオスで、下がメス。

（川瀬成吾）

ダツ目　サヨリ科
クルメサヨリ
Japanese brackish halfbeak

学　名 *Hyporhamphus intermedius*
(Cantor, 1842)

全長(cm)	15～30
背鰭条数	14～17
臀鰭条数	16～19
背鰭前方鱗数	48～63

準絶滅危惧（NT）

下あごが頭長より長い

尾びれは二又する

下あごの下面は黒色

12.5cm 三重県産

【形態】細長く、各ひれが後方にあるなどのサヨリ類の一般的な形態を有している。本種は下あごが頭長より長く、その下面は朱色ではなく黒色になるという特徴を持つ。尾びれは浅く二又する。腹びれの軟条数や背鰭前方鱗数は近縁のサヨリ *H. sajori* よりも少ない。

【生態】汽水性で比較的大きな河川の河口や汽水湖などに生息する。表層付近を泳ぎ回って餌を摂る。繁殖期は春から夏。卵生でアマモなどの水生植物に卵を産みつける。卵にはてんらく糸があり、水生植物などに絡みつく。

【分布】青森県以南の本州と九州北・西岸に局所分布する。国外からは朝鮮半島南・西岸、黄海、渤海からベトナム北部までの東シナ海と南シナ海の沿岸、台湾から知られる。

【特記事項】生息地の干拓や埋め立て、河口堰の建設、護岸整備、水質汚濁などによって個体数が減少している。

長い下あごと上に向いた口で水面の小動物を食う。

（川瀬成吾）

ダツ目　コモチサヨリ科
コモチサヨリ
Ovoviviparous halfbeak

学　名　*Zenarchopterus dunckeri*
　　　　　　Mohr, 1926

全長(cm)	12〜17
背鰭条数	10〜12
臀鰭条数	10〜13
背鰭前方鱗数	27〜30

準絶滅危惧（NT）

鼻孔の肉質突起が長い　　　　尾びれは截形

オス 15.2cm 沖縄県産

メス 15.0cm 沖縄県産

【形態】クルメサヨリと同じく、サヨリ類の一般的な形態を有している。体が細長く、下あごが著しく突出している。眼は大きい。胸びれは高い位置にあり、背びれや臀びれ、腹びれは体の後方にある。尾びれの後縁が直線的か丸みを帯びることで、比較的容易にほかのサヨリ類と見分けることができる。性的2型が認められ、成熟したオスは臀びれが幅広くなる。
【生態】比較的大規模な河川の河口付近の開けた水域やマングローブ帯の汽水域に生息する。一生を汽水域で過ごす。表層や中層を群泳する。上げ潮とともに活発に動き回り、プランクトン動物や水面の昆虫を食う。卵胎生で、夏から秋にかけて稚魚が出現する。
【分布】国内では宮古島、八重山諸島に分布する。国外では、アンダマン諸島、インド東海岸、西大西洋の熱帯域から知られる。

鼻孔を見ればすぐ見分けることができる。

（川瀬成吾）

スズキ目
Perciformes

発達した鰭棘を背びれ、臀びれ、腹びれに備える棘鰭類の主要群で、真骨類のなかでもっとも繁栄している多様な一群である。そのためカワスズメ科、カジカ科、ハゼ科などの系統的位置をめぐる議論がある一方で、あらたにペラジア（サバ類：「遊泳するもの」の意）の提唱で示されるように、個々の単系統群を明らかにできても、スズキ目としてどの範囲までくくるかについては統一的な見解が得られていない。スズキ目は"Fishes of the world"第5版によればスズキ亜目と南極周辺海域にいるノトテニア亜目に分けられる。スズキ亜目は所帯が大きく46科319属、その種数は2000を超える。サンフィシュ科、ケツギョ科、パーチ類などの純淡水魚に加え、スズキ科、アカメ科、シマイサキ科、テッポウウオ科など汽水域を好む魚種も多い。ノトテニア亜目は血液中に不凍糖タンパクを備える耐凍魚。淡水域に浸入する種はいない。

スズキ目 スズキ科
スズキ
Japanese seabass

学 名 *Lateolabrax japonicus*
(Cuvier, 1828)

全長（cm）	50〜100
背鰭条数	XII〜XV,12〜14
臀鰭条数	III, 7〜10
胸鰭条数	14〜18
側線有孔鱗数	71〜86
脊椎骨数	36

- 体高は小さい
- 体全体がやせている
- 下あごが突き出る

34.5cm 兵庫県産

- 黒斑は小さく、幼魚まで残る

19.6cm 静岡県産

【形態】体は細長く、ヒラスズキやタイリクスズキよりもさらに体高が小さい。背びれの棘部と軟条部はわずかに離れている。背びれや体の黒点は目立たず、成長とともに消失する。

【生態】成長や発育に伴い、生息場所を変えることで知られる。繁殖期は11〜2月、産卵は外海に面した岩礁地帯で行われる。水温の上昇とともに接岸し、幼魚や若魚は淡水域に侵入する。完全な肉食魚で、ヨコエビ、アミ、エビなどの小型甲殻類から小魚へ餌を変えていく。

【分布】日本海から東シナ海沿岸域、北海道から日向灘までの太平洋沿岸と瀬戸内海に分布する。

【特記事項】有明海の個体群は体の黒斑を備え、最終氷期にスズキとタイリクスズキの交雑に起源する特異な集団として、環境省版レッドリスト（2013）では、絶滅のおそれのある地域個体群に位置づけられている。

典型的な魚食性の顔つき。

（細谷和海）

スズキ目　スズキ科
タイリクスズキ
Spotted seabass

学　名　*Lateolabrax maculatus* sp.

全長（cm）	50～100
背鰭条数	XII～XIV, 12～15
臀鰭条数	III, 7～10
胸鰭条数	15～18
側線有孔鱗数	66～82
脊椎骨数	35

体高が大きい　　　　体側に大きな黒点が散在

18.9cm 和歌山県産（撮影／細谷）

【形態】スズキによく似ているが、スズキよりやや体高が大きく、吻が短く、体側に大きな黒点が散在する点で区別できる。そのためホシスズキと呼ばれることもある。側線有孔鱗数は80未満の個体が多い。
【生態】汽水域や淡水域にも侵入するなどスズキとほぼ同じ生態を持つ。分布域の特徴からスズキよりもより泥質を好むと考えられる。
【分布】自然分布域は朝鮮半島西岸域から黄海、渤海、東シナ海、南シナ海までの中国大陸沿岸。日本へは増養殖目的で種苗が輸入され、一部逃げ出したものが房総半島から宇和海までの太平洋沿岸、瀬戸内海、日本海側の丹後地方沿岸などで記録されている。
【特記事項】タイリクスズキが在来のスズキに与える影響については明らかにされていないが、タイリクスズキが侵入した水域ではしばしば両種の中間的な特徴を備える個体が認められる。

スズキとの生態的置換が危惧される。

（細谷和海）

スズキ目　スズキ科
ヒラスズキ
Compressed seabass

学　名　*Lateolabrax latus* Katayama, 1957

全長（cm）	60〜100
背鰭条数	XIII, 15〜16
臀鰭条数	III, 9〜10
胸鰭条数	16〜17
側線有孔鱗数	71〜76

16.7cm 和歌山県産

6.0cm 和歌山県産

【形態】吻は長く、顔は尖る。口は大きく、下あごは上あごより長く、受け口になる。えらぶた後縁と各鰭には鋭い棘がある。スズキやタイリクスズキに比べて体高が大きく、尾柄部が太くて短く、体全体が側扁している。背鰭条数も多い。体色は青みがかり、幼魚には黒点がほとんど現われないことなどで区別できる。

【生態】外海を好み、スズキやタイリクスズキほど内湾や河川に侵入しない。繁殖期は12〜2月。多毛類、甲殻類、軟体動物、小魚などを食べる動物食性。生息場所が清潔であるため肉質がよく、三重県など一部の地域ではスズキよりも好まれる。

【分布】房総半島以南の太平洋岸、能登半島、兵庫県以南の日本海、種子島、屋久島。瀬戸内海や沖縄島にもいるが少ない。スズキに比べて南に偏る。

定位中のヒラスズキ

（細谷和海）

スズキ目　サンフィッシュ科
ブルーギル
Bluegill

学　名 *Lepomis macrochirus macrochirus* Rafinesque, 1819

全長（cm）	10〜25
背鰭条数	IX〜XI, 10〜12
臀鰭条数	II〜IV, 8〜12
胸鰭条数	12〜14
側線有孔鱗数	38〜45

特定外来生物／総合対策外来種（緊急対策外来種）

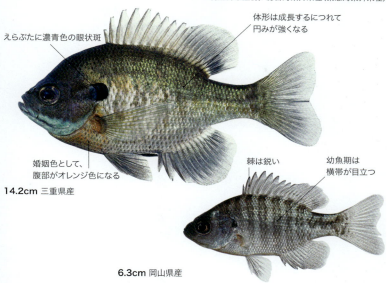

- えらぶたに濃青色の眼状斑
- 体形は成長するにつれて円みが強くなる
- 婚姻色として、腹部がオレンジ色になる

14.2cm 三重県産

- 棘は鋭い
- 幼魚期は横帯が目立つ

6.3cm 岡山県産

【形態】側扁形で体高が大きく、側面から見ると円い形をしている。えらぶたが紺色であり、英名の由来となっている。稚魚から未成魚期までは横帯が明瞭である。繁殖期は胸部が橙色に染まる。成魚の全長は10〜20cm程度。最大でも30cmには達しないが、原産地では35cmを超える。

【生態】河川下流部から湖沼、ため池などの止水域に生息。雑食性で藻類、甲殻類、魚卵、仔稚魚などを盛んに摂食する。繁殖期は5〜7月頃でオオクチバスよりも遅い。主に砂礫底でペアになり巣を作って産卵するが、条件の良い環境では複数ペアが産卵巣を密集させコロニーを形成する。オス親は卵を保護する。

【分布】国外外来種。北海道から沖縄島。原産地は北米中南部の大西洋側。

【特記事項】現在日本で見られる個体は、1960年に移入された15個体からの子孫であるとされる。以前は釣り人がオオクチバスの密放流の際に、餌として「セット放流」と称し本種を放流したとする報告もあり、各地のため池などへの分布拡大に拍車がかかったと考えられる。

（藤田朝彦）

巣を守るオス親個体 周辺に見られるのもブルーギル未成魚だが、中央の個体の子どもではない。卵を狙っ

幼魚 若い個体は眼状斑が目立たないが、紫色の体色の地に横帯が顕著。

ている可能性もある。

成魚の顔 えらぶたにある眼状斑が「ブルーギル」の名前の由来。

スズキ目　サンフィッシュ科
ロングイヤーサンフィッシュ
Longear sunfish

学　名　*Lepomis megalotis*
(Rafinesque, 1820)

全長（cm）	10～24
背鰭条数	X～XI, 10～12
臀鰭条数	III, 10～12
胸鰭条数	13～14
側線鱗数	38～49

未判定外来生物

白色で縁取られた黒いえらぶた

体側に橙色と青色の斑点が散在する

頭部に青い雲状紋がある

成魚　12.9cm

未成魚　9.7cm

【形態】体形はブルーギルに似るが、頭部に青い雲状斑がある、体側に橙色、青色の斑点が散在する、背びれ、臀びれ、尾びれに斑紋がある、えらぶた後端のフラップには本属魚類に特徴的な黒斑があり、その周縁は白色で縁取られるといった特徴がある。ブルーギルよりもやや小型。

【生態】原産地では河川上流部や小川に生息するなど、ブルーギルよりも流水性が強いようであり、クリークパーチといった呼称もある。ダム湖などでも繁殖する。原産地では昆虫類やそのほか無脊椎動物などを捕食。産卵生態はブルーギルに類する。適水温は10-24℃程度。

【分布】岐阜県木曽川水系揖斐川の徳山ダム貯水池で定着が確認されている。原産地は北米で、テキサス州・メキシコ北西部～オンタリオ州（カナダ）にかけて生息する。

【特記事項】本種はサンフィッシュ科でも特に美しい種とされ、観賞魚として国内でも流通していた経緯がある。現在は外来生物法により未判定外来生物に指定されており、輸入が規制されている。

（藤田朝彦）

スズキ目　サンフィッシュ科
パンプキンシードサンフィッシュ
Pumpkinseed Sunfish

学　名　*Lepomis gibbosus*
　　　　　(Linnaeus, 1758)

全長(cm)	18〜40	臀鰭条数	III, 8〜11
側線鱗数	35〜47	胸鰭条数	12〜14
背鰭条数	X〜XI+10〜12	脊椎骨数	28〜29

未判定外来生物

全長7cmほどの個体　かぼちゃの種に似た体型からパンプキンシードと呼ばれる。

【形態】体形はブルーギルに似るが、頭部に青い雲状斑がある、えらぶた後端のフラップには本属魚類に特徴的な黒斑があり、その周縁は白色で縁取られ、かつオレンジ色の斑紋がある。体側に茶色に縁取られた斑紋が散在する、不対鰭に斑紋があるといった特徴があり、ブルーギルとは容易に区別できる。

【生態】原産地では小川や小規模な止水域に多く、大きな湖では水生植物の繁る浅い港湾などで多く見られる。水生昆虫や小型の脊椎動物、魚卵などを捕食する。産卵生態はブルーギルに似て、水温が20℃ぐらいになると雌雄が水際の浅場に産卵床を作って行う。

【分布】石川県のため池で生息が確認されている。原産地は北米で、五大湖周辺、セントローレンス川とミシシッピ川上流域。ただし、北米でも移入による広範囲に分布している。ヨーロッパにも移入され、問題になっている。

【特記事項】本種もロングイヤーサンフィッシュと同じく未判定外来生物に指定されている。カナダではブルーギル属としてはブルーギルと並んで一般的な種とされる。

（藤田朝彦）

357

スズキ目　サンフィッシュ科
オオクチバス
Largemouth bass

学　名　*Micropterus nigricans*
　　　　　(Cuvier, 1828)

全長（cm）	30〜60
背鰭条数	IX〜XI, 12〜14
臀鰭条数	II〜III, 9〜12
胸鰭条数	13〜16
側線有孔鱗数	58〜80

特定外来生物／総合対策外来種（緊急対策外来種）

口はきわめて大きい
口の後端は眼を越える
44.0cm 兵庫県産
腹部は白い
コクチバスとは異なり細かい斑紋が散在する
17.3cm 滋賀県産
4.1cm 京都府産
幼魚は体側中央の斑紋が縦帯を形成する

【形態】典型的なスズキ形の体形をしており、特に大きな口は後端が眼よりも後部に位置する。体背部は濃緑色で不規則な斑紋があり、腹部は白色。成魚の全長は30〜50cm程度。最大で60cmを超える。

【生態】河川下流域から湖沼・ため池などに生息。適応できる環境は幅広く、低水温にも強い。獰猛な肉食性で主に魚類を捕食するため、全国で環境保全・水産業の大きな障害となっている。繁殖期は4〜6月。

【分布】国外外来種。全国的に分布したが、北海道では根絶に成功。1970年代に密放流により爆発的に分布を広げたと考えられる。原産地はケベック州・五大湖からフロリダ半島。

【特記事項】国内には本種とフロリダバス*M. salmoides*の2種が移殖されており、交雑が進んでいるため純粋なフロリダバスは存在しない。釣り関係の書籍などでは交雑個体をフロリダバスと呼称しているのが現状。分類学的取り扱いには今後も検討が必要である。

（藤田朝彦）

遊泳する成魚の群れ 表層から底層まで、本種の遊泳層は幅広い。

大型の成魚 かなりの大型個体でも群れを作ることが多い。

幼魚 小魚を捕食する。小さくても強い魚食性を示す。

産卵床を守る　本栖湖で撮影した産卵床を守るオス親個体。標高の高い湖でも容易に定着できる。

スズキ目　サンフィッシュ科
コクチバス
Small mouth bass

学　名　*Micropterus dolomieu dolomieu* Lacepède, 1802

全長（cm）	30〜50
背鰭条数	IX〜XI, 12〜14
臀鰭条数	III, 9〜12
胸鰭条数	14〜17
側線有孔鱗数	68〜79

特定外来生物／総合対策外来種（緊急対策外来種）

眼から後下方に放射状に伸びる条がある

口の後端は眼の中央を越えない

体色はオリーブ色
成魚は斑紋が目立たない

オス 27.7cm 長野県産

メス 33.0cm 新潟県産

13.0cm 長野県産

【形態】オオクチバスと同じく、典型的なスズキ形の体形。体色は体背面から側面が暗黄色で、幼魚期は暗色の横帯と尾柄の黒斑が目立つ。仔魚期は体全体が黒色である。名前の由来通り、オオクチバスよりも口が小さく口の後端は眼の直下を越えない。成魚の全長は30〜40cm程度。稀に50cmを超える。

【生態】河川上流から下流域、湖沼に生息。流水への適応性が高く、アユなどへの食害が懸念されている。低水温にきわめて強く、結氷した湖でも捕食行動を行う。獰猛な肉食性で、魚類・甲殻類などを捕食する。繁殖期は4〜6月頃。

【分布】国外外来種。阿賀野川・阿武隈川・利根川・多摩川・信濃川・琵琶湖淀川水系を中心に定着しているが、各地のため池やダムなどにも密放流されており、確認情報は日本各地で事例がある。再生産状況については不明な場所も多い。北海道では根絶に成功している。原産地は北米の五大湖周辺から北米中東部。

【特記事項】釣り目的の密放流により現在も分布が拡大している懸念すべき種。

（藤田朝彦）

遊泳する未成魚　かなりの急流でも活発に餌となる小魚を追う。

未成魚　若い個体は斑紋が顕著であるが、縦帯よりも横帯を形成する傾向にある。

スズキ目　ケツギョ科
オヤニラミ
Japanese aucha perch

学　名　*Coreoperca kawamebari*
(Temminck and Schlegel, 1843)

全長（cm）	6～12
背鰭条数	XI～XIII,11～13
臀鰭条数	III,8～10
側線有孔鱗数	33～38

絶滅危惧IB類（EN）

えらぶたに赤い縁のある濃青色の眼状斑
体形は側扁している
眼から後下方に朱色の条が伸びる

オス 11.0cm 兵庫県産

メス 9.2cm 兵庫県産

【形態】小型の肉食魚で、側扁したスズキ形の体形をしている。えらぶたに眼状斑があり、そのため本種をヨツメと呼ぶ地方もある。眼からは後方に朱色の条が伸び、体側には6～7本程度の横帯があるが、不明瞭であるため確認できない場合もある。頭頂部に顕著な白線が見られる場合もある。成魚の全長は6～8cm程度。最大で約12cm。
【生態】河川中流域の流れの緩やかな場所に生息する。水生植物の茎や流木などに産卵するため、障害物の多い環境に多い。動物食性であり、甲殻類や昆虫類などを捕食する。雌雄がペアになってオスのなわばりで繁殖し、オスが子供を保護するが、巣にはムギツクが托卵することで知られている。
【分布】京都府桂川・由良川水系以西の本州、四国北東部、九州北部。長崎県は絶滅。関東、近畿、東海地方および宮崎県などに幅広く移植分布。国外では朝鮮半島南部に分布している。
【特記事項】観賞魚として人気がある。飼育魚の投棄や粗放的養殖による野外定着が懸念されている。

（藤田朝彦）

卵を守るオス親 胸びれを使ったファンニングの様子から「ミズクリセイベエ」と呼ぶ地方もある。

遊泳する成魚 動物食性であり、俊敏に水生昆虫などの餌を追う。

稚魚 稚魚はより横帯が目立つ。

スズキ目　ケツギョ科
コウライオヤニラミ
Korean aucha perch

学　名　*Coreoperca herzi*
　　　　　Herzenstein, 1896

全長 (cm)	15 〜 30
背鰭条数	XIII, 11〜13
臀鰭条数	III, 8〜9
側線有孔鱗数	52 〜 66

えらぶた後縁に濃青色の眼状斑

体とひれに小白点が散在する

9.0cm 宮崎県産（写真提供／近畿大学水圏生態学研究室）

【形態】オヤニラミに比べると体高が低く、大型になり、全長は最大30cmに達する。体とひれに白点が散在し、体色は全体的に褐色で体側に6本程度の不明瞭な黒色の横帯が見られる場合がある。眼後方からえらぶたにかけて4本の帯が放射状に走る。ただし、体色のパターンや濃淡の変異は大きい。

【生態】川の上流域の石や礫が多い環境に生息する。動物食性で、魚類や甲殻類、水生昆虫などを捕食する。産卵期は5〜6月頃。石の裏面に卵を産みつけ、雄親が保護を行う。

【分布】朝鮮半島固有種。日本では外来魚として宮崎県の大淀川水系萩原川で確認されていたが、近年、群馬県の利根川水系鮎川でも本種が確認されている。

【特記事項】韓国では食用、釣りの対象で、日本では観賞魚として流通している。

幼魚　体色、斑紋にはバリエーションが多い。

（藤田朝彦）

column 拡散が危惧される「怪魚」

マーレーコッド
Maccullochella peelii
スズキ目スズキ科。
成魚は体長60cm程度であるが、最大で体長180cm程度に達する。世界最大級の淡水魚の一つ。原産地はオーストラリア南部。48年以上生きた個体が確認されており、長寿命と考えられる。

近年は「怪魚」ブームである。巨大な淡水魚であるピラルク *Arapaima gigas*、ヨーロッパオオナマズ *Silurus glanis*、ウラウチフエダイ(パプアンバス)*Lutjanus goldiei*、ゴールデンマシール *Tor puti-tora* など、日本から海外へこれらを狙いに訪れる釣り人はここ10〜15年で極端に増大していると感じる。

そのなかでも、人気のある種にマーレーコッド *Maccullochella peelii* がある。本種はオーストラリア南東部に生息し、体長1.8m、100kg以上にまで成長する世界最大級の肉食性淡水魚の一つである。もちろんスポーツフィッシングの対象として人気があり、また水産上も有用であり、かつ観賞魚としても流通している。日本国内でも本種に憧れる人間は多く、現地に釣りに訪れる人が多数いる。

このような生態をもつため、本種は要注意外来生物に指定されていたが、2010年には琵琶湖で本種が捕獲された。さらに、2023年には国内の釣り堀にも導入されている。2021年には、本種に近縁で、輸入には許可が必要な未判定外来生物に指定されているトラウトコッド *M. macquariensis* を密輸した業者が摘発されている。

今後、怪魚人気がどこまで続くかはわからないが、マーレーコッドをはじめ様々な怪魚が日本に持ち込まれる可能性は考えられる。それらが全て適切に導入されるかは不明で、上述した様な密輸や、違法な放逐が行われる可能性は決して否定できないと考えられる。

実際に、2000年代には霞ヶ浦や鬼怒川で由来は不明であるが、特定外来生物であるサンシャインバス(ストライプトバスとホワイトバスの交雑種)が確認されており、これらについては釣り愛好家による放流による由来するとの可能性が言及されている。

海外では、こちらも大型の肉食魚であるナイルパーチ *Lates niloticus* を用いた釣り堀が複数の国で存在しており、人気を博している。国内でも、マーレーコッドのほか、レッドコロソマ *Piaractus brachypomum* やすでに日本に定着しているチャネルキャットフィッシュなどが釣り堀で用いられる事例があり、外国産の大型淡水魚の釣堀としての需要は世界、及び本邦で確実に増大しつつある。

釣り人こそ自然環境の恩恵、生態系サービスを直接的にもっとも大きく受けている存在と言ってもよいと思う。そのような釣り人が、自然環境の破壊につながる外来生物の拡散を招く事態を引き起こさないよう、賢明な外来魚の利用方法を考慮してほしいと思う。

(藤田朝彦)

スズキ目 シマイサキ科
シマイサキ
Sharpbeak terapon

学 名 *Rhynchopelates oxyrhynchus*
(Temminck and Schlegel, 1842)

全長(cm)	20〜40
背鰭条数	XII, 9〜11
臀鰭条数	III, 7〜9
胸鰭条数	13〜14
側線鱗数	58〜80

- 吻は尖る
- 口唇はやや厚い
- 2本の鋭い棘がある
- 背びれ棘基底中央直下の横列鱗数は10〜11
- 黒色縦帯が体側を直走する
- 細かい縞が放射状に広がる

23.4cm 静岡県産

【形態】体はやや細長く側扁し、口は小さく吻は尖る。尾びれはわずかに湾入する。体色は稚魚では褐色、成長とともに青みを帯びた白色に変わる。数本の黒色縦帯が体側を直走し、和名のもとになっている。体側中央の黒色縦帯は、上唇から目を通って尾びれに達している。尾びれにも放射状に広がる細い暗色の縞模様がある。斑紋の発現パターンは成長とともに変化する。

【生態】内湾から河口域にかけての汽水域に多く、幼魚は河川の淡水域まで遡上する。繁殖期は6〜8月。小型の甲殻類、多毛類、小魚など食べる動物食性。コトヒキ同様、うきぶくろを収縮させてグウグウと音を出す。

【分布】青森県以南の日本列島(琉球列島を除く)、朝鮮半島、東シナ海、南シナ海、台湾、東南アジアの沿岸部。琉球列島では久米島から記録されているが、迷魚と考えられる。

縦帯は眼を貫くが、ほほにはない。

(細谷和海)

スズキ目　シマイサキ科
コトヒキ
Crescent perch

学　名 *Terapon jarbua*
(Forsskål, 1775)

全長(cm)	20〜60
背鰭条数	XI〜XII, 9〜11
臀鰭条数	III, 7〜10
胸鰭条数	13〜14
側線鱗数	75〜100

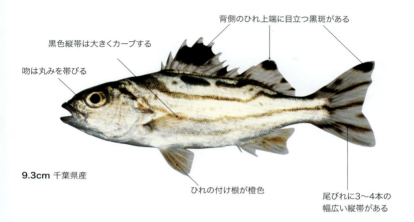

背側のひれ上端に目立つ黒斑がある
黒色縦帯は大きくカーブする
吻は丸みを帯びる
9.3cm 千葉県産
ひれの付け根が橙色
尾びれに3〜4本の幅広い縦帯がある

【形態】シマイサキに似るが、体高が大きく吻が丸い。シマイサキより大きく成長する。体色は白色で、体側に3本の黒色縦帯が走るが、弓形に曲がっていることが特徴。近縁種にヒメコトヒキ *T.theraps* があるが、黒色縦帯が3本とも直走する点で識別できる。目を通る縦帯はなく、尾びれの黒色帯は幅が広い。尾びれ上葉の後端は黒く縁どられる。胸びれと臀びれの付け根は橙色か黄色。別名ヤガタイサキ。

【生態】内湾から河川の感潮域まで生息し、特に幼魚や若魚は河川に侵入する。繁殖期は夏とされる。多毛類、小型の甲殻類、魚類などを捕食する動物食性。和名は「琴弾」、釣り上げられるとうきぶくろを収縮させてグウグウと音を出すことに因む。

【分布】北海道以南の日本列島に分布するが、東北地方以北では少ない。国外ではインド・西太平洋の沿岸部。

眼を貫く縦帯はない。

（細谷和海）

スズキ目　アジ科
ロウニンアジ
Giant trevally

学　名　*Caranx ignobilis*
(Forsskål, 1775)

全長（cm）	50～160
背鰭条数	VIII-I, 18～21
臀鰭条数	II-I, 15～17
稜鱗数	26～38
鰓耙数（上枝+下枝）	5～7+15～17

幼魚はひれの下葉が黄色

幼魚はひれが黄色

7.8cm　和歌山県産

ギンガメアジ　13.7cm　和歌山県産

【形態】体は、幼魚では円形で、成長とともに前後に伸長し、楕円形になる。体高が高く、体は側扁する。幼魚の体は黄色がかった銀色で、尾びれの下葉と腹びれ、臀びれが黄色。成魚では体が灰白色で、各ひれは黒っぽい。眼に脂瞼が発達するが幼魚では発達が弱い。第2背びれの前部は第1背びれよりも高く、鎌状となる。胸部に無鱗域がある。

【生態】幼魚は夏から秋に河川汽水域に侵入する。メスは孵化後、4～5年で成熟し、オスは3年ほどで成熟する。成魚は海域のサンゴ礁や岩礁で単独で生活する。魚類や甲殻類を食べる。寿命は30年を超える。

【分布】日本では富山県から福岡県の日本海沿岸、茨城県から九州南岸の太平洋沿岸、瀬戸内海、大隅諸島、琉球列島、南大東島、小笠原諸島の沿岸。国外では朝鮮半島、中国、台湾の沿岸、インド・太平洋。

【特記事項】本種と**ギンガメアジ**、オニヒラアジ、カスミアジの幼魚は、河川に侵入し、形態も似ることから、一見すると識別が難しい。しかし、本種は、胸部に無鱗域があることでギンガメアジおよびカスミアジと識別できる。また、オニヒラアジとは、体高が標準体長の41.0～43.7%であることや、吻背縁と体軸の角度が急であることから識別できる。

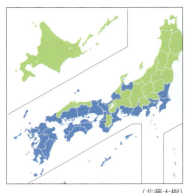

（井藤大樹）

スズキ目　アジ科
カスミアジ
Bluefin trevally

全長（cm）	30～80
背鰭条数	VIII-I, 21～24
臀鰭条数	II-I, 17～21
稜鱗数	27～42
鰓耙数（上枝＋下枝）	5～9+17～21

学　名　*Caranx melampygus*
　　　　Cuvier, 1833

胸びれが黄色

第2背びれの前部は第1背びれより高い

12.6cm　和歌山県産

【形態】体は、幼魚では長卵形で、成魚では楕円形。体高はやや低く、体は側扁する。幼魚の体は黄色がかった銀色。成魚では体が青緑色で、小黒点が散在する。えらぶた上部に黒斑がなく、稜鱗は淡色。幼魚、成魚ともに胸びれは黄色で、成魚では体の周囲や第2背びれ、臀びれ、尾びれが青くなる。第2背びれの前部は第1背びれよりも高く、鎌状となる。胸部は完全にうろこで被われる。

【生態】幼魚は夏から秋に河川汽水域に侵入する。メスは孵化後、4年ほど、オスは3年ほどで成熟する。成魚はサンゴ礁域で単独あるいは群れで生活する。寿命は20年以上。

【分布】日本では茨城県～九州南岸の太平洋沿岸・九州西岸、伊豆–小笠原諸島、琉球列島、南大東島、尖閣諸島。国外では、台湾、西沙諸島、インド–汎太平洋。

【特記事項】本種の幼魚はギンガメアジの幼魚に似るが、胸びれが黄色いことや上あごの後端が眼の中央下まで達さないことで識別できる。

ひれは青みがかり、成魚でより顕著となる

（井藤大樹）

スズキ目　テッポウウオ科
テッポウウオ
Banded archerfish

学　名　*Toxotes jaculatrix*
　　　　　(Pallas, 1767)

全長（cm）	20〜40
背鰭条数	IV〜V, 11〜14
臀鰭条数	III, 15〜18
側線鱗数	34〜37
側線有孔鱗数	26〜30

絶滅危惧 IA 類（CR）

黒色斑が5つ並ぶ

下顎が突き出す

10.3cm 沖縄県産

【形態】体は著しく側扁し、口は大きくて上向き。下顎は突出可能。口蓋の正中線上に1本の溝があり、これに舌を押し当てることで水を勢いよく射出させる。えらぶたから体側上半分にかけて5個の大きな黒色斑が並ぶ。

【生態】仔稚魚は河川の汽水域や河口で小さな群れを作り、河川を遡上する両側回遊魚と考えられる。成魚はマングローブ湿地内の水路を主な生息場とする。小動物なら何でも食べる雑食性であるが、名前のとおり、水面より上の草木にとまるハエなどを口の水鉄砲で撃ち落とす。

【分布】本邦では、1980年代まではきわめて稀にしか見られなかったが、現在では西表島に定着したようである。近年、石垣島からも報告された。国外では東南アジアでは一般的で、インド洋東部から西太平洋に広く分布する。

【特記事項】観賞魚としても人気が高い。八重山諸島の大河川には一定数の野生個体群が存在する。沖縄県竹富町では希少野生動植物に指定されており、保護の対象。

アーチャーフィッシュとも呼ばれている

（細谷和海）

スズキ目　ユゴイ科
ユゴイ
Spotted flagtail

学　名　*Kuhlia marginata*
　　　　（Cuvier, 1829）

全長(cm)	15～40
背鰭条数	X, 10～12
臀鰭条数	III, 11～12
胸鰭条数	13～15
側線鱗数	48～53

- ほかのユゴイ類に比べて体高はあまり大きくない
- 側線鱗数は48枚以上
- 尾びれの先端は尖る
- ほほとえらぶたに黒点がない
- 尾びれの後縁は黒く、切れ込みは鋭い

13.0cm 沖縄県産

【形態】体はやや細長く、側扁する。頭部背縁はわずかに盛り上がる。尾びれの後縁は切れ込み、黒く縁どられる。体色は銀色で、体側に目立った斑紋はないが、体側上部と尾びれ基部には黒色斑が散在する。

【生態】コイ科とは無関係のスズキ目魚類で、仔稚魚は海で生活するが、成長にともない汽水域から河川中流域まで生息するようになる。渓流域の淵の表・中層を活発に遊泳し、昆虫類、小型の甲殻類、魚類などを食べる。

【分布】黒潮の影響を受ける南日本沿岸部に分布するが、九州以北では成魚は見られない。台湾、フィリピン、インドネシア、ポリネシアなど西太平洋。

【特記事項】かつて静岡県伊東市浄ノ池では国の天然記念物に指定されていたが、1958年の狩野川台風の影響および温泉湧出の停止により本種はいなくなり、1982年に指定は解除された。

体側は銀白色で、黒斑がわずかにある。

（細谷和海）

スズキ目　ユゴイ科
オオクチユゴイ
Rock flagtail

全長(cm)	40〜60
背鰭条数	X, 10〜12
臀鰭条数	III, 9〜10
側線鱗数	41〜44

学　名　*Kuhlia rupestris*
　　　　　(Lacepède, 1802)

体高はかなり大きい
側線鱗数は44枚以下
尾びれ後縁の切れ込みは緩やか
ほほとえらぶたに黒点が散在
幼魚の尾びれに1対の明瞭な黒斑がある

23.1cm 沖縄県産

9.1cm 和歌山県産

【形態】ユゴイ属のなかでもっとも大きくなる種で、最大で2kgを超える。ユゴイ *K.marginata* やギンユゴイ *K.mugil* に比べて体高が大きく体形は側扁し、口は大きい。うろこは大きく、その数は少ない。体は銀白色で、うろこの縁どりが目立つため、全体として黒点が散在しているように見える。幼魚の尾びれの上下葉に楕円形の黒斑があり、成長にともない不明瞭となり、尾びれ全体が黒くなる。

【生態】海域沿岸から汽水域にかけて生息するが、ユゴイと同様、淡水生活が中心と考えられている。海で産卵し、稚魚の段階で河川を遡上する降河回遊魚。河川では渓流域の滝壺で見られることが多い。小魚、昆虫、小型甲殻類、果実などを食べる雑食性。

【分布】黒潮の影響を受ける南日本各地から記録されているが、主な分布域は南西諸島以南、インド・太平洋の熱帯から亜熱帯の沿岸部に分布する。

うろこの縁どりと尾びれの黒斑が目立つ。

（細谷和海）

スズキ目　フエダイ科
ゴマフエダイ
Mangrove red snapper

学 名 *Lutjanus argentimaculatus*
　　　　(Forsskål, 1775)

全長（cm）	60〜90
背鰭条数	X, 13〜14
臀鰭条数	III, 8
胸鰭条数	17
側線有孔鱗数	44〜48

23.1cm 沖縄県産

3.2cm 沖縄県産

【形態】体はタイ形を示すが口は前に突き出し、近似種のウラウチフエダイよりも体高は小さい。体、背びれの軟条部、尾びれは赤褐色で、体側には目立つ斑紋はない。幼魚には6〜8本の暗色横帯がある。暗色横帯と暗色横帯の間にある白色の間隔帯は、暗色横帯そのものに比べてかなり狭い。

【生態】生息域は広く、河川上流域、岩礁、サンゴ礁などの浅海域から水深120m近くの海底まで生息する。河川では淵の中央部や岸近くの流れの緩やかな水域を好む。群れる習性があるが、個体の性質はかなり荒い。

【分布】紅海、インド・西部太平洋域の亜熱帯から熱帯海域に分布する。日本列島では岩手県宮古市周辺以南の黒潮が洗う太平洋沿岸域に分布する。

【特記事項】近年、地球温暖化にともない、分布の北限が北上している。

（細谷和海）

スズキ目　フエダイ科
ウラウチフエダイ
Papuan black bass

学　名　*Lutjanus goldiei*
　　　　(Macleay, 1882)

全長 (cm)	100～120
背鰭条数	X, 13～14
臀鰭条数	16～17
側線有孔鱗数	45～47

絶滅危惧IA類（CR）

ゴマフエダイより体高はやや大きい

口は突出する

35.0cm 沖縄県産（写真提供／鈴木寿之）

【形態】口は前に突出し、体高が大きい。成魚の体色は黒褐色で、幼魚では体側に6-8本の白色横帯が走る。ゴマフエダイに酷似するが、体高がやや大きく、横帯が広く、各ひれがそれほど赤くない点で区別される。さらに前鋤骨歯帯はゴマフエダイでは半月形に対して、ウラウチフエダイでは逆V字形を呈する。

【生態】一般のフエダイ類に比べて淡水域に依存する性質が強く、マングローブのようなジャングルを貫く河川を主な生息場所とする。大きな淵に単独で潜んでいる。生活環の詳細は明らかにされていないが、両側回遊をするものと思われる。魚食性が強く、熱帯域における釣り魚パプアンバスとして人気が高い。

【分布】パプアニューギニア、マレー半島、ボルネオ島、ニューブリテン島など西部太平洋に散在する。わが国では西表島の浦内川で見られる。

幼魚の白色横帯は幅広。（写真提供／佐伯智史）

（細谷和海）

スズキ目　イサキ科
コショウダイ
Crescent sweetlips

学　名　*Plectorhinchus cinctus*
(Temminck and Schlegel, 1843)

全長（cm）	40〜60
背鰭条数	XII, 15〜17
臀鰭条数	III, 7〜8
胸鰭条数	17〜18
側線有孔鱗数	53〜57

体側に暗色斜体がある
体高は大きい
不対鰭に黒斑が散在
口は小さい
8.8cm 和歌山県産
腹びれの先端は肛門に達しない

【形態】体は側扁したタイ形だが、後頭部が張り出している。口は小さく、唇は厚い。腹びれは近縁種のチョウチョウコショウダイ *P. chaetodonoides* に比べて小さく、先端は肛門まで達しない。体は淡褐色で、背びれ上方から3条の暗色斜体が体側を走る。尾びれや背びれの軟条部の斑紋では薄黄色の地に黒斑が散在するが、その形は様々である。

【生態】成魚は浅海域の岩礁帯にいるが、幼魚は内湾、汽水から淡水域まで侵入する。西表島の諸河川では、カラフルな成魚が2〜3尾で群れをなし、ニシキゴイのように悠然と泳ぐのが観察できる。繁殖期は初夏の5〜6月。甲殻類などの底生動物を食べる。

【分布】青森県下北半島以南の太平洋岸、新潟県以南の日本海岸、種子島、屋久島。沖縄県にも分布する。国外では東シナ海から紅海、オーストラリア北部など広い地域に分布する。

幼魚では暗色斜帯が明瞭。

（細谷和海）

スズキ目　ヒイラギ科
ヒイラギ
Spotnape ponyfish

学　名　*Nuchequula nuchalis*
(Temminck and Schlegel, 1845)

全長(cm)	11〜20
背鰭条数	VIII〜IX, 15〜17
臀鰭条数	III, 13〜15
側線鱗数	57〜76

第 2 棘は伸長しない
頂部に暗色斑
頭部から体側前方まで
うろこはない
口は下方に伸出する
臀びれの棘は顕著

14.0cm 和歌山県産

【形態】体は側扁して左右に平べったい。眼は大きい。口を著しく突出させることができる。背びれと臀びれの基底は長い。無鱗域が広く、頭部から体側前方までうろこがない。琉球列島にはシマヒイラギ *Leiognathus fasciatus* が河川汽水域まで侵入するが、本種は背びれの棘が糸状に伸長しないことで識別できる。臀びれの棘が顕著で、鰭膜で棘条と軟条がつながり、連続的である。体色は銀白色を呈する。項部に暗色斑が、背びれ前部に黒色または褐色斑が存在する。

【生態】淡水の影響の強い内湾の浅所から河口付近までの砂底から砂泥底に生息し、群れをなすことが多い。繁殖期は5〜7月。口を突き出して底にいる小動物を食う。

【分布】本州、四国、九州、沖縄島。国外からは朝鮮半島南部、中国沿岸、台湾から知られる。

【特記事項】浦内川の生息域では 2014 年に渇水対策として取水のための導水管

潮の干満に合わせてよく移動する。

が設置されており、生息環境への影響が懸念される。

(川瀬成吾)

スズキ目　クロサギ科
クロサギ
Japanese silver biddy

全長(cm)	25〜30
背鰭条数	IX, 10
臀鰭条数	III, 7
側線鱗数	38〜41

学　名　*Gerres equulus*
　　　　Temminck and Schlegel, 1844

口は前下方に伸長する
頭部までうろこに覆われる
主上顎骨後端は眼の前縁を越えない
生時、腹びれは鮮やかな黄色

17.0cm 和歌山県産

【形態】体は側扁して平べったい。眼は大きい。比較的体高は小さく、体長の23〜30%。口を前下方に突出することができる。背びれ基底は長いが、臀びれ基底は短い。背びれの棘条は9本で、鰭条が糸状に長く伸びることはない。臀びれ基底は短く、棘条は2〜3本、軟条は7〜8本である。胸びれは比較的長い。尾びれの切れ込みは深い。体色は銀色を呈する。背びれ前方先端は黒くなる。

【生態】成魚は内湾や沿岸域の浅いところに生息する。夏から秋にかけて幼魚は汽水域に侵入するが、淡水域までは達しない。開けた水域の砂底から砂泥底を活発に遊泳し、口を突出させて、底に住む小動物を食う。驚くと砂にもぐることがある。

【分布】九州以北の南日本に分布する。国外では朝鮮半島南部から知られる。

開けた水域を、餌を求めて泳ぎ回る。

（川瀬成吾）

スズキ目　タイ科
クロダイ
Japanese black porgy

学　名 *Acanthopagrus schlegelii*
(Bleeker, 1854)

全長(cm)	50〜70
背鰭条数	XI〜XII, 11
臀鰭条数	III, 8
胸鰭条数	15
側線鱗数	48〜56

体色は黒または灰色

背びれ棘基底中央直下の横列鱗数は5以上

21.0cm 千葉県産

臀びれ第2棘は伸びない

【形態】体色は和名のとおり黒または灰色で、腹側は白い。背びれ、臀びれ、腹びれの棘は鋭い。吻が突出し、口は尖る。背びれ基底と側線までの間に大きなうろこが5枚以上、小さなうろこが1枚あることでクロダイ属のほか魚種と区別できる。幼魚期には体側に8〜9本の黒色横帯を備えるが、成長とともにぼやけてくる。
【生態】沿岸域の浅所に生息するが、幼魚はしばしば汽水域から淡水域まで侵入する。警戒心がかなり強い。繁殖期は3〜7月で、海域で行われる。卵は分離浮性卵。マダイと比べると成長が遅い。多毛類、甲殻類、貝類などベントスを捕食する。本種を含むヘダイ亜科はオスからメスへの雄性先熟で知られる。
【分布】琉球列島を除く日本列島。朝鮮半島、済州島、東シナ海、南シナ海、台湾、ベトナムの各沿岸。琉球列島には近似種ミナミクロダイ *A. sivicolus* が分布するが、本種と同種の可能性もある。

幼魚の体側には明瞭な縞模様がある。

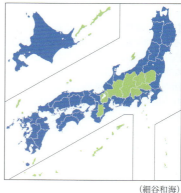

（細谷和海）

スズキ目　タイ科
キチヌ
Japanese yellowfin porgy

学　名 *Acanthopagrus latus*
　　　　(Houttuyn, 1782)

全長(cm)	40〜60
背鰭条数	XI, 11
臀鰭条数	III, 8
胸鰭条数	15
側線鱗数	43〜48

背びれ棘基底中央直下の横列鱗数は4以下

吻は尖る

26.7cm 和歌山県産　　黄色いひれが和名の由来　　臀びれ第2棘は長く伸びる

【形態】クロダイに似るが、クロダイよりも後頭部が盛り上がり、体高が大きく、体色が白っぽい。さらに背びれ基底と側線までの間に大きなうろこが3枚、小さなうろこが1枚と少ない。ただし、横列鱗数は地理的に変異することが報告されている。腹びれ、臀びれ、尾びれ下縁が黄色く、和名の由来となっている。

【生態】クロダイとほぼ同じであるが、本種の方が警戒心は弱い。繁殖期はクロダイの春に対して秋。甲殻類、多毛類、軟体動物、海藻、小魚など幅広い食性を示す雑食性。クロダイ同様、成長にともないオスからメスへ性転換する。

【分布】琉球列島を除く日本列島。東シナ海、南シナ海、台湾、東南アジア、オーストラリア、インド洋、紅海、アフリカ東部の各沿岸域。琉球列島には近似種のナンヨウチヌ *A. pacificus* が分布する。

幼魚では体形・色彩とも本種の特徴が出ている。

(細谷和海)

381

スズキ目　ヒメツバメウオ科
ヒメツバメウオ
Moonyfish

学名 *Monodactylus argenteus*
(Linnaeus, 1758)

全長（cm）	10〜20
背鰭条数	VII〜VIII, 28〜31
臀鰭条数	III, 28〜32
腹鰭条数	I
側線有孔鱗数	50〜65

- 体高が大きく、平べったい
- 背びれは黄色
- 頭と肩に2本の黒色横帯
- 腹びれはほとんど退化
- 尾びれの後端はわずかにへこむ
- ひれが翼状に伸びる

11.8cm 沖縄県産

【形態】体高は大きくて著しく側扁し、背びれと臀びれは翼状に伸び、全体が上下に長い菱形をなす。腹びれは退化的で短い1棘しかない。体色は銀色で、背びれと臀びれは黄色。若魚までは頭部と肩部に明瞭な2本の黒色横帯があり、成長とともに薄くなる。

【生態】内湾から河川までの汽水域を中心に生息する。幼魚はマングローブの根や水没した植物の隙間に身を隠している。側扁しているので、遊泳の際、即座に方向転換できる。観賞魚として人気があるが、生態はよくわかっていない。稚魚の出現状況から推測すると繁殖期は4〜8月と思われる。プランクトンなどを捕食する。ほかの魚の皮膚につく寄生虫も食べるといわれる。

【分布】種子島以南の南西諸島。黒潮の影響を受ける本州・四国・九州でも稀に見られる。国外ではインド・西太平洋の沿岸域、紅海。

幼魚はカラフルで人気が高い。

（細谷和海）

スズキ目　クロホシマンジュウダイ科
クロホシマンジュウダイ
Spotted scat

学　名　*Scatophagus argus*
　　　　（Linnaeus, 1766）

全長（cm）	20〜50
背鰭条数	X〜XI,16〜18
臀鰭条数	IV,14〜15
胸鰭条数	17
側線有孔鱗数	85〜120

8.9cm 沖縄県産

2.4cm 和歌山県産

【形態】体は著しく側扁する。幼魚は背びれの起始部に前向きの小さな棘を持つ。左右の鰓膜は頭部の腹面でつながっている。体色は成魚では銀白色の地に多数の黒色斑点が散在する。幼魚では濃黄褐色の地に数本の黒い横縞があるが、成長とともに縞は分断し、小さな斑点に変わる。稚魚は、チョウチョウウオ科同様、頭部が甲羅のように硬くなるトリクチス幼生。背びれと臀びれの棘には毒腺があり、弱い毒を分泌する。

【生態】Scatphagus（糞食者の意）の名で知られる汽水性観賞魚。主に内湾から河口域かけて生息し、八重山諸島では幼魚が夏から秋にかけて淡水域まで河川を遡上する。雑食性。何でも食べてしまうことから不名誉な名前がついている。

【分布】太平洋とインド洋の熱帯域。成魚は日本では琉球列島に多いが、仔稚魚は黒潮の影響を受ける地方まで運ばれてくる。

スキャットの名で観賞魚愛好家に知られている。

（細谷和海）

スズキ目　カマス科
オニカマス
Barracuda

学　名　*Sphyraena barracuda*
(Edwards, 1771)

全長（cm）	80〜150
背鰭条数	V-I,9
臀鰭条数	II,7〜8
側線有孔鱗数	75〜87

第1背びれと腹びれ、第2背びれと臀びれの起点がほぼ等しく上下対称の形に見える

26.0cm 沖縄県産

8.7cm 沖縄県産　　幼魚は体側に横帯がある

【形態】細長い紡錘形の体形をしている。成魚は銀青色で体側の背側に不明瞭な横帯がある。幼魚から未成魚期は茶褐色で、暗色斑がある。特徴的な固着性の鋭い歯を持ち、人間への咬傷例もある。また鰓弓に鰓耙を欠く。成魚の全長は80〜100cm程度、大きいものは150cm以上。

【生態】成魚は外洋で生活するが、稚魚期から未成魚期は河川下流のマングローブ帯で生息し、小型の魚類や甲殻類を捕食する。純淡水域には入らない。幼魚は直立に近い状態で浮遊し、マングローブを構成するヒルギ類の胚軸が水中を漂う様子に似た擬態様の行動をとる。成魚は外洋の表層から中層に生息し、強い魚食性を示す。

【分布】南日本。国外では東部太平洋を除く世界の熱帯から亜熱帯域に生息。

【特記事項】成魚はシガテラ毒を持つこともある。

幼魚はマングローブ林でよく見られる。

（藤田朝彦）

スズキ目　アカメ科
アカメ
Japanese red-eye perch

全長（cm）	70〜130
背鰭条数	VII〜VIII-I,11
臀鰭条数	III,8
側線有孔鱗数	60〜63

絶滅危惧IB類（EN）

学　名　*Lates japonicus*
　　　　Katayama and Taki, 1984

体高は大きい
吻は尖る
117.0cm 和歌山県産

幼魚から未成魚は横帯、斑紋が目立つ
眼は赤い
9.2cm 高知県産

【形態】眼が赤く輝くことが大きな特徴。体形は側扁し体高が大きく、頭部が尖る。大きなうろこを持つ。成魚の体色は銀白色だが、幼魚は暗褐色で不規則な黄色の斑紋と横帯があり、頭部には縦線が目立つ。この模様は成長につれ薄れる。成魚の全長は70〜100cm程度。最大で1.3m程度。

【生態】成魚は河口部・内湾から沿岸部に生息するが、外海でも捕獲されることがある。魚食性。幼魚は河口部のアマモ場に生息し、小魚や甲殻類を捕食している。幼魚期に見られる模様はアマモ場での生息に適応した結果と考えられ、頭を下にして静止し、アマモに擬態する行動も見られる。繁殖は4〜6月頃に海域で行われ、ふ化した稚魚が河口部に遡上する。

【分布】日本固有種。主に高知県から宮崎県の沿岸部。浜名湖から種子島・屋久島にかけて散発的な確認記録がある。

約40cmの個体でも斑紋は残っている。

（藤田朝彦）

スズキ目　カワスズメ科
カワスズメ
Mozambique tilapia

学　名　*Oreochromis mossambicus* (Peters, 1852)

全長（cm）	30〜40
背鰭条数	XV〜XVII、10〜13
臀鰭条数	III、9〜12
縦列鱗数	30〜32
鰓耙数（下枝）	14〜20

総合対策外来種（その他の総合対策外来種）

背びれ棘条数はふつう16
不明瞭な横帯
16.9cm 養殖個体
側線は中断し、2列に分かれる
繁殖期のオスは赤く縁どられる
4.5cm 宮崎県産

【形態】体は側扁しタイ形となる。側線は途中で中断し、2列に分かれる。鼻孔は1つ。第1鰓弓の下枝鰓耙数は多い。体色は銀白色を呈し、体側には不明瞭な横帯がある。尾びれに横帯はない。尾びれには少数のうろこがある。繁殖期のオスは体が黒ずみ、頭部の下方が白くなる。また、背びれや臀びれが赤く縁どられる。
【生態】河川の緩流域、湖沼、河口域などに生息する。塩分や水質汚濁には強いが、低水温に弱く、15℃以下になると長く生存できない。産卵に適した水温は25℃前後。藻類やデトリタスを主な餌とするが、何でも食べる雑食性。
【分布】原産地はアフリカ大陸東南部、ケニア南部から南アフリカのナタール地方。日本では、南日本の温泉地や琉球列島、小笠原諸島に定着している。
【特記事項】以前は本種に対して「ティラピア」や「モザンビークティアピア」など複数の呼び名があったが、近年、本種に対して初めて使われた和名であるカワスズメに統一された。日本へは1954年、タイから淡水区水産研究所に導入されたのが最初といわれている。

(川瀬成吾)

婚姻色の出たオス 巣を作り、なわばりを持つ。

カワスズメの子育て メスは敵が近づくと、稚魚を口の中に隠す。

スズキ目 カワスズメ科
ナイルティラピア
Nile tilapia

学 名 *Oreochromis niloticus*
(Linnaeus, 1758)

全長（cm）	30〜50
背鰭条数	XV〜XVIII、11〜14
臀鰭条数	III、10〜11
縦列鱗数	31〜33
鰓耙数（下枝）	20〜26

総合対策外来種（その他の総合対策外来種）

不明瞭な8〜10本の横帯
棘条数はふつう17本
繁殖期のオスは淡紅色に縁どられる
細かい横帯が並ぶ

38.0cm 養殖個体

9.6cm 神奈川県産

【形態】体形はカワスズメに似る。第1鰓弓の下枝鰓耙数は多い。体側には8〜10本の暗色横帯、尾びれには細かい横帯が見られる。繁殖期、オスの背びれや臀びれは淡紅色に縁どられる。

【生態】河川や湖沼など様々な環境に生息し、順応力が高い。生息に適した水温は24〜30℃だが、慣らせば下は10℃、上は45℃でも耐えられる。産卵は24〜32℃の範囲で行われる。オスが巣を作りなわばりを張る。メスが卵や仔稚魚を口内飼育する。寿命は6〜7年。何でも食べる雑食性。成魚は植物プランクトンを好んで食べる。

【分布】原産地はアフリカ大陸西部、ナイル川水系、イスラエルのヤルコン川。現在では、南日本の温排水の流入する河川・湖沼・水路、沖縄、小笠原諸島などに定着。

【特記事項】日本には1962年に当時のアラブ連邦から約200尾が導入されたのがはじめらしい。各地で養殖が盛んに行なわれていた。養殖場からの逸脱が、定着の主原因と考えられる。チカダイとして流通している。

(川瀬成吾)

オスの婚姻色 背びれ、尾びれの縁辺部は、淡紅色になる。

頭 体は側扁している。胸びれを使ってよく定位している。

巣 沖縄では春から秋にかけて、流れの緩やかな場所によく巣を見かける。

389

スズキ目　カワスズメ科
ジルティラピア
Zill tilapia

学　名　*Coptodon zillii*
　　　　　(Gervais, 1848)

全長（cm）	25〜40
背鰭条数	XIV〜XV, 10〜13
臀鰭条数	III, 7〜9
縦列鱗数	29〜31
鰓耙数（下枝）	8〜9

総合対策外来種（その他の総合対策外来種）

背びれ棘条数は14〜15
黒色の円形斑紋を持つ

9.3cm 宮崎県産

4.1cm 滋賀県産

【形態】ほかのカワスズメ類と似た体つきをしている。第1鰓弓の下枝鰓耙数は少ない。体側には6〜8本の暗色横帯が見られる。雌雄ともに胸部から腹部にかけて赤みを帯びる。背びれの後部にティラピアマークと呼ばれる黒点がある。

【生態】河川緩流域や湖沼などに生息する。塩分や水質汚濁、水温に対して高い適応力を持つ。何でも食べる雑食性。生息適温は28℃前後であるが、10℃以下でも短期間であれば生存できる。産卵適温は22〜26℃。一夫一妻性で、雌雄でなわばりを持つ。清掃された巣の底に付着卵が産みつけられ、稚魚になるまでメスによって保護される。

【分布】原産地はモロッコからナイル川にかけての赤道以北のアフリカ大陸とパレスチナ地方。国内では、鹿児島県の池田湖が有名。そのほか滋賀県、大分県、熊本県、鹿児島県、沖縄県などに分布。

本種は口内保育を行わない。

（川瀬成吾）

スズキ目　ツバメコノシロ科
ツバメコノシロ
Mommon threadfin

学　名 *Polydactylus plebeius*
(Broussonet, 1782)

全長（cm）	30〜60
背鰭条数	VIII-I, 12〜13
臀鰭条数	III, 11〜12
縦列鱗数	60〜68

第1背びれ棘条数は12〜13
第2背びれ棘条数は1
下あごが小さい
9.3cm 和歌山県産
5本の胸びれの遊離軟条

【形態】体は細長く側偏する。吻端は突出し、下あごが上あごに比べてかなり小さいことから、一般にアゴナシとも呼ばれる。体側には14〜17本の縦線が走る。尾びれは深く二叉する。不対鰭は概して大きくて黒く、標準和名はツバメを想起させることに由来する。胸びれ下部の軟条は鰭膜を欠き、それぞれが遊離し5本の長い索餌感覚器官に変形している。下唇は発達し下顎歯を覆う。

【生態】水深122 m以浅の沿岸の砂泥底を主な生息場所とし、幼魚は河口域で巨大な群れを形成し、一部は河川に浸入する。餌は水中にあるときは視覚、水底にあるときは遊離軟条をそれぞれ使い分けて探索する。発育・成長の過程で性転換する雄性先熟。

【分布】インド・太平洋の熱帯域に広く分布する。日本列島では太平洋側では福島県以南、日本海側では若狭湾以南の暖流の影響を受ける地域で見られる。

幼魚が河川に侵入する。

（細谷和海）

column 特定外来生物に指定されたガー類

近年、ニュースで話題のガー。写真はアリゲーターガー。

　テレビのニュースなどでもっともよく取り上げられる淡水魚は、もしかすると「ガー」かもしれない。

　いわゆる「ガー」は、北中米原産の淡水魚で、2〜3mに達する大型の肉食魚であり、まるでワニのような長い口と鋭い牙を持つことから、「怪魚」のイメージにぴったりである。そのため、観賞魚としての人気も高く、かつては多くの個体が観賞魚として流通し、興味本位で購入した人が飼い切れなくなって、近くの水辺に放流し、それが発見されて「怪魚あらわる！」としてニュースになるのがパターンであると考えられる。最近では名古屋城の堀で確認された個体が連日報道されていたことが記憶に新しい。

　日本でガーと呼ばれている魚は、ガー目ガー科の淡水魚である。よく目にする一般的な種は**スポッテッドガー**と**アリゲーターガー**である。現生種は、1目1科2属7種生息するとされている。ガーは、硬骨魚類の多くが含まれる新鰭類という仲間において、全骨下網の鱗骨類というグループに分けられている。ガー目の特徴は、細長い体形と、吻が長く著しく突出したい両顎を持つことが挙げられる。また、体表がチョウザメ類と同じ「硬鱗」と呼ばれる頑丈なうろこで覆われている。また、うきぶくろの代わりに肺を備え、空気呼吸を行うこと、尾鰭が略式異尾と呼ばれる特徴的な構造であることなどである。ガー目は、その化石が古生代の地層から確認されているため、現在でも生きているいわゆる「古代魚」である。魚類学上きわめて重要な「生きた化石」であり、淡水魚として独特の魅力を持った魚類である。

　しかし、日本ではその魅力ではなく、違法な投棄のせいで「怪魚」「モンスター」「危険」といったレッテルばかりが目につく状況である。ガーの存在は、魚類の歴史の生き証人であるにもかかわらず、違法な放流・投棄を行う人間はその地位を貶めている。違法な投棄という行動は魚類に対する冒涜である。飼い切れなくなったが、処分するのがかわいそうだ……といって近所に放流してしまうのは、「自分が殺さないで済んだ」という無責任な自己愛でしかなく、魚類に対して愛情のある行為ではない。ガーは巨大化し、かつ非常に長生きする魚である。須磨海浜水族園のロングノーズガーは現在42年生きている。このような魚を個人で責任をもって飼育するとなると、相当の設備と覚悟が必要であり、軽々しい気持ちで飼育に手を出してはいけない。

　日本では、水温が低いことから野外での繁殖は確認されていないが、特に南西諸島などであれば定着の可能性は考えられる。これらの特性を踏まえ、2018年4月から、ガー科全体が、特定外来生物に指定され、その販売、飼育などが規制されている。今後は、愛好家のモラルが強く問われていくことになる。まともな愛好家であるなら、その啓発を含めた適切な飼育と対応を求めたい。

（藤田朝彦）

スズキ目　カジカ科
カジカ大卵型
Japanese fluvial sculpin

学　名　*Cottus pollux*
　　　　Günther, 1873

全長(cm)	10～15
背鰭条数	VIII～X-15～18
臀鰭条数	11～12
胸鰭条数	12～14
腹鰭条数	I, 3～4

準絶滅危惧（NT）

胸びれ軟条数は少ない（12～14）

オス 11.0cm 富山県産

腹びれに斑紋がない

ほほとえらぶたに黒点がない

メス 7.9cm 栃木県産

泌尿生殖突起

【形態】淡水カジカ類のなかで小型の種。頭は大きくて丸く、目立った隆起線はない。口蓋骨には歯がない。前鰓蓋骨後縁の棘は1対のみ。

【生態】カジカと呼ばれる種群のなかでも名前のとおり大きな卵（産着卵の直径2.6～3.7mm）を産む。仔魚は降海することなく浮遊期を卵の中で過ごしてしまう。ふ化後、直ちに底生生活に入り、一生を河川で過ごす。河川の上・中流域の礫底にある小岩の隙間に身を潜めている。繁殖期は2～6月。メスは浮石の下に卵をさかさまに産みつけ、オスが卵塊を保護する。主に水生昆虫を餌とする。

【分布】日本の固有種で、本州のほぼ全域、香川県、九州北西部に分布する。

【特記事項】一般に、カジカと呼ばれる淡水魚は、卵の大きさおよび海と河川を移動する回遊パターンの違いから大卵型、小卵型、中卵型に分けられ、それぞれが独立した種と見なされている。

底質に合わせて擬態している。

（細谷和海）

スズキ目　カジカ科
カジカ中卵型
Japanese amphidromous sculpin(medium-sized egg type)

学　名　*Cottus* sp.

全長(cm)	12～18
背鰭条数	VIII～IX-17～20
胸鰭条数	13～16

絶滅危惧IB類（EN）

15.8cm 富山県産　　腹びれに斑紋がない

4.7cm 富山県産

【形態】体は細長く縦扁するが、後方は円筒形にくびれる。カジカ大卵型に似るが、胸びれの軟条数がやや多い。また眼からほほ部にかけて2本の暗色帯がある。

【生態】河川で産まれた仔魚は2～3週間内湾で過ごし、稚魚は成長のため再び河川を遡上するという両側回遊型の生活環を持つ。大卵型よりやや下流域に生息し、石礫底の小岩の隙間に身を潜めている。繁殖期は3～4月。メスは浮石の下に卵をさかさまに産みつけ、オスが卵塊を保護する。産着卵の直径は2.2～3.2mm、小卵型よりも大きく、大卵型よりも小さい。主に水生昆虫を餌とする。

【分布】北海道および本州の日本海に注ぐ河川に分布する。

【特記事項】回遊パターンは小卵型と同じであるため、以前は小卵型に含められていたが、遺伝的には大卵型に近いとされる。

吻端から尾柄まで底質の色に同調させている。

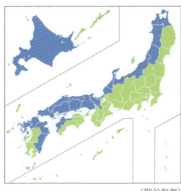

（細谷和海）

スズキ目　カジカ科
カジカ小卵型 (ウツセミカジカ)
Japanese amphidromous sculpin (small egg type)

学　名　*Cottus reinii*
　　　　　Hilgendorf,1879

全長(cm)	12〜20
背鰭条数	VIII〜IX-16〜18
臀鰭条数	12〜14
胸鰭条数	13〜17
腹鰭条数	I,3〜4

絶滅危惧IB類（EN）

吻背部は張り出す　胸びれ軟条数は多い　背側に3つの鞍状斑　尾びれの後縁は截型かやや突出する

オス 18.8cm 和歌山県産　　カイゼルひげ状の横帯

メス 9.5cm 静岡県産　腹びれに斑紋がない　腹面は白い

【形態】カジカ大卵型と中卵型に似るが、胸びれの軟条数がもっとも多く、仔魚が浮遊するための適応形態と考えられる。尾柄高は大卵型や中卵型に比べて小さい。眼から頬部にかけて2本の暗色帯がある。
【生態】河川の中・下流域の流れの緩やかな礫底を好む。仔魚はふ化後海に流下し、約1ヵ月間浮遊生活を送る。形態形成が進み稚魚となって底生生活に移行すると、河川を遡上する。ウツセミカジカと呼ばれる琵琶湖の個体群は、海の代わりに湖を浮遊生活の場所として利用する。繁殖期は3〜5月、産着卵の直径は1.8〜3.1mm。付着性の水生昆虫、流下昆虫、底生動物のほか小魚も食べる。
【分布】日本の固有種で、本州および四国の太平洋側、琵琶湖に分布する。
【特記事項】かつては両側回遊することから中卵型と同一視されていたが、遺伝的に大きく異なることから、現在では別種と見なされている。

眼からえらぶたにかけて暗色帯がある。

（細谷和海）

スズキ目　カジカ科
ハナカジカ
Ainu fluvial sculpin

学　名　*Cottus nozawae* Snyder, 1911

全長(cm)	12〜18
背鰭条数	VII〜IX-15〜19
臀鰭条数	12〜15
胸鰭条数	13〜16
腹鰭条数	I, 4

オス 11.7 cm 北海道産

鞍状斑の下端は幅が広い
腹びれに縞模様がある

メス 10.7cm 北海道産

【形態】前鰓蓋骨の棘が3本で最上棘の先端が太くて鈍く、胸びれ上部の軟条が分枝し、体側にある4本の暗色横帯の幅が広いことなどを特徴とする。

【生態】カジカ大卵型同様、河川内で一生を送る陸封型の生活環を持つ。北海道ではエゾハナカジカより上流に生息する。繁殖期は3〜4月、メスは浮石の下に卵をさかさまに産みつけ、オスが卵塊を保護する。仔魚は降海することなく浮遊期を卵の中で過ごしてしまう。孵化後、直ちに底生生活に入り、一生を河川で過ごす。河川の上・中流域の礫底にある小岩の隙間に身を潜めている。主に水生昆虫を餌とする。

【分布】日本の固有種で、北海道および青森県、秋田県、山形県、岩手県、新潟県から知られる。東北地方の個体群は不連続に分布する。

【特記事項】山形県と岩手県では、レッドリストにおいて希少種に指定されている。

大きな卵を産み、一生を河川内で過ごす。

（細谷和海）

スズキ目 カジカ科
エゾハナカジカ
Ainu amphidromous sculpin

学 名 *Cottus amblystomopsis*
Schmidt, 1904

全長(cm)	10〜15
背鰭条数	VIII〜IX-17〜19
臀鰭条数	14〜15
胸鰭条数	14〜17
腹鰭条数	I,4

吻背部は直走する

オス 18.1cm 北海道産　　腹びれに縞模様がある

メス 13.8cm 北海道産　　鞍状斑の下端は先細る

【形態】ハナカジカに似るが、胸びれの条数がやや多く、前鰓蓋骨の最上棘の先端が細くて鋭く、胸びれ上部の軟条が分枝し、体側の暗色横帯の幅が狭いことにより区別できる。

【生態】両側回遊型の生活環を持つ。ハナカジカと同所的に生息する場合は、本種の方が下流側に見られる。感潮域を含む河川の下流域の流れの緩やかな礫底を好む。仔魚はふ化後海に流下し、未分化の状態で約3週間浮遊生活を送る。形態形成が進み稚魚となって底生生活に移行すると、河川を遡上する。繁殖期は4〜5月。卵にはかなりの粘着力がある。付着性の水生昆虫、流下昆虫、底生動物のほか小魚も食べる。

【分布】北海道標津地方から津軽海峡までの太平洋とオホーツク海側の河川に分布する。サハリンやアムール川からも知られる。

カジカ類に比べて体色はコントラストに欠ける。

（細谷和海）

スズキ目　カジカ科
カンキョウカジカ
Hangiong sculpin

学　名　*Cottus hangiongensis*
　　　　　　Mori, 1930

全長(cm)	10～18
背鰭条数	VIII～X-19～24
臀鰭条数	12～18
胸鰭条数	13～14
腹鰭条数	I,4

オス 15.8cm 北海道産

メス 12.6cm 北海道産

【形態】日本産カジカ科魚類のなかでも体高が小さく、第2背びれと臀びれの鰭条数がもっとも多い。体の背面に5～6個の鞍状斑が並び、体側全体には白い縁どりのある緑褐色の斑点が散在する。腹びれには茶褐色の縞模様がある。この形質は、淡水カジカ類としては原始的。
【生態】淡水性両側回遊魚で河川の中・下流域に生息する。繁殖期は4～5月。繁殖生態はほかの淡水カジカ類と変わらないが、上流のオスほど大型で高齢であることがわかっている。卵の粘着性は弱い。
【分布】国内では国後島、北海道南部から青森県・秋田県・岩手県・山形県・新潟県および富山県の河川に不連続分布する。国外では沿海州から朝鮮半島東部にかけて分布する。本種のタイプ産地は北朝鮮咸鏡道（ハムギョンド）で、和名は「咸鏡」の日本語読み、学名の種小名は朝鮮語読みに由来する。
【特記事項】東北地方と北陸地方の個体群は、環境省版レッドリスト（2019）では絶滅のおそれのある地域個体群に位置づけられている。

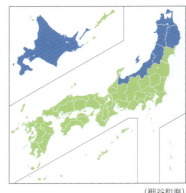

（細谷和海）

体側斑紋 白い縁どりのある緑褐色斑が体中にある。底質への適応と考えられる。

頭部前面観 迷彩模様で撹乱。ほほに暗斜帯が走る。

スズキ目　カジカ科
カマキリ（アユカケ）
Fourspine sculpin

学　名　*Rheopresbe kazika*
　　　　　(Jordan and Starks, 1904)

全長（cm）	20〜30
背鰭条数	VII〜VIII-14〜18
臀鰭条数	13〜15
胸鰭条数	15〜19
腹鰭条数	I,3〜4

絶滅危惧II類（VU）

頭は大きく、丸みを帯びる
18.2cm 富山県産
腹びれに斑紋がない
体全体が縦扁している
背側に3つの鞍状斑
頭頂部はやや膨らむ
背面 10.6cm 三重県産

【形態】頭は大きくて丸く、目立った隆起線はない。ほかの淡水カジカ類に比べて大型になり、口蓋骨に歯をあることを特徴とする。前鰓蓋骨には後方に向かう4棘があり、最上位の棘は強大で上方に強く曲がる。これでアユを引っかけて食うという伝承があり、別名はこれに由来する。

【生態】海で産まれ河川へ戻って成長する降河回遊魚。一般に砂礫底質を好み河川の中流域に生息する。11〜12月に川を下り、1〜3月に河口域や内湾の岩礁帯で繁殖する。産卵や受精には30‰以上の海水が必要。オスは卵塊を保護する。ふ化した仔魚は翌年3〜5月に稚魚となって川を遡る。各地で激減している。

【分布】日本の固有種で、太平洋側は茨城県以南、日本海側は青森県以南の本州、四国、九州に分布する。

【特記事項】最近の分子系統学的研究によれば、カマキリとヤマノカミは類縁関係にあるという。ともに繁殖・初期発生に海水環境が必要であることも、このことを裏づける。

（細谷和海）

石化け 背中の斑紋は礫の形状に合わせた保護色。

えらの棘 アユを引っかけて捕るといわれているが、あやしい。むしろ捕食から逃れるための適応形質と考えられる。

3cmほどの稚魚 稚魚のカラーパターンにはコントラストがあり、第1背びれ基底にも鞍状斑がある。

アユカケの成魚　三重県銚子川で見られたアユカケの石化け。触られてもじっとしている。

スズキ目 カジカ科
ヤマノカミ
Roughskin sculpin

全長(cm)	15〜20
背鰭条数	VII〜IX-17〜20
臀鰭条数	14〜19
胸鰭条数	16〜17
腹鰭条数	I,4
側線鱗数	33〜39

絶滅危惧IB類（EN）

学 名 *Trachidermus fasciatus*
Heckel, 1837

吻は長く、背縁が直走する
鰓膜は朱色

14.6cm 長崎県産

頭頂部はへこむ
4〜5個の鞍状斑がある
後頭部とほほに隆起線がある

背面 14.6cm 長崎県産

【形態】頭は大きくて後頭部と頬部に隆起線があり、頭の頂点がへこむ。吻は尖り、頭部全体が精悍な印象を与える。前鰓蓋骨には後方に向かう鈍い4棘がある。尾びれ中央部には目立つ扇状の黒斑がある。背面に4〜5個の鞍状斑がある。成熟すると雌雄とも鰓膜と臀びれ基部が鮮やかな朱色に染まる。

【生態】海で産まれ河川へ戻って成長する降河回遊魚。11〜12月に川を下り、1〜3月に河口域や内湾にあるカキやタイラギなどの二枚貝の死殻内に卵塊を産む。産卵や受精には20‰以上の海水が必要。オスは貝殻内で卵塊を守る。孵化仔魚は翌年3〜5月に稚魚となって川を遡る。自然界での寿命は約1年。

【分布】朝鮮半島南部から黄海・渤海・東シナ海に面した中国沿岸部。日本では有明海と諫早湾に注ぐ河川と周辺海域に分布する。

海で生まれ、河川で成長する降河回遊。

（細谷和海）

スズキ目　ドンコ科
ドンコ
Dark sleeper

学　名 *Odontobutis obscurus*
(Temminck and Schlegel, 1845)

全長（cm）	15～25
背鰭条数	VI～VIII-I, 7～10
臀鰭条数	I, 6～9
縦列鱗数	31～41
背鰭前方鱗数	21～33

頭部は平たい

12.6cm 兵庫県産

ドンコ科は左右の腹びれが分離する
（ハゼ科はつながる）

3列程度の黒い鞍状斑

頭部は幅広い

背面 14.1cm 兵庫県産

【形態】頭部が大きく、やや縦扁する。体には黄褐色で、体側に3列程度の暗色横斑が存在する。繁殖期のオス個体は黒褐色になる。成魚の全長は15cm程度で、最大で約25cm。

【生態】河川中流部の淵やワンド、用水路や池など、流れの緩やかな場所に生息する。植物帯や礫底などの身を隠せる場所を好み、泥環境にはあまり出現しない。甲殻類、小魚、水生昆虫などを活発に捕食する。繁殖期は5～7月頃で、石や倒木の下などに卵を産みつけ、ふ化するまでオス親が保護する。なお、コイ科のムギツクが本種の繁殖巣を利用して托卵することが知られている。冬季は、泥底に体を埋めるようにして冬眠することが多い。

【分布】新潟県、愛知県以西の本州、四国、九州。国内外来種として静岡県～南関東に定着。国外では韓国の巨済島に分布しているが、絶滅寸前。

【特記事項】ほかのハゼ類やカジカ類、海産のチゴダラ類もしばしば「ドンコ」と呼ばれることがあるが、ドンコという標準和名を持つものは本種のみである。

（藤田朝彦）

404

成魚 障害物の多い暗所を好む。

産着卵を守るオス成魚 卵は礫の下面に産みつけられる。

岩の表面の未成魚 水底で静止している。活発に動き回ることは少ない。

スズキ目　ドンコ科
カラドンコ
River sleeper

学　名　*Odontobutis potamophilus*
　　　　　(Günther, 1861)

体長（cm）	15〜25
背鰭条数	VII-I, 9〜10
臀鰭条数	I, 8
縦列鱗数	数34〜36

頭部は平たい

ドンコよりも斑紋が不明瞭

15.6cm 茨城県産

ドンコ科は左右の腹びれが分離する（ハゼ科はつながる）

背面
頭は尖る

3列程度の黒い鞍状斑

頭部は幅広い

幼魚 4.9cm 茨城県産

【形態】ドンコに似る。体は黒褐色で、不規則な黒色斑が3〜4個程度存在する。成魚の頭部側面から下面にかけて、太い波線状の模様が見られる。ドンコは頭部に感覚管を持たないが、本種は眼の後方に感覚管があることで区別できる。
【生態】動物食性で、水生昆虫や小魚を捕食する。2年で成熟し、4〜5月ごろ産卵する。湖の沿岸部や、河川の流れの緩やかな場所に生息する。。
【分布】利根川水系江川、飯沼川で確認されている。国外の自然分布域は、中国、ベトナム。
【特記事項】日本では2010年頃から確認されており、定着のおそれがあるとされている。分布域が拡大すれば、ドンコへの影響も出るだろう。中国では水産対象種であり、養殖も行われている。

利根川水系の一部で定着している。

（藤田朝彦）

column 淡水魚保護における自然史博物館の役割

博物館には、一般に、資料の収集・整理・保管、調査研究、展示、教育普及の4つの機能があるとされる。これら機能は、淡水魚保護においてもそれぞれ重要な役割を演じる。資料は淡水魚の場合、標本と言い換えられ、ラベル情報が残された標本は、その生物種がいつその場所に生息したという紛れもない証拠となる。過去の標本を精査することで、その種の本来の分布域などがわかり、保全・復元目標（以下、保全目標）や戦略を立てる上で欠かせない情報を得ることができる。また、標本コレクションとして保管されていれば、過去の魚類相の復元やその変遷を考察でき、地域レベルの保全目標の立案も可能となる。

琵琶湖博物館では、日本最大級の淡水の水族展示があり、飼育している生体も資料として扱っている。水族展示室には保護増殖センターがあり、30種を超える希少淡水魚の系統保存を行っている。系統保存を実施している種数は、日本はもちろん世界でも特筆すべき数といえる。さらに、累代飼育の歴史は長く、長いものでは琵琶湖博物館の前身である琵琶湖文化館の時代から実施している種もある。そのため、系統保存している種のなかには、現地ではすでに消失してしまった個体群も存在する。たとえば、ウシモツゴの系統保存は、著者の一人である内山氏が1985年に岐阜県の堀田と呼ばれる伝統的な水田地帯から

ウシモツゴが生息していた堀田（岐阜県旧南濃町 1985年内山りゅう氏撮影）

採集した個体が起源となっている。その後、圃場整備により堀田は消失し、ウシモツゴも姿を消してしまった。琵琶湖博物館のウシモツゴはその貴重な絶滅個体群の生き残りとなっている。これらは将来、野生復帰の機運が高まった際の放流個体候補となりうる。

以上のような資料の価値を明らかにするためには調査研究が不可欠である。研究が実施されて初めて資料と生物多様性保全が結びつく。また、系統保存も研究無しに継続することはできない。人工環境下でそもそも飼育・繁殖が難しい種がいる上に、遺伝的多様性、近交弱性、人工環境への適応の問題など、課題は山積みである。さらに、積み上げた飼育繁殖技術の継承も大きな課題となっている。

淡水魚保護を実現するには、いかに広くその大切さが浸透するかにかかっている。博物館では、展示や普及啓発活動を通じて、研究の成果を発信することができる。生物多様性保全を普及させるという点で、博物館の発信力を見逃すことはできない。

限られた学芸員がこれらのすべてを担うことは困難をきわめるが、博物館は人が集まる交流の場にもなっている。地域の人や企業などと連携をとり協力体制を築くことで、淡水魚保護の実現可能性を高めることが可能となる。

以上のように、自然史博物館は、地域の生物多様性保全を支える存在といえる。

（川瀬成吾）

琵琶湖博物館魚類標本収蔵庫

琵琶湖博物館保護増殖センター

スズキ目　ドンコ科
イシドンコ
Fluvial dark sleeper

学　名　*Odontobutis hikimius*
　　　　Iwata and Sakai, 2002

全長（cm）	15〜30
背鰭条数	VII〜VIII-I, 8〜10
臀鰭条数	I, 6〜8
縦列鱗数	38〜49
背鰭前方鱗数	18-31

絶滅危惧 II 類（VU）

ドンコよりもシャープで、細長い体型

25.5cm 島根県産

ドンコと同じ3本の黒い鞍状斑

4.4cm 島根県産

【形態】ドンコと同様であるが、頭部はドンコよりも縦扁している。体色は黄褐色で背部に3個程度の黒色斑がある。成魚の全長は15cm程度で、最大で約30cm。
【生態】河川上・中流域の礫河床で障害物の多い場所を好む。近縁のドンコよりも上流側に生息し、より流れのある環境に見られる。繁殖についてはドンコに類似すると考えられるが、詳細は不明。河川によってはドンコと共存するが、その場合はドンコが下流側、イシドンコが上流側に見られる。また、ドンコはよく潜砂行動を行うが、本種はほとんど砂にはもぐらない。
【分布】島根県西部から山口県東部の日本海側。
【特記事項】比較的最近記載された種で、かつてはドンコの匹見グループとして認識されていた。

成魚。本種は上流の礫底に多い。

（藤田朝彦）

スズキ目　ドンコ科
ヨコシマドンコ
Striped sleeper

学　名　*Micropercops swinhonis*
　　　　　 (Günther, 1873)

全長(cm)	5〜8
背鰭条数	VIII〜IX-I, 10
臀鰭条数	I, 8
胸鰭条数	14〜15
腹鰭条数	I, 5
縦列鱗数	33〜37

顔が丸く、口が小さい
各ひれに目立つ斑紋はない
体側に暗色横縞が並ぶ
腹面には斑紋がない

4.8cm 愛知県産

2.3cm 愛知県産

【形態】ほかのドンコ科に比べると小型で、顔が丸い。成魚の全長は5cmで、最大で8cm。名前のとおり、黄白色の横縞が7〜8本程度存在する。尾びれの後縁は丸い。繁殖期のオスは尾びれ下部から臀びれが黄色に染まる。

【生態】湖沼や池、水路などの純淡水域の流れの緩やかな場所に生息する。雑食性で、水生昆虫や小型の甲殻類を主に捕食するが、藻類なども食べるようである。石の下部に巣を作って産卵し、オス親がふ化まで保護を行う。繁殖期は3〜5月頃。繁殖行動としてトゲウオ類のようなジグザグダンスを行う。

【分布】国外外来種。愛知県に定着しているが、関東地方でも採捕例がある。原産地は中国のアムール川水系からベトナムおよび朝鮮半島。

【特記事項】本書における生態などの記載は原産地の情報によっている。

日本産のほかのドンコ類とは大きく異なった外見。

(藤田朝彦)

スズキ目　カワアナゴ科
カワアナゴ
Spined sleeper

学　名　*Eleotris oxycephala*
　　　　　Temminck and Schlegel, 1845

全長（cm）	15〜25
背鰭条数	VI-I, 8
臀鰭条数	I, 8
縦列鱗数	41〜53
背鰭前方鱗数	37〜52

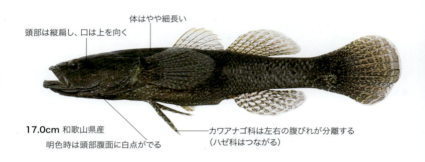

体はやや細長い
頭部は縦扁し、口は上を向く
17.0cm 和歌山県産
明色時は頭部腹面に白点がでる
カワアナゴ科は左右の腹びれが分離する（ハゼ科はつながる）

【形態】頭部は縦扁し平らになる。胴部は円筒形で、尾部は側扁している。体形は比較的細長い。腹びれは左右に分かれており、吸盤型にならない。胸びれ基底に2つの暗色斑がある。体色の変化が著しく、基本的には黒褐色の体色を示すが、明色時には背面が淡黄褐色になり、頭腹面に白点が散在する。また、黄褐色の横帯が現れることも多い。成魚の全長は15cm。最大で25cm。
【生態】河川の汽水域から下流域に生息するが、成魚は主に淡水域に生息する。砂礫底に多く、昼間は石や流木などの隠れ場が多い場所に潜み、夜に活動する。動物食性で、甲殻類、魚類などを捕食する。両側回遊性で、河川で産卵し、ふ化仔魚は海へ下る。
【分布】福島県以南、新潟県以西の本州、四国、九州、屋久島、種子島。国外では済州島、中国浙江省銭塘江からベトナム北部にかけての東シナ海沿岸。
【特記事項】日本産の本属魚類では南方への分布が狭く、大隅諸島より南では見られない。

（藤田朝彦）

成魚 体色変化が著しい。生息環境に合わせて背面が明色になることも多い。

成魚の頭部 頭部は強く縦扁する。口は大きい。

スズキ目　カワアナゴ科
チチブモドキ
Spinecheek sleeper

学　名　*Eleotris acanthopoma* Bleeker, 1853

全長(cm)	10〜15
背鰭条数	VI-I, 7〜8
臀鰭条数	I, 7〜8
縦列鱗数	48〜56
背鰭前方鱗数	33〜46

やや眼が大きい
頭部背面に暗色斑はない
胸びれ基底、尾柄にそれぞれ2つの黒斑

7.5cm 三重県産

【形態】体形はカワアナゴに似て縦扁した頭部と円筒形の胴を持つが、やや太短い。胸びれの基底と尾びれの基底にそれぞれ2つの暗色斑がある。胸びれ軟条の上縁は遊離しない。眼下域にうろこがない。体色の変化は著しいが、頭部腹面に白点は生じないといった特徴がある。カワアナゴよりも小型で成魚の全長は10cm。最大で15cmに達する。
【生態】生息環境は幅広いが、特に河口部から河川下流部にかけて多く生息する。比較的泥底を好む。両側回遊を行う。夜行性で、甲殻類や小魚などを捕食する動物食性である。
【分布】茨城県から九州南部の太平洋側、琉球列島、伊豆諸島、小笠原諸島、大隅諸島、五島列島。国外では台湾から南太平洋西部、南アフリカ。

成魚。河川の下流部から河口部に多い。

（藤田朝彦）

スズキ目　カワアナゴ科
テンジクカワアナゴ
Indian spined sleeper

学　名　*Eleotris fusca*
(Forster, 1801)

全長(cm)	15〜20
背鰭条数	VI-I, 8
臀鰭条数	I, 8
縦列鱗数	56〜65
背鰭前方鱗数	38〜54

頭部は縦扁する
尾柄は側扁する
胸びれ基底の暗色斑は1つ

13.7cm 和歌山県産

【形態】体形はカワアナゴによく似ており、縦扁した頭部と円筒形の胴を持つが、やや太短く見える。ほほの横列孔器数は8。胸びれ・尾びれの基底の上部に1つの暗色斑があり、体色が明色時に確認できる。成魚の全長は15cm。最大で20cmに達する。

【生態】河川中流域から下流域の流れの緩やかな淡水域に生息し、比較的泥底を好む。両側回遊を行うが、日本産の本属魚類ではもっとも上流域にまで生息し、汽水域には定着しない。また同属他種に比べて仔魚の浮遊生活期が長く、着底して底生生活に入るのは2cm程度になってからである。夜行性で、甲殻類や小魚などを捕食する動物食性である。

【分布】小笠原諸島、福島県から遠州灘、宮崎県・高知県から与那国島で確認されている。国外では太平洋西部、インド洋全域。

成魚。河川の中・下流域に多い。

（藤田朝彦）

413

スズキ目　カワアナゴ科
オカメハゼ
Broadhead sleeper

学 名　*Eleotris melanosoma*
　　　　　Bleeker, 1853

全長(cm)	15〜25
背鰭条数	VI-I, 8
臀鰭条数	I, 8
縦列鱗数	46〜58
背鰭前方鱗数	37〜53

胸びれ基底の黒色斑は1つ
尾びれ基底の黒色斑は1つ

17.4cm 沖縄県産

【形態】体形はカワアナゴに似て縦扁した頭部と円筒形の胴を持つが、やや太短い。ほほの横列孔器数は6。胸びれ・尾びれの基底上部に1つの暗色斑があり、体色が明色時に確認できる。幼魚の尾びれは黒褐色で白く縁どられる。成魚の体色変化は激しい。成魚の全長は15cm。最大で25cm。
【生態】河口部から河川下流域の汽水から淡水域に生息する。マングローブ林に比較的多い。両側回遊を行う。動物食性で、夜間に甲殻類や小魚などの小動物を捕食する。
【分布】小笠原諸島、茨城県、神奈川県から琉球列島で確認されている。国外では太平洋西部、インド洋全域。
【特記事項】国内産のカワアナゴ属4種は、互いにきわめて類似しており、見分けるのは難しい。かつては分類が混乱していた。また、本属魚類は、インド洋全域にかけて多くの種が存在する。

成魚。下流部に多く生息する。

（藤田朝彦）

スズキ目　カワアナゴ科
タナゴモドキ
Bitterling like sleeper

学　名　*Hypseleotris everetti*
　　　　(Boulenger, 1895)

全長(cm)	6〜8
背鰭条数	VI-I, 8〜9
臀鰭条数	I, 9〜11
背鰭前方鱗数	14

絶滅危惧 IB 類（EN）

体は著しく側扁する
黒い縦条が頭部から尾柄にかけてある
繁殖期のオスの背びれ
臀びれには斑紋が出る
口は小さい

オス 5.1cm 沖縄県産

メス 5.1cm 沖縄県産

【形態】ハゼ亜目魚類であるが、ほかのハゼと異なり、体形は側扁し頭部が小さく、尖る。コイ科のタナゴ類のような外見であることが和名の由来となっている。吻端から尾柄にかけて黒い縦条がある。繁殖期のオスの背びれは黒味が強まり、不規則な白斑が現れる。成魚の全長は6〜7cm。最大で8cm。

【生態】河川下流域、湿地などの低地の淡水環境に生息する。群れを作り浮遊して生活する。動物食性。両側回遊型で、仔魚は海で生活する。

【分布】奄美大島、沖縄島、久米島、宮古島、石垣島、西表島に生息。和歌山県、高知県、宮崎県の黒潮の影響を受ける範囲でも確認例がある。国外では太平洋西部およびインド洋西部の亜熱帯から熱帯域にかけて生息する。

【特記事項】本種の卵および仔魚はきわめて小さく、魚類では最小の部類である。

成魚。ハゼの仲間だが、中層で浮遊する。

（藤田朝彦）

415

スズキ目　カワアナゴ科
タメトモハゼ
Snakehead sleeper

学　名　*Giuris tolsoni*
　　　　　(Bleeker, 1854)

全長(cm)	15〜25
背鰭条数	VI-I, 7〜8
臀鰭条数	I, 8〜10
背鰭前方鱗数	13〜18

絶滅危惧IB類（EN）

- 眼は体の横につく
- 背面は平たい
- やや側扁した円筒形の体
- 眼から後ろに暗朱色の線がある
- 体側に多数の鞍状斑と暗色斑がある

13.7cm 沖縄県産

6.8cm 沖縄県産

【形態】形態は円筒状であるが、背面は平らであり、ボラのような体形をしている。体側中央に暗緑の色斑が連続し、眼の後方に放射状の線がある。体側の斑紋は水色に縁どられることが多い。胸びれの基部から体側後方にかけては鮮やかな黄色味を帯びる。比較的大型のハゼで、成魚の全長は15cm。最大で25cm。
【生態】河川の中・下流域の流れの緩やかな障害物の多い場所に生息するが、渓流域で見られることもある。中層に浮遊して静止しており、流下昆虫などを捕食する。
【分布】奄美大島以南の琉球列島に分布。国外ではフィリピンからソロモン諸島周辺の太平洋西部。
【特記事項】腹部に縦帯があり、本種より尖った頭部を持つゴシキタメトモハゼ *G. viator* の生息が確認されており、混生している場合もある。

未成魚。浮遊していることが多い。

（藤田朝彦）

スズキ目　ノコギリハゼ科
ヤエヤマノコギリハゼ
Olive flathead sleeper

学　名　*Butis amboinensis*
(Bleeker, 1853)

全長(cm)	10〜14
背鰭条数	VI-I, 8
臀鰭条数	I, 8〜9
背鰭前方鱗数	28

絶滅危惧IA類（CR）

両眼間に鋸歯の列が眼に沿って存在する

吻が尖る

体は硬く、触るとザラザラしている

7.8cm 沖縄県産

【形態】細長い体形をしており、頭部は縦扁して鋭く尖っている。両眼の上に鋸歯が存在する。体色は暗褐色で、眼から尾柄にかけて黒色縦帯が現れる場合がある。体表にぬめりがなく、触るとかたい感触を受ける。成魚の全長は10cm。最大で14cm。

【生態】河川汽水域の最上流部で淡水の影響が大きい場所に生息するが、稀に上流域でも見られる。マングローブやアダンなどの植物帯を好む。このような植物の茎や枝などに沿って、頭を下にして逆立ちした状態で静止している。あまり遊泳しない。動物食性。

【分布】奄美大島、沖縄島、石垣島、西表島。国外では台湾から西部太平洋、インド洋東部まで。

【特記事項】生活史や繁殖行動などについて、不明な点が多い。

未成魚。植生帯で擬態していると考えられる。

（藤田朝彦）

スズキ目　ノコギリハゼ科
クモマダラハゼ
Giant Mud-gudgeon

全長(cm)	10〜40
背鰭条数	VI-I, 7〜9
臀鰭条数	I, 7〜8
縦列鱗数	32〜36
背鰭前方鱗数	21〜26

学　名　*Ophiocara gigas*
　　　　　Kobayashi and Sato, 2023

体は茶色っぽく明瞭な黒色斑が散在する

2本の幅広いベージュ色の横帯

オス　沖縄県産
（写真提供／小林大純）

メス　沖縄県産（写真提供／小林大純）

【形態】体は円筒形で、口は大きく、上あごの後端は眼の中央下に達する。両あごには複数の小さな円錐形の歯がある。体は全体に茶色っぽく、明瞭な黒色斑点が散在するとともに、2本の幅広いベージュの横帯をもつ。ホシマダラハゼ属魚類のなかでもっとも大型に成長する。
【生態】両側回遊性で、浮遊仔魚期に海流によって分散すると考えられている。ホシマダラハゼに比べ、塩分濃度が低い環境を好み、マングローブ林を流れる河川本流や水路の淡水域および汽水域に生息する。主に小魚や甲殻類を捕食する。
【分布】国内では、奄美大島以南の琉球列島。国外ではフィリピンから西太平洋にかけて分布。
【特記事項】これまで日本産ホシマダラハゼ属魚類は、ホシマダラハゼのみと考えられてきたが、2023年に日本から本種と**ヤミマダラハゼ** *O. macrostoma* が新種として記載された。これら日本産3種は、生息環境や最大体長に違いがみられる。

ヤミマダラハゼ（写真提供／小林大純）

（井藤大樹）

スズキ目　ノコギリハゼ科
ホシマダラハゼ
Northern mud sleeper

学　名　*Ophiocara ophicephalus*
　　　　　(Valenciennes, 1837)

全長(cm)	10〜25
背鰭条数	VI-I, 8〜9
臀鰭条数	I, 7
背鰭前方鱗数	20〜26

絶滅危惧Ⅱ類（VU）

- 前鼻孔は筒状に突出する
- 体は黒褐色で、多数の白色点が散在する
- 第2背びれ、尾びれにも白色点が散在する

22.5cm　沖縄県産

【形態】日本の淡水に生息するハゼのなかではもっとも大型になる種の一つ。体は黒褐色で、幼魚には2列の白色横帯がある。成長すると体側に白色小点が見られる。成魚の第2背びれ、臀びれ、尾びれの周辺は黄白色に縁どられる。老成魚では体側の斑紋は見られないことが多い。最大で全長20cmを超える。
【生態】河川汽水域の流れの緩やかな場所に生息。淡水域にはあまり侵入しない。マングローブ帯や、水生植物の繁る環境に多い。動物食性で、小魚などを活発に追う。
【分布】種子島以南の琉球列島。国外では台湾から西太平洋・南太平洋西部、インド洋周縁に幅広く分布している。
【特記事項】琉球列島のマングローブ帯などでは、本属魚類がしばしばルアーフィッシングの対象とされることもある。

大型のハゼであり活発に捕食を行う。

（藤田朝彦）

419

スズキ目　ノコギリハゼ科
シーサーハゼ
Shīsā-haze

学　名　*Paloa villadolidi*
　　　　　Roxas and Ablan, 1940

全長(cm)	4〜8	胸鰭条数	17
背鰭条数	VI-I, 9〜10	縦列鱗数	88〜100
臀鰭条数	I, 8	背鰭前方鱗数	51〜65

上あごの後端は眼の前縁下を越えない

1〜3本の紫がかった茶色の縦帯

5.5cm　沖縄県産（写真提供／前田健）

【形態】体は細長い円筒形で、後半部ではやや側扁する。頭部はやや縦扁し、上あごの後端は眼の前縁下を越えない。眼と第1背びれは小さい。両顎に犬歯状の歯をもち、上あごの歯の数（7〜11本）は下あご（4〜7本）より多い。体と各ひれは赤みがかった茶色で、体側に1〜3本の紫がかった茶色の縦帯をもつ。眼から頬にかけて放射状に2本の暗色線が走る。

【生態】国内外での確認例は限定的で、生態はよくわかっていない。沖縄島や石垣島では、汽水域のマングローブが生えているようなタイドプールなどに生息する。

【分布】国内では沖縄島と石垣島のみで確認されており、国外でもフィリピンのルソン島から知られるのみである。

【特記事項】2023年に日本初記録種として報告された。日本産の標本は、これまで *Odonteleotris macrodon* のジュニアシノニムとして取り扱われていた *Paloa villadolidi* と形態的に類似する一方で、*O. macrodon* とは上下のあごの歯の本数などが異なることから *P. villadolidi* を暫定的に有効種として取り扱い、シーサーハゼという和名が与えられた。この和名は、発達した犬歯状の歯をもつことが沖縄の伝統工芸品であるシーサーに似ることに因んで付けられた。

(井藤大樹)

スズキ目　ツバサハゼ科
ツバサハゼ
Wing-like goby

学　名　*Rhyacichthys aspro*
　　　　(Valenciennes, 1837)

全長(cm)	15～25	胸鰭条数	21～23
背鰭条数	VII-I, 8	縦列鱗数	37～39
臀鰭条数	I, 8～9	脊椎骨数	28

絶滅危惧 IA 類（CR）

頭や体は縦扁する
体側に側線管がある
18.0cm 沖縄県産
左右の腹びれは分離
背面 18.0cm 沖縄県産
胸びれは大きく、扇状

【形態】頭も体も縦扁して大きな胸びれを有し、流れの速い場所でも動きやすく、水圧を利用して岩などにはりつくなど、渓流域での生息に適した体形をしている。口は小さく、頭部腹面にある。左右の腹びれは分離する。かたい櫛鱗に覆われ、ハゼ亜目では珍しく体側に側線管を持つ。

【生態】河川上流域の落ち込みや滝下などの急流付近の岩場に好んで生息する。藻類を主な餌とする雑食性。昼行性。両側回遊魚。

【分布】国内では屋久島、奄美大島、沖縄島、石垣島、西表島に分布。国外ではインドから太平洋にかけて分布。

【特記事項】河川改修や道路整備、取水・導水管建設、水質汚染、エコツーリズムによる観光客の増加、業者による採集などの影響で、近年は激減している。すべての生息地において個体数はきわめて少ない。

急流のなかで岩に張りついている。

（川瀬成吾）

スズキ目　ハゼ科
トビハゼ
Mudskipper

学　名 *Periophthalmus modestus* Cantor, 1842

全長(cm)	8〜12
背鰭条数	X〜XVII-I, 11〜13
臀鰭条数	I, 10〜12
胸鰭条数	11〜16
脊椎骨数	26

準絶滅危惧（NT）

先端は尖らない
棘条数は 10〜17
眼は大きく、上方に突出する
左右の腹びれはつながり、1つになる

6.7cm 福岡県産

両眼間隔が狭い

背面 8.9cm 和歌山県産

【形態】眼は大きく上方に突出し、両眼間隔は狭い。鰓孔は非常に小さい。第1背びれは丸く、黒褐色の帯がない。胸びれは発達する。左右の腹びれは膜蓋と癒合膜で連なる。

【生態】内湾や河口の泥底や砂泥底の発達した干潟や塩性湿地に生息する。干潮時に、干潟で活動する水陸両生魚。発達した胸びれを使って泥の表面をはい回り、尾部を使ってジャンプする。陸上では主に皮膚で空気呼吸を行う。4〜10月の活動期と11〜3月の休止期がある。繁殖期は5〜8月。オスは泥に穴を掘って巣を作り、求愛ジャンプでメスを誘う。泥の表面にいる小動物を餌とする。

【分布】東京湾から種子島、瀬戸内海、有明海、沖縄島。国外では朝鮮半島、中国、台湾から知られる。

【特記事項】河口や沿岸域の開発、埋め立て、ダムの影響による土砂供給の減少にともなう干潟や塩性湿地面積の減少や底質の変化などによって生息地や生息数が減少している。高知県では県指定希少野生動植物に指定されている。

(川瀬成吾)

移動中の個体 胸びれを使って泥の上をはい回る。

成魚 突出した眼を使って、あたりの様子をうかがう。

顔 眼が突出しているため、カエルに似た顔つきをしている。

スズキ目　ハゼ科
ミナミトビハゼ
Southern mudskipper

学　名　*Periophthalmus argentilineatus*
Valenciennes, 1837

全長(cm)	10〜14
背鰭条数	XI〜XVI-I, 9〜12
臀鰭条数	I, 8〜11
胸鰭条数	11〜14
脊椎骨数	26

先端は尖る　棘条数は 11〜16　はっきりした細い暗色帯がある
腹びれは左右に分離する
8.9cm 沖縄県産

背面 8.2cm 沖縄県産

【形態】トビハゼに似て、眼は大きく上方に突出し、両眼間隔は狭い。鰓孔は非常に小さい。胸びれの基底は長く、軟条部が側方に向いており、遊泳よりも歩行に適している。トビハゼとは、第1背びれの先端が尖り、その外縁に暗色帯があること、腹びれは左右に分離することで識別することができる。第1背びれの棘条数は 11〜16。体色は暗褐色をしている。

【生態】河口や汽水域のマングローブ帯や内湾の干潟の泥底に生息する。干潮時に、干潟で活動する水陸両生魚。胸びれを使って泥の表面をはい回り、尾部を使用してジャンプすることができる。口は下方に開き、泥の表面にいる小動物を食べる。

【分布】種子島、屋久島、琉球列島に分布する。国外ではインド洋、太平洋の熱帯、亜熱帯域から広く知られる。

干潮時の干潟を餌を求めてはい回る。

（川瀬成吾）

スズキ目　ハゼ科
ムツゴロウ
Mutsugoro mudskipper

学　名 *Boleophthalmus pectinirostris* (Linnaeus, 1758)

全長(cm)	16～20
背鰭条数	V-23～26
臀鰭条数	23～25
胸鰭条数	18～20
脊椎骨数	26

絶滅危惧IB類（EN）

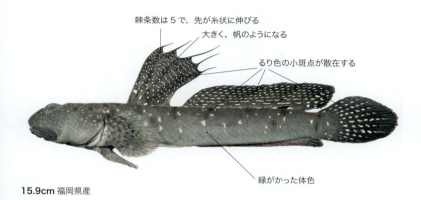

棘条数は5で、先が糸状に伸びる
大きく、帆のようになる
るり色の小斑点が散在する
緑がかった体色

15.9cm 福岡県産

【形態】体形はトビハゼに似ている。口は大きく、下方につく。第1背びれが大きく帆のようになる。体色は全身が緑がかった褐色で、るり色の小斑点が散在する。
【生態】河口に広がる広大な軟泥の干潟に生息する。雌雄とも泥底に穴を掘り、なわばりを作る。干潮時に巣穴から出て、干潟で活動する水陸両生魚。繁殖期は5～7月。繁殖期になると、オスは求愛ディスプレイ（ジャンプ）を行う。泥の表面の珪藻を主な餌とする。
【分布】日本では有明海と八代海のみに分布する。国外では朝鮮半島西岸、中国、台湾、東南アジアから知られる。
【特記事項】河口や沿岸域の埋め立てや干拓による生息地の消失により、減少している。有明海と八代海の個体群間で遺伝的差異が明らかにされており、それぞれ別の保全単位として扱う必要がある。

下あごにはへら状の歯が密に並ぶ。

（川瀬成吾）

陸に挑戦するムツゴロウ 有明海や八代海の広大な干潟のシンボルフィッシュである。「ムツかけ漁」と呼ばれる

ムツゴロウ漁が有名

スズキ目　ハゼ科
トカゲハゼ
Walking goby

学　名　*Scartelaos histophorus*
　　　　(Valenciennes, 1837)

全長(cm)	10〜15
背鰭条数	V-26
臀鰭条数	26
脊椎骨数	26

絶滅危惧IA類（CR）

成魚　沖縄島の個体群は、本種の分布の北限にあたる。大陸系の遺存種と考えられている。

【形態】体は細長い。眼は頭頂部に突出し、眼下に眼を収納するくぼみがある。上唇と下あご腹面にひげ状突起がある。第1背びれは細く伸長する。体色は背部が暗緑灰色で、腹部は青色が強く、繁殖期のメスでは特に顕著。尾部体側の下半分に濃緑褐色の横帯が数本から十数本ある。頭部、背部、胸びれ、尾びれには小さな暗色点が散在する。

【生態】泥浜干潟に生息孔を掘って、日中の干出時には干潟上で活動し、冠水時には生息孔中に潜む。繁殖期は4〜6月で、産卵室内の天井に産みつけられた卵を主にオスが保護する。浮遊生活を経た稚魚は、上げ潮に乗って干潟に来遊し着底する。雑食性で干潟表面に生息する線虫類、カイアシ類、珪藻類などの微小生物を食べる。生後1年で成熟し、2年目の繁殖期後に多くは死亡する。

【分布】国内では沖縄島のみに分布。国外ではインドー太平洋に広く分布する。

【特記事項】生息地は干潟の埋め立てによって狭められている。

（武内啓明）

428

成魚 頭頂部に突き出た眼で周囲の様子をうかがう。

頭部 泥の表面に生息する微小生物を食べる。

スズキ目　ハゼ科
タビラクチ
Tabirakuchi goby

学　名　*Apocryptodon punctatus*
　　　　Tomiyama, 1934

全長(cm)	7～10
背鰭条数	VI-I, 21～23
臀鰭条数	22～24
胸鰭条数	17～24
脊椎骨数	26

絶滅危惧Ⅱ類（VU）

口が大きく、その後端は眼より後ろにある
第1背びれは第2背びれとほぼ同じ高さ

7.4cm 和歌山県産

暗色の楕円形斑と縦帯がある

複数の小さな鞍状斑がある

背面 7.4cm 和歌山県産

【形態】体はやや側扁し、細長い。眼はトビハゼ類のように背面にあるがやや小さい。口は大きく、水平に開き、上あご後端は眼の後縁を越える。第1背びれの棘は糸状にならない。体側に暗色の楕円形斑と縦帯がある。背面に複数の細い鞍状斑がある。

【生態】比較的規模の大きい河川の軟泥底や内湾などの干潟、淡水の影響を受ける内湾の浅所に生息する。テッポウエビ類の生息孔を利用して生活していると考えられている。繁殖期は7～9月頃。生態には不明な点が多い。

【分布】三重県以南の本州太平洋沿岸と京都府以南の本州日本海沿岸および九州に分布する。

【特記事項】近年、干潟の埋め立てや護岸整備、浚渫、ダムなどの影響によって生息環境が悪化し、生息地が局所化している。

眼の後方やほほ、えらぶたに暗色縦帯がある。

（川瀬成吾）

スズキ目　ハゼ科
チワラスボ
Bearded worm goby

学　名　*Taenioides sryderi*
　　　　　Jordan and Hubbs, 1925

全長(cm)	15～25
背鰭条数	VI-45～50
臀鰭条数	43～49
胸鰭条数	18～19
脊椎骨数	30～32

絶滅危惧 IB 類（EN）

体は著しく細長い
背びれは1基で基底が長い

コガネチワラスボ 22.6cm 和歌山県産

遊離軟条がない
3 対のひげがある

拡大

【形態】体は著しく細長い。眼はきわめて小さい。口は上向きに開き、下あごの下面に3対のひげを持つ。背びれと臀びれの基底は長く、後端が尾びれとつながる。胸びれ起部に遊離軟条はない。体色は赤褐色を呈する。
【生態】河口干潟のかための泥底に巣穴を掘って生息する。生息密度は低い。ふ化後、1ヵ月あまりを海で過ごし、10mmほどで着底する。
【分布】静岡県から沖縄島にかけて分布する。国外でに、朝鮮半島、中国、台湾、インド－太平洋から知られる。
【特記事項】これまでチワラスボといわれていた種のなかにチワラスボ、コガネチワラスボ、アカナチワラスボ、ティーダチワラスボの4種存在することが、近年明らかにされている。分類学的に整理するとともに分布や生態に関する知見を蓄積する必要がある。

小さい眼、上向きの口、3 対のひげ

（川瀬成吾）

スズキ目　ハゼ科
マバラヒゲワラスボ
Bearded eel goby

学　名　*Trypauchenopsis intermedia*
　　　　　Volz, 1903

全長(cm)	12〜15
背鰭条数	VI-I, 30
臀鰭条数	27
胸鰭条数	19
脊椎骨数	26

絶滅危惧II類（VU）

10.5cm 沖縄県産

頭部に多数のひげ
眼はきわめて小さい
口は上向き

拡大

【形態】チワラスボに似て頭は小さく、体は細長く伸長する。その名が示すように、頭部全体に多数の小さなヒゲを有している。眼はきわめて小さく、頭部の上方にある。背びれと臀びれの基底は長く、それぞれ胸びれ先端前方より、肛門直後よりはじまり尾びれとつながる。尾びれは長く、後縁が尖る。
【生態】河川汽水域の軟泥底やマングローブ帯に生息する。30〜40cmほど泥にもぐって生活している。
【分布】国内では主に奄美大島以南に分布し、屋久島や高知県須崎市からも記録がある。国外ではインドー太平洋から報告がある。
【特記事項】泥に深くもぐって生活しているため、正確な分布および生息数の把握が難しい。しかし、干潟の埋め立てなどで、近年、生息地が減少していると考えられている。

頭部には無数のひげがある。

(川瀬成吾)

スズキ目　ハゼ科
ミナミサルハゼ
Southern saruhaze goby

学　名　*Oxyurichthys lonchotus*
　　　　(Jenkins, 1903)

全長(cm)	9～12
背鰭条数	VI-I, 11
臀鰭条数	I, 13
胸鰭条数	18～19
脊椎骨数	26

眼上に皮弁はない
皮褶がある
棘条は伸長して糸状となる
尾びれの後端は尖形
体側後半に細い暗色横帯がある
左右の腹びれは癒合する

6.6cm 和歌山県産

【形態】体は側扁した円筒形で、やや細長い。吻は丸い。眼はやや大きめで上方につく。後頭部正中線に皮褶がある。第1背びれの棘条は伸長して糸状となる。第2背びれと臀びれの基底は長く、目立った斑紋はない。左右の腹びれは癒合して1つになる。尾びれの先端は尖って後方に伸び、尖形となる。第1背びれ前側方にはうろこがない。体側後半に細い暗色横帯があり、その数は約5本。鰓条部には黒色斑がある。

【生態】河口域の砂泥底や軟泥底を好む。水深2mより浅い水域に生息する。黒潮の影響を受ける地域に生息する南方系の種である。

【分布】国内では静岡県や紀伊半島、屋久島、種子島、口永良部島、琉球列島、小笠原諸島。国外では、台湾南部、ベトナム、フィリピン諸島、アンボン島などから知られる。

鰓条部に黒斑があるのも本種の特徴。

（川瀬成吾）

スズキ目　ハゼ科
カマヒレマツゲハゼ
Horned tentacle goby

学　名 *Oxyurichthys cornutus* McCulloch and Waite, 1918

全長(cm)	9〜11
背鰭条数	VI-I, 11〜12
臀鰭条数	I, 12〜13
胸鰭条数	21〜22
脊椎骨数	26

眼上に細長い皮弁を有する
第2棘条は糸状となる
体側背部の小黒点は明瞭
尾びれの後端は尖形

3.7cm 和歌山県産

【形態】体形はミナミサルハゼと類似している。眼は上方についており、眼上には細長い皮弁がある。第1背びれの第1〜2棘が糸状に伸長する。第2背びれと臀びれの基底は長め。左右の腹びれは癒合して吸盤状になる。尾びれの後端は尖って、尖形を呈する。体側には暗色斑紋が複数並び、背面には明瞭な小黒点が多数存在する。腹びれの軟条に濃い黒色点列がある。
【生態】河口域の砂泥や軟泥に生息する。日本では黒潮の影響を受ける地域に生息する南方系の種である。詳しい生態は不明。
【分布】国内では静岡県、和歌山県、種子島、屋久島、琉球列島から報告されている。国外では、台湾南部、フィリピン諸島、スラウェシ島、オーストラリア北岸から北東岸、フィジー諸島、サモア諸島から記録がある。

和歌山県産の個体

(川瀬成吾)

434

スズキ目　ハゼ科
ノボリハゼ
Sharptail goby

全長(cm)	5〜9
背鰭条数	VI-I, 10
臀鰭条数	I, 11
脊椎骨数	26

学　名　*Oligolepis acutipennis*
(Valenciennes, 1837)

眼下の黒色横帯は細く口角部にかかる

口は小さく、その後端は眼の後縁を越えない

尾びれの後端は尖形

オス 5.2cm 沖縄県産

メス 7.6cm 沖縄県産

【形態】体は側扁した円筒形で、尾びれは尖形。体色は体の背部が灰色で、腹部は白色。眼下に明瞭な細い黒色横帯を持ち、体側中央の暗色斑はやや不明瞭。第1背びれに暗色縦帯があり、第2背びれに暗色斑点が不規則に並ぶ。臀びれと腹びれに明瞭な斑紋はない。胸びれは透明で、基底上部に明瞭な黒色斑がある。尾びれ中央に数個の黒色横斑が縦列する。クチサケハゼに似るが、上あご後端は眼の後縁を越えないこと、眼下の黒色横帯は細く、口角部にかかることなどで区別できる。
【生態】河川の河口域に生息し、泥底の穴に単独で見られる。河川内での分布はクチサケハゼよりも下流側に偏る。詳しい生態は不明。
【分布】千葉県以西の太平洋沿岸、五島列島以南の東シナ海沿岸に分布する。国外ではインド–太平洋から知られている。

眼下の黒色横帯が特徴的。

（武内啓明）

スズキ目　ハゼ科
クチサケハゼ
Largemouth goby

学　名　*Oligolepis stomias*
　　　　　(Smith, 1941)

全長(cm)	5〜8
背鰭条数	VI-I, 10
臀鰭条数	I, 11
脊椎骨数	26

眼下の黒色横帯は太くL字型に曲がる

尾びれの後端は尖形

口は大きく、その後端は眼後縁を越える

3.5cm 和歌山県産

【形態】ノボリハゼに似るが、上あごの後端は眼の後縁を越えること、眼から斜め後方に走る黒色横帯は太く、上顎部でL字に曲がることなどで区別できる。体色は体の背部が灰色で、腹部は白色。体側中央に5個の明瞭な暗色斑が並ぶ。第1背びれに暗色縦帯を持ち、第2背びれに暗色斑点が規則的に並ぶ。尾びれに不規則な暗色横帯を有す。
【生態】河川の河口域に生息する。泥底に穴を掘り、その中に単独で見られる。河川内での分布はノボリハゼよりもやや上流側に偏る。
【分布】茨城県以西の太平洋沿岸に分布する。国外では台湾南部、サモア諸島から知られている。
【特記事項】熱帯・亜熱帯域に多いが、近年は本州太平洋沿岸でも頻繁に確認されるようになった。

大きな口が和名の由来。

（武内啓明）

スズキ目　ハゼ科
クロミナミハゼ
Longsnout goby

学　名 *Awaous melanocephalus*
(Bleeker, 1849)

全長(cm)	7〜15
背鰭条数	VI-I, 10
臀鰭条数	I, 10
脊椎骨数	26

9.7cm 沖縄県産

【形態】体は円筒形で側扁し、体高は大きい。吻は長い。上唇は厚く、下あごより前に突出する。同属のミナミハゼに似るが、第1背びれの後縁に黒色斑がないこと、ほほにうろこがないこと、胸びれの軟条数が16であることなどで区別できる。

【生態】河川の上・中流域に生息し、淵などの流れが緩やかで砂や砂泥が堆積したところに単独で見られる。警戒心が強く、驚くと砂にもぐる。繁殖期は6〜11月で、転石下の天井などに卵を産みつける。体長4cm程度になると成熟を開始するが、実際に産卵に加わるのは7cm程度になってから。砂を口に含み、底生小動物を食べる。

【分布】屋久島以西の島嶼に分布する。また、千葉県、神奈川県、静岡県、愛知県など、黒潮の影響を強く受ける本州太平洋沿岸からも報告されている。国外では西部太平洋から知られている。

吻は長く、顔つきはマハゼに似ている。

（武内啓明）

スズキ目　ハゼ科
ヨロイボウズハゼ
Armoured parrot goby

学　名 *Lentipes armatus*
　　　　Sakai and Nakamura, 1979

全長(cm)	4〜6
背鰭条数	VI-I, 10
臀鰭条数	I, 10
脊椎骨数	26

絶滅危惧IA類（CR）

- 上唇の中央は切れ込む
- オスの第2背びれに黒点がある
- オスの腹部は青緑色
- メスの体側前半部に櫛鱗はない

オス 4.1cm 沖縄県産

メス 4.6cm 沖縄県産

【形態】体は細長く側扁した円筒形で、頭部は丸みを帯びる。両顎歯は3尖頭で、細いへら状を呈する。顕著な性的二型が見られ、オスは頭の先端と腹部が青緑色を帯び、第2背びれ前方に黒点を持つのに対し、メスの体色は一様に淡褐色で、第2背びれに黒点がない。
【生態】小河川の上流域に生息する。急流を好み、滝壺付近の岩盤や転石の上に見られる。雑食性と考えられる。
【分布】種子島、屋久島、奄美大島、沖縄島、石垣島、西表島に分布する。国外では台湾から知られている。
【特記事項】多量取水による河川流量の減少、ダム建設、道路整備による土砂の流入などにより生息環境が悪化し、個体数が減少している。

オスは吻と腹部が青緑色に輝く。

（武内啓明）

438

スズキ目　ハゼ科
カエルハゼ
Froggy goby

全長(cm)	4～6
背鰭条数	VI-I, 9
臀鰭条数	I, 9～10
脊椎骨数	26

絶滅危惧IA類（CR）

学　名 *Smilosicyopus leprurus*
　　　　　(Sakai and Nakamura, 1979)

吻は上あごと同じくらいの長さ

上唇の背面から眼下にかけて黒色縦帯が走る

オス 4.8cm 沖縄県産

背びれに多数の黒点がある

メス 5.2cm 沖縄県産

繁殖期のメスの腹部は赤い

【形態】体はよく縦扁する。両顎歯は尖った円錐状または犬歯状を呈する。雌雄とも吻に上唇背面に沿って走る黒色縦帯がある。体色は雌雄とも一様に淡褐色であるが、繁殖期のメスの腹部は赤い。
【生態】小河川の上流域の流れの緩やかな淵に生息する。雑食性で付着藻類や小型の底生動物を食べる。
【分布】屋久島以西の島嶼に分布する。国外ではマリアナ諸島から知られている。
【特記事項】Watson (1999) は *Sicyopus* 属の分類学的再検討を行い、*Sicyopus* 属を *Sicyopus* 亜属と *Smilosicyopus* 亜属に細分し、本種を *Smilosicyopus* 亜属のタイプ種に指定した。その後、Keith et al. (2011) は分子系統解析に基づき、これら2亜属を属の階級に格上げした。本書では Keith (2011) の分類に従い、カエルハゼの属名として *Smilosicyopus* を用いた。

口元の黒色縦帯が口ひげのように見える。

（武内啓明）

スズキ目　ハゼ科
アカボウズハゼ
Red parrot goby

学　名　*Sicyopus zosterophorus*
(Bleeker, 1856)

全長(cm)	4～6
背鰭条数	VI-I, 9
臀鰭条数	I, 10
脊椎骨数	26

絶滅危惧 IA 類（CR）

- 吻長は上あごより長い
- 眼下に暗色線がある
- オスの体側後半部は淡赤色
- オスの体側には数本の黒色横帯がある

オス 5.7cm 沖縄県産

- メスの体は一様に淡黄色

メス 5.1cm 沖縄県産

【形態】オスの体側後半部は鮮やかな赤色で、数本の黒色横帯を持つ。メスの体は一様に淡褐色で、オスと比べて透明感が強い。両顎歯は尖った円錐状または犬歯状を呈する。背びれに黒点がないこと、上あごの後端が眼の中央より後方にあることなどで近似のカエルハゼと区別できる。
【生態】小河川の上流域に生息する。流れの緩やかな淵の岩盤や転石の上に単独で見られ、中層を泳いで移動する。生息個体数は非常に少ない。動物食性と考えられ、飼育下ではユスリカ幼虫（アカムシ）などを食べる。
【分布】種子島以西の島嶼に分布する。また、高知県からも稚魚が報告されている。国外では西部太平洋から知られている。
【特記事項】多量取水による河川流量の減少、ダム建設、道路整備による土砂の流入などにより生息環境が悪化し、個体数が減少している。また、その美しい体色や希少性から観賞魚として人気があり、業者やマニアによる乱獲にも注意が必要である。

（武内啓明）

オス成魚 体側後半部は鮮やかな赤色に染まる。

メス成魚 河川の上・中流域に生息し、流れの緩やかな淵などに見られる。

441

スズキ目　ハゼ科
ヒノコロモボウズハゼ
Rapids parrot goby

学　名 *Sicyopus auxilimentus*
　　　　Watson and Kottelat, 1994

全長(cm)	4
背鰭条数	VI-I, 9
臀鰭条数	I, 10
脊椎骨数	10+16=26

情報不足（DD）

オス成魚　この個体は発色していないが、婚姻色が現れると体側後半が赤く染まる。

【形態】体は細長く側偏した円筒形。婚姻色の現れたオスの体側後半部は鮮やかな赤色で、体側中央部、第2背びれ、臀びれは黒く染まる。メスの体は一様に淡褐色で、これといった特徴がない。雄の体後半部が赤色である点は、アカボウズハゼと共通するが、オスの第1背びれが尖り、体側に黒色帯がないことや、体側前半のうろこがまばらであることなどで区別できる。

【生態】ほかのボウズハゼに比べてより小さな河川を好む。河川の上流域の流れの緩やかな淵に生息する。個体数は非常に少なく、詳しい生態は不明。

【分布】奄美大島、沖縄島に分布する。国外ではフィリピンのセブ島から知られている。西太平洋域に散在する可能性があり、調査が進めば分布域は拡大するものと思われる。

【特記事項】日本では、2009年に奄美大島、沖縄島産の標本をもとに日本初記録として報告された。当時は*Sicyopus cebuensis*として報告されたが、その後、*S. cebuensis*は*S. auxilimentus*のジュニアシノニムとされた。両側回遊魚で、稚魚が黒潮に乗って分散し、琉球列島の河川に入ってくると考えられており、沖縄島では、一部越冬も確認されている。

（武内啓明）

スズキ目　ハゼ科
ヒスイボウズハゼ

学　名　*Stiphodon alcedo*
　　　　Maeda, Mukai and Tachihara, 2012

全長(cm)	5
背鰭条数	VI-I, 9
臀鰭条数	I, 10
脊椎骨数	10+15〜17=25〜27

絶滅危惧IA類（CR）

オス成魚　頬の金属光沢のある青緑色がひときわ目を引く。

【形態】ハヤセボウズハゼやコンテリボウズハゼに似るが、ハヤセボウズハゼとは胸びれに黒点がないことで、コンテリボウズハゼとはオスの第1背びれの先端が尖ることと、メスの臀びれに黒色縦線がないことで区別できる。婚姻色のオスの頭部側面は鮮やかな青緑色で、体側は黒っぽいが、体側、背びれ、臀びれ、尾びれが橙色の個体もいる。メスの体は同属他種と同様に淡褐色で、体側に2本の黒色縦線が走る。
【生態】河川中流域の流れの緩やかな淵に生息する。同属のナンヨウボウズハゼ、コンテリボウズハゼ、ハヤセボウズハゼに交じって見られるが、個体数は多くない。産卵期は10〜12月。
【分布】沖縄島と西表島に分布する。国外では台湾から知られている。

メスは同属他種と同様に黒色縦帯を持つ。

（武内啓明）

スズキ目　ハゼ科
ナンヨウボウズハゼ
Tropical parrot goby

学　名 *Stiphodon percnopterygionus*
　　　　Watson and Chen, 1998

全長(cm)	3〜6
背鰭条数	VI-I, 10
臀鰭条数	I, 10
脊椎骨数	26

オスの頭部は青緑色 ― オスの第1背びれは鎌状／背びれと臀びれは橙色
オス橙色型 3.9cm 沖縄県産

背びれと臀びれは黒色／尾びれ上方に黒色斑がある
オス青色型 3.6cm 沖縄県産

メスの体側には2本の黒色縦帯がある／メスの尾びれ基底に円形の黒色斑がある
メス 4.2cm 沖縄県産

【形態】オスの頭部や体側は緑色に輝き、背びれは鎌状に伸長する。メスの体は淡褐色で、体側に2本の黒色縦帯が走る。オスでは色彩変異(橙色型と青色型)の存在が知られている。

【生態】河川の上・中流域の流れの緩やかなところを好み、淵や平瀬の転石の上やその周辺に見られる。雑食性で付着藻類や小型の底生動物を食べる。

【分布】静岡県、和歌山県、高知県、徳島県、宮崎県、種子島、屋久島、口之永良部島、琉球列島、小笠原諸島から報告されている。国外では台湾、グアム、パラオから知られている。

【特記事項】現在、日本では本種のほかに6種のナンヨウボウズハゼ属魚類(ハヤセボウズハゼ、コンテリボウズハゼ、カキイロヒメボウズハゼ *S. surrufus*、ヒスイボウズハゼ *S. alcedo*、トラフボウズハゼ *S. multisquamus*、ニライカナイボウズハゼ *S. niraikanaiensis*)が確認されている。第2背びれの軟条数が通常10、胸びれの軟条数が通常14であることで日本産の同属他種と区別できる。

(武内啓明)

オス成魚(青色型) 河川の上・中流域の流れの緩やかなところに見られる。

求愛行動 第1背びれを立ててメスにアピールするオス(橙色型)。

メス成魚 メスは同属他種と識別することが難しい。

スズキ目　ハゼ科
コンテリボウズハゼ
Konteri parrot goby

全長(cm)	5～7
背鰭条数	VI-I, 9
臀鰭条数	I, 10
脊椎骨数	26

絶滅危惧 IA 類（CR）

学　名　*Stiphodon atropurpureus*
　　　　　(Herre, 1927)

オス成魚　婚姻色の現れたオスは、その名の通り紺色に輝く。

【形態】オスの体は紺色に輝き、背びれ、臀びれ、尾びれが黒色に染まる。メスの体は淡褐色で、体側に2本の黒色縦帯（縦線が赤みを帯びる個体も見られる）が走る。胸びれに黒点がないこと、オスの第1背びれの先端が尖らないこと、メスの臀びれに黒色縦線があることなどで近似のハヤセボウズハゼと区別できる。
【生態】河川の上・中流域の流れの緩やかなところを好み、淵や平瀬の転石の上やその周辺に見られる。付着藻類や小型の底生動物を食べると思われる。
【分布】和歌山県、種子島、屋久島、奄美大島、沖縄島、石垣島、西表島から報告されている。国外では台湾、中国、フィリピン、マレーシア、インドネシアから知られている。
【特記事項】ほかのボウズハゼ類と同様に生息環境悪化のため個体数が減少している。

メスの尾びれ基底の黒色斑は後方に尖る。

（武内啓明）

スズキ目　ハゼ科
ハヤセボウズハゼ
Rapids parrot goby

全長(cm)	5〜7
背鰭条数	VI-I, 9
臀鰭条数	I, 10
脊椎骨数	26

絶滅危惧IA類（CR）

学　名　*Stiphodon imperiorientis*
　　　　　Watson and Chen, 1998

オス成魚　オスの第1背びれの先端が尖り、胸びれに多数の黒点がある。

【形態】オスの第1背びれの先端は尖るが、ナンヨウボウズハゼのように伸長しない。体色はオスでは緑がかった黄金色の体に数本の暗色横帯が走り、メスでは淡褐色の体に2本の黒色縦帯が走る。メスの体色は、ほかの日本産ナンヨウボウズハゼ属魚類（カキイロヒメボウズハゼを除く）のメスと酷似するため、外見から種を判別することは難しいが、体側中央の黒色縦帯が太いこと、胸びれに多数の黒点があること、尾びれ基底の黒色斑が丸いことなどで区別できる。

【生態】河川の二・中流域の流れの緩やかなところを好み、淵や平瀬の転石の上やその周辺に見られる。生息個体数は非常に少ない。付着藻類や小型の底生動物を摂餌すると思われる。

【分布】日本固有種。奄美大島、沖縄島、石垣島、西表島に分布する。

中層を泳いで移動することが多い。

（武内啓明）

スズキ目　ハゼ科
ルリボウズハゼ
Red tailed parrot goby

学　名　*Sicyopterus lagocephalus*
(Pallas, 1770)

全長(cm)	8〜12
背鰭条数	VI-I, 11
臀鰭条数	I, 10
脊椎骨数	26

絶滅危惧II類（VU）

オスの第1背びれの後端は尖る
オスの体側は青色
尾びれに暗色縦線がある
吻は丸みを帯び、口は腹面に開く
オスの尾びれは橙色
オス 9.0cm 沖縄県産
第2背びれの軟条数は11

メス 9.3cm 沖縄県産

【形態】体は細長く側扁した円筒形。吻は丸みを帯び、口は腹面に開く。上あごには細いへら状歯が密に並び、円錐状歯はない。腹吸盤は楕円形で吸着力が強い。オスは体側が青色、尾びれが橙色を帯び、第1背びれが長く伸びる。メスは一様に淡褐色で体側中央に1本の縦帯がある。同属のボウズハゼに似るが、尾びれの上方と下方に暗色縦線があることで区別できる。

【生態】河川の上流域に生息する。河川内での分布は、ボウズハゼより上流に偏り、両種が共存する場合は、本種は流れの速いところに多い。付着藻類を歯で石の表面から削りとって食べるが、小型の水生昆虫を摂餌することもある。飼育下では、ユスリカ幼虫（アカムシ）や人工飼料なども食べる。

【分布】小笠原諸島父島、種子島以西の島嶼に分布する。また、稚魚が高知県からも確認されている。国外ではインド-太平洋から知られている。

【特記事項】道路整備や河川開発による土砂の流出、水量の減少、水質汚濁などのため生息環境が悪化している。

（武内啓明）

オス成魚 婚姻色の現れたオスは全身がるり色に染まる。

頭部 口は頭部下面に位置し、藻類食によく適応している。

スズキ目　ハゼ科
ボウズハゼ
Parrot goby

学　名　*Sicyopterus japonicus*
(Tanaka, 1909)

全長(cm)	8〜15
背鰭条数	VI-I, 10
臀鰭条数	I, 10
脊椎骨数	26

吻は丸みを帯び、口は腹面に開く
オスは第1背びれは長く伸びる
オス 12.3cm 和歌山県産
第2背びれの軟条数は10
メス 10.0cm 和歌山県産
幼魚の第1背びれ後方に黒色斑がある
3.5cm 和歌山県産

【形態】体は細長く側扁した円筒形。吻は丸みを帯び、口は腹面に開く。上あごには細いへら状歯が密に並び、円錐状歯はない。腹吸盤は楕円形で吸着力が強い。オス成魚では、第1背びれの棘条が糸状に伸びる。体色は茶褐色で、体側には黒褐色の横帯があり、尾びれに暗色縦線はない。ルリボウズハゼに似るが尾びれの上方と下方に暗色縦線がないこと、第2背びれの軟条数が10であることなどで区別できる。

【生態】河川の上・中流域に生息する。流れの速いところを好み、淵尻や瀬頭の岩盤や転石の上に見られる。繁殖期は初夏で、大きな石の下の天井に卵を産みつけ、オスが保護する。ほかのハゼ科魚類と比べて卵が非常に小さく、産卵数が著しく多い。ふ化した仔魚はただちに海へ降下し、翌年の春に川を遡上する。寿命は3〜4年程度と考えられる。藻類食性で、石の表面にはえた付着藻類を歯で削りとって食べる。

【分布】岩手県・兵庫県日本海側以西に分布する。国外では朝鮮半島、台湾から知られている。

(武内啓明)

成魚 岩の表面にはえた藻類を食べる。

幼魚 第1背びれに明瞭な黒色斑を持つ。

稚魚 河川への遡上を開始した個体。

スズキ目　ハゼ科
ヒモハゼ
String like goby

学　名　*Eutaeniichthys gilli*
　　　　　Jordan and Snyder, 1901

全長(cm)	5〜7
背鰭条数	III-I, 17
臀鰭条数	I, 11
胸鰭条数	15
脊椎骨数	39

準絶滅危惧（NT）

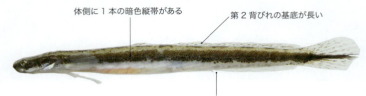

体側に1本の暗色縦帯がある
第2背びれの基底が長い
臀びれ起部は第2背びれ起部より大きく後方にある

3.7cm 千葉県産

吻が上唇を覆い、象顔になる

拡大

【形態】頭は側扁し小さく、体はヒモのように細長い。吻は上唇を覆い、いわゆる象顔になる。第1背びれは非常に小さく、3棘しかない。第2背びれは基底が長い。臀びれ基部は第2背びれ基部より大きく後方にある。

【生態】河口域や内湾の砂泥から砂礫底に生息する。ニホンスナモグリやアナジャコなどの無脊椎動物の生息孔を生息場や産卵場として利用する。繁殖期は5〜8月。

【分布】青森県以南の本州太平洋岸、四国瀬戸内海側、富山県、九州、対馬、屋久島、種子島、奄美大島、石垣島、西表島から報告がある。国外では朝鮮半島西岸と南岸、中国遼寧省から知られる。

【特記事項】西表島と九州以北の個体群は遺伝的に異なることが明らかにされている。河口域の開発は本種の生息に影響を与えていると考えられる。

太い黒色縦帯が目立つ

（川瀬成吾）

スズキ目　ハゼ科
ミミズハゼ
Worm goby

学　名　*Luciogobius guttatus*
　　　　　Gill, 1859

全長(cm)	6〜9
背鰭条数	I, 11〜13
臀鰭条数	I, 12〜13
胸鰭条数	17〜19
脊椎骨数	38〜39

きわめて小さな眼がある　　1本の長い遊離軟条がある　　体は細長い

7.6cm 高知県産

肛門は臀びれ基部の直前にある

背面 5.2cm 和歌山県産

【形態】頭は小さく、体長の5分の1程度。体は細長く、体高は体長の10分の1程度。眼は頭部の背面にあり、小さい。肛門は臀びれ基部の直前に位置する。胸びれ上部に1本の長く明瞭な遊離軟条が存在することや尾びれの縁辺部に透明域がないことなどで、ほかのミミズハゼ類と見分けることができる。繁殖期になると、オスの頭部の筋肉が発達することで、雌雄を区別できる。

【生態】河川中流域から河口域の転石、砂利や礫の間隙中に生息する。繁殖期は西日本では2〜5月。河川下流や河口で産卵し、ふ化した仔魚は海へ下り、沿岸域で浮遊生活をおくる。稚魚になると河口などに戻り、底生生活に入る。間隙中のヨコエビ類やゴカイ類などの小動物を食べる。

【分布】北海道渡島半島、本州、九州、屋久島に分布。国外では朝鮮半島、済州島、遼寧省から浙江省の中国沿岸。

伏流水のある間隙中に潜む

(川瀬成吾)

スズキ目 ハゼ科
ミナミヒメミミズハゼ
Southern dwarf worm goby

学 名 *Luciogobius ryukyuensis* Chen, Suzuki and Senou, 2008

全長(cm)	5〜6
背鰭条数	I, 9〜11
臀鰭条数	I, 9〜12
胸鰭条数	15〜18
脊椎骨数	37〜38

絶滅危惧Ⅱ類（VU）

1本の非常に短い遊離軟条がある

3.8cm 沖縄県産

背面 3.8cm 沖縄県産

【形態】ほかのミミズハゼ類と同様に、頭は小さく縦扁し、体は細長い。背びれ、臀びれ、腹びれがある。肛門は臀びれ基部の直前に位置する。胸びれ上部に非常に小さな1本の遊離軟条が存在する。体は黄褐色で、頭部と体の腹面は白い。オスは成熟すると頭部が左右に張り出し、メスは腹腔内の卵により腹部が橙赤色を呈する。

【生態】河川中流域の転石、砂利の間隙中に生息する。繁殖期は12〜3月。河口の干潮時に瀬になる場所で産卵する。

【分布】琉球列島の固有種。奄美大島、沖縄島、久米島、石垣島、西表島に分布する。

【特記事項】局所的に生息しているため、人為的影響を受けやすい。道路建設、河川改修、農地開発などが本種の存続に悪影響を与えている。

比較的黄色味の強い体色をしている。

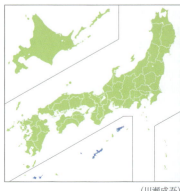

（川瀬成吾）

スズキ目　ハゼ科
イドミミズハゼ
Well worm goby

学　名 *Luciogobius pallidus*
Regan, 1940

全長(cm)	6〜8
背鰭条数	I, 10〜11
臀鰭条数	I, 10〜11
胸鰭条数	13〜15
脊椎骨数	34〜37

準絶滅危惧（NT）

遊離軟条がない　　　体は顕著に細長い(体高は体長の約10分の1)

4.0cm 和歌山県産

背面 4.0cm 和歌山県産

【形態】ミミズハゼに似て、頭が小さく細長い体形をしている。眼は小さいが、皮下に埋没することはない。背びれ、臀びれ、腹びれがある。背びれは1基で、基底は短い。肛門は臀びれ基部の直前に位置する。体色は黄褐色から赤褐色を呈する。体側にうろこはなく、体液で守られているため、ぬるぬるした体表をしている。脊椎骨数は34以上。
【生態】海岸や河口域の転石下などの伏流水や地下水中に生息する。産卵は秋から早春にかけて行われる。
【分布】海岸や河口域の転石下などの伏流水中に生息する。新潟県、茨城県以南の本州、四国、九州、奄美大島の河川から不連続に報告がある。国外では済州島から記録されている。
【特記事項】本種の生存には地下水や伏流水が必要不可欠であるが、近年これらの減少により、生存が脅かされている。

頭は縦扁し、ひげはない。

（川瀬成吾）

スズキ目　ハゼ科
ナガレミミズハゼ
Fluvial worm goby

学　名　*Luciogobius fluvialis*
　　　　　Kanagawa, Itai and Senou, 2011

全長(cm)	4～6
背鰭条数	I, 8～10
臀鰭条数	I, 8～10
胸鰭条数	14～16
脊椎骨数	32～33

準絶滅危惧（NT）

遊離軟条はない　　軟条数はふつう9

オス 4.3cm 静岡県産

メス 3.8cm 静岡県産

【形態】ほかのミミズハゼ類と同様に、頭は小さく縦扁し、体は細長い。背びれ、臀びれ、腹びれがある。肛門は臀びれ基部の直前に位置する。ユウスイミミズハゼと酷似するが、第2背びれ軟条数と臀びれ軟条数がふつう9本であることや腹椎骨数が16～17であることで区別される。総脊椎骨数は32～33。生時の体色は薄い黄色味を帯びた淡い赤緑色から桃色を呈す。

【生態】河川中流域の地下水や伏流水が湧く瀬や淵の砂や砂礫の間隙に生息する。4～5月頃に礫中で産卵する。詳しい生態は不明。

【分布】日本固有種。静岡県安倍川水系からのみ確認されている。

【特記事項】河川工事による生息地の破壊、改変、濁水、転圧などによって種の存続が脅かされている。分布がきわめて局所的であることから、河川工事は慎重に行わなければならない。

黄色みを帯びた透明感のある体をしている。

（川瀬成吾）

スズキ目　ハゼ科
ユウスイミミズハゼ
Spring worm goby

学　名　*Luciogobius fonticola*
　　　　Kanagawa, Itai and Senou, 2011

全長(cm)	3.5〜5
背鰭条数	I, 7〜9
臀鰭条数	I, 7〜9
胸鰭条数	14〜16
脊椎骨数	30〜31

準絶滅危惧（NT）

オス 4.1cm 静岡県産

背面 4.1cm 静岡県産

【形態】ほかのミミズハゼ類と同様に、頭は小さく体は細長いが、概して小型である。背びれ、臀びれ、腹びれがある。肛門は臀びれ基部の直前に位置する。ナガレミミズハゼと酷似するが、第2背びれ軟条数と臀びれ軟条数はふつう8本であることや、腹椎骨数は15であることで区別される。脊椎骨数は30〜31。
【生態】河川下流域の湧水や伏流水の湧く平瀬や淵の砂や砂礫中に生息する。河川改修や護岸工事などの影響により生息地が減少している。生態はわかっていないことが多い。
【分布】日本固有種。静岡県安倍川、大井川水系、三重県銚子川、和歌山県古座川から確認されている。
【特記事項】河川工事による生息地の破壊、改変、濁水、転圧などが本種の存続を脅かしている。ナガレミミズハゼ同様に、河川工事の際は本種への影響が最小限になるように十分な配慮が必要。

赤黄色をした透明感のある体をしている。

（川瀬成吾）

スズキ目　ハゼ科
ウキゴリ
Floating goby

全長(cm)	8～15
背鰭条数	V～VII-I,9～12
臀鰭条数	I,9～11
脊椎骨数	34

学　名　*Gymnogobius urotaenia* (Hilgendorf, 1879)

胸びれ基底に白点がない
第1背びれの後縁に黒色斑がある
尾柄部は太い
尾びれ基底の黒色斑は二叉しない

オス 14.4cm 北海道産

メス 13.5cm 北海道産

繁殖期のメスの腹側部は黄色

【形態】体はやや側扁した円筒形で、頭は縦扁する。口が大きく、上あごの後端は眼の中央直下に達する。体色は淡褐色で、体側に6～7個の暗色斑がある。婚姻色は雌雄とも現れ、鰓膜、腹びれ、臀びれが著しく黒ずみ、繁殖期のメスの腹側部は黄色に染まる。近似のスミウキゴリとは、第1背びれの後縁に明瞭な黒色斑があることで、シマウキゴリとは尾びれ基底の黒色斑の後端が二叉しないことや、胸びれ基底上部に白点がないことなどで区別できる。シマウキゴリやスミウキゴリと比べてうきぶくろの容積が大きく、腹びれが長いという特徴を備えるが、これは止水環境への適応と考えられている。
【生態】河川の汽水域から中流域に生息し、淵などの流れの緩やかなところに多い。繁殖期は春で、転石の下などに産卵する。動物食性で水生昆虫、甲殻類、魚類の仔稚魚などを食べる。
【分布】北海道から屋久島にかけての各地に分布する。国外では朝鮮半島東部・南部、ウルップ島、中国河北省、浙江省、サハリンから知られている。

(武内啓明)

458

成魚 かつて「ウキゴリ淡水型」と呼ばれていた。ため池などに陸封されることも多い。

頭部 転石の下に潜む。

スズキ目　ハゼ科
シマウキゴリ
Striped floating goby

学　名　*Gymnogobius opperiens*
　　　　　Stevenson, 2002

全長(cm)	8〜10
背鰭条数	VI-I, 10〜13
臀鰭条数	I, 9〜12
脊椎骨数	33

第1背びれ後縁に黒色斑がある
尾びれ基底の黒色斑は二叉する
胸びれ基底上部に白点がある
オス 9.5cm 北海道産
尾柄部は太い
メス 9.0cm 北海道産
繁殖期のメスの腹側部は黄色

【形態】形態的特徴はウキゴリに似るが、尾びれ基底の黒色斑の後端は細く二叉すること、胸びれの基底上部に数個の白点があることなどで区別できる。ウキゴリやスミウキゴリと比べてうきぶくろの容積が小さく、腹びれが短いという特徴を備えるが、これは流水域で体の位置を安定させるための適応と考えられている。婚姻色は雌雄ともに現れ、腹びれと臀びれが黒ずみ、第1背びれが黒く縁どられる。また、繁殖期のメスの腹側部は黄色に染まる。

【生態】河川の中・下流域に生息する。北日本ではウキゴリと同一水系で共存していることが多く、そのような河川では、本種が流れのある平瀬に、ウキゴリが流れのない淵にすみ分けている。動物食性で主に水生昆虫を食べる。

【分布】北海道から茨城県にかけての太平洋沿岸、北海道から島根県にかけての日本海沿岸に分布する。国外では朝鮮半島東部、ロシアのウラジオストクから知られている。

(武内啓明)

成魚 かつて「ウキゴリ中流型」と呼ばれていた。河川のなかでも流れのある平瀬に多く見られる。

頭部 水底を移動することが多く、あまり遊泳しない。

461

スズキ目　ハゼ科
スミウキゴリ
Dusky floating goby

学　名 *Gymnogobius petschiliensis* (Rendahl, 1924)

全長(cm)	8〜15
背鰭条数	VI-I, 9〜11
臀鰭条数	I, 9〜11
脊椎骨数	32

第1背びれの後縁に黒色斑がない
尾柄部は太い
オス 9.3cm 和歌山県産
メス 10.3cm 静岡県産
繁殖期のメスの腹側部は黄色

【形態】同属のウキゴリやシマウキゴリに似るが、第1背びれの後縁に黒色斑がないことで区別できる。うきぶくろの容積や腹びれの長さは、ウキゴリとシマウキゴリの中間的な特徴を備える。繁殖期には性的二型が見られ、メスは腹側部が黄色に染まり、泌尿生殖孔前方の腹部が黒くなる。

【生態】河川の汽水域から中流域に生息し、ウキゴリやシマウキゴリと混生する河川では、本種の生息域は下流側に偏る傾向が見られる。

【分布】青森県から屋久島にかけての太平洋沿岸、瀬戸内海沿岸、北海道から九州南岸にかけての日本海・東シナ海沿岸に分布する。国外では朝鮮半島南岸・東岸、済州島、中国河北省、浙江省から知られている。

【特記事項】北海道南部・東北地方のスミウキゴリは、環境省版レッドリストで「絶滅のおそれのある地域個体群（LP）」に指定されている。一方、西日本の小河川では比較的多くみられる。

（武内啓明）

メス成魚 かつて「ウキゴリ汽水型」と呼ばれていた。生息域は河川の下流側に偏る。

卵を保護するオス 卵はすでに発眼しており、ふ化は間近。

稚魚 大群をなして河川を遡上する。

スズキ目　ハゼ科
イサザ
Isaza goby

全長(cm)	5〜8
背鰭条数	VI-I, 10〜12
臀鰭条数	I, 9〜11
脊椎骨数	33

絶滅危惧IA類（CR）

学　名　*Gymnogobius isaza* (Tanaka, 1916)

第1背びれの後方に黒色斑がある
尾柄部は細い
腹側部に黄色の婚姻色が現れる（メスで顕著）

7.5cm 滋賀県産

背面 5.5cm 滋賀県産

【形態】体はやや側扁した円筒形。口が大きく、上あごの後端は眼の中央直下に達する。体側は淡黄色で腹部は白色。繁殖期には腹側部に黄色の婚姻色が現れ、特にメスで顕著である。尾柄が細いこと、ほほの孔器列が横列であることなどで近似のウキゴリと区別できる。
【生態】日中は沖合の水深30m以深の湖底で過ごし、日没とともに浮上する。繁殖期は4〜5月で、北湖の礫底湖岸でオスが転石の下に巣を作り、メスを誘って産卵させる。ふ化した仔魚は直ちに沖へ流され浮遊生活をおくる。7月上旬頃から底生生活に入り、その後、徐々に深場へ移動し、9月頃には水深40〜60mの底曳網で漁獲されるようになる。動物食性で動物プランクトンや底生動物などを食べる。
【分布】琵琶湖固有種。霞ヶ浦と相模湖で採捕例があるが、定着はしていない。
【特記事項】琵琶湖では重要な漁獲対象種となっており、底曳網やエリなどで漁獲される。資源変動が激しく、数十年周期で豊不漁を繰り返しているが、そのメカニズムは不明。

（武内啓明）

成魚 琵琶湖の沖合環境に適応し、進化を遂げた「初期固有種」。

産卵親魚 春になると湖岸に接岸し、礫の下などに産卵する。

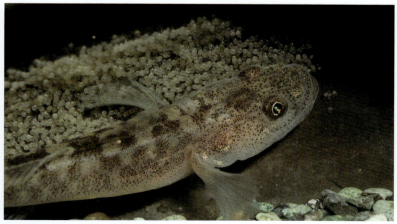
卵を保護するオス 卵は約1週間でふ化する。

465

スズキ目　ハゼ科
ビリンゴ
Biringo goby

学　名　*Gymnogobius breunigii*
(Steindachner, 1880)

全長(cm)	4〜7
背鰭条数	VII〜VIII-I, 10〜11
臀鰭条数	I, 9〜11
脊椎骨数	36

眼上管の開孔は3対（顕微鏡下での観察が必要）

上あごの後端は眼の後縁を越えない

5.0cm 茨城県産

メスの第1背びれ後方に黒色斑がある

体側の黄色横帯は不明瞭

メス 6.6cm 千葉県産

【形態】形態的特徴はウキゴリに似るが、両眼間隔は狭く、眼径よりも短い。体色は背部が淡褐色、腹部は白色。眼上管に開孔がある点でジュズカケハゼ種群とは異なる。また、眼上管の開孔が3対であること、両眼間隔域に孔器列がないこと、婚姻色の現れたメスの体側に明瞭な黄色横帯がないことで近似のシンジコハゼと区別できる。

【生態】主に河川の河口域から下流域、汽水湖に生息し、干潟などでよく見られる。繁殖期は春で、泥底に穴を掘るか、またはアナジャコやゴカイなど、ほかの動物が掘った穴を利用して巣を作る。メスはオスがつくった巣の周りになわ張りを形成し、オスに対して求愛行動をとる。卵は巣穴の壁面に産みつけられ、受精後約2週間でふ化する。ふ化した仔魚はただちに降海し、夏になると群れをなして河口域に現れる。多くの個体は1年で成熟し、産卵後死亡する。動物食性で主に底生動物を食べる。

【分布】北海道から種子島にかけての各地に分布する。国外では朝鮮半島、サハリン、ウルップ島から知られている。

(武内啓明)

メス成魚 体側の黄色横帯はシンジコハゼと比べて不明瞭。

未成魚 人工飼料に餌付き易く、飼育は容易。

未成魚 同所的に出現するマハゼの幼魚に似るが下あごが突出することで区別できる。

467

ビリンゴの未成魚 主に河口域に生息し、砂泥底の干潟に多い。

スズキ目　ハゼ科
シンジコハゼ
Shinjiko goby

学　名　*Gymnogobius taranetzi*
　　　　　(Pinchuk, 1978)

全長(cm)	4〜7
背鰭条数	VI〜VIII-I, 9〜10
臀鰭条数	I, 9〜11
脊椎骨数	34〜36

絶滅危惧II類（VU）

眼上管の開孔は2対〔顕微鏡下での観察が必要〕

上あごの後端は眼の後縁を越えない

オス 4.6cm 島根県産

メスの第1背びれ後方に黒色斑がある

メス 6.4cm 島根県産

繁殖期のメスの体側に明瞭な黄色横帯が現れる

【形態】形態的特徴はビリンゴに似るが、眼上管の開孔が2対であること、両眼間隔域に孔器列があること、婚姻色の現れたメスの体側に明瞭な黄色横帯があることで区別できる。

【生態】河川や湖沼に生息し、汽水湖では塩分の低い水域を好む。水草の周辺に群れで見られることが多い。繁殖期は3〜5月で、泥底にオスが掘った深さ15cm程度の生息孔の中で産卵する。生後約1年で成熟し、産卵した親魚の多くは死亡する。雑食性でイサザアミ、ユスリカ幼虫、藻類などを食べる。

【分布】富山県、石川県、福井県、島根県に分布する。国外では朝鮮半島東岸中部から沿海州、中国河北省から知られている。タイプ産地はアムール川河口域。

【特記事項】遺伝的には、大陸産の *G. taranetzi* との間に類縁性は認められておらず、分類学的な再検討が必要。

メスはひれを広げて求愛する。

（武内啓明）

スズキ目　ハゼ科
ジュズカケハゼ
Rosary goby

学　名　*Gymnogobius castaneus*
　　　　　(O'Shaughnessy, 1875)

全長(cm)	4〜7
背鰭条数	VII〜VIII-I, 7〜11
臀鰭条数	I, 7〜11
脊椎骨数	34〜36

準絶滅危惧（NT）

眼上管の開孔がない（顕微鏡下での観察が必要）

オス 5.4cm 宮城県産

メスの第1背びれ後方に黒色斑がある

上あごの後端は眼の中央下かそれより前方にある

メス 5.8cm 宮城県産

繁殖期のメスの体側に明瞭な横色横帯が現れる

【形態】体はやや側扁した円筒形で、尾柄は細い。婚姻色の現れたメスは、体や背びれ・臀びれ・腹びれが黒化し、明瞭な黄色の横帯が数本入る。口が小さく、上あごの後端が眼の中央下か、それより前方にあること、メスの第1背びれ後方に黒色斑があることなどでほかのジュズカケハゼ種群と区別できる。

【生態】平野部の湖沼やその周辺の水路、河川などに生息する。詳しい生態は不明。

【分布】ジュズカケハゼ種群のなかではもっとも分布域が広く、北海道から神奈川県の太平洋沿岸、北海道から兵庫県の日本海沿岸に広く見られる。国外ではサハリン、ウルップ島から知られている。

【特記事項】近年、従来の「ジュズカケハゼ」には複数種が含まれることが明らかとなり、4種に細分された。これらは「ジュズカケハゼ種群 *G. castaneus* complex」と呼ばれている。

ジュズカケハゼ種群のなかでは口が小さい。

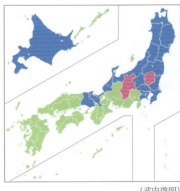

(武内啓明)

スズキ目　ハゼ科
ムサシノジュズカケハゼ
Musashi rosary goby

学　名　*Gymnogobius* sp. 1

全長(cm)	4〜7
背鰭条数	VII〜VIII-I, 9〜11
臀鰭条数	I, 8〜10
脊椎骨数	36

絶滅危惧 IB 類（EN）

眼上管の開孔がない（顕微鏡下での観察が必要）

オス 5.4cm 東京都産

前鰓蓋骨垂線より前方にうろこがない

メスの第1背びれ後方に黒色斑がない

上あごの後端が眼の中央下かそれより後方にある

繁殖期のメスの体側に明瞭な黄色横帯が現れる

メス 6.2cm 東京都産

【形態】ジュズカケハゼに似るが、上あごの後端が眼の中央より後方にあること、婚姻色の現れたメスの第1背びれ後方に黒色斑がないことで区別できる。婚姻色の出たメスは背びれ・臀びれ・腹びれが黒化し、体側に明瞭な黄色の横帯が数本入る。
【生態】河川の中・下流域の純淡水域に生息し、河川と隔離された湖沼や池、堀などにも見られる。繁殖期は3〜5月で、河川敷にあるタマリの砂泥底に巣穴を掘って産卵する。巣穴の出入り口をオスが泥で塞ぎ、卵を保護する。動物食性でユスリカ幼虫などを食べる。
【分布】日本固有種。那珂川、利根川、荒川、多摩川の各水系に分布する。
【特記事項】アロザイム分析によって、ジュズカケハゼとは生殖的に隔離されていることが確認されている。

ジュズカケハゼと比べて口が大きい。

（武内啓明）

スズキ目　ハゼ科
ホクリクジュズカケハゼ
Hokuriku rosary goby

学　名　*Gymnogobius* sp. 2

全長(cm)	4〜7
背鰭条数	VII〜VIII-I, 9
臀鰭条数	I, 7〜11
脊椎骨数	36

絶滅危惧 IA 類（CR）

6.4cm 富山県産

【形態】ムサシノジュズカケハゼに似るが、頭頂部が広くうろこに覆われることなどで区別できる。婚姻色の出たメスは背びれ・臀びれ・腹びれが黒化し、体側に明瞭な黄色の横帯が数本入る。

【生態】平野部の湖沼と周辺の水路、ため池、河川敷のタマリなどに生息する。

【分布】日本固有種。富山平野にのみ分布する。

【特記事項】現在知られている分布域は、富山県の一部に限られており、絶滅の危険性が非常に高い。コシノハゼと同様にため池に多く生息するため、オオクチバスの侵入は本種にとって大きな脅威となる。環境省版レッドリスト（2013）における「ジュズカケハゼ富山固有種」は、本種に相当する。

分布域が狭く、絶滅の危険性が高い。

（武内啓明）

スズキ目　ハゼ科
コシノハゼ
Koshino goby

学 名　*Gymnogobius nakamurae*
　　　　　(Jordan and Richardson, 1907)

全長(cm)	5〜10
背鰭条数	VII〜VIII-I, 9〜11
臀鰭条数	I, 7〜11
脊椎骨数	36

絶滅危惧 IA 類（CR）
国内希少野生動植物種

眼上管の開孔がない（顕微鏡下での観察が必要）

メスの第 1 背びれ後方に黒色斑がない

上あごの後端が眼の中央下かそれより後方にある

繁殖期のメスの体側に黄色横帯は現れない

9.2cm 新潟県産

【形態】形態的特徴はほかのジュズカケハゼ種群に似るが、メスの第 1 背びれ後方に黒色斑がないこと、婚姻色の現れたメスの体側に黄色横帯がないこと（あっても不明瞭）で区別できる。
【生態】低山帯のため池や水路、河川敷のタマリなどに生息する。動物食性で水生昆虫などを食べると思われる。詳しい生態は不明。
【分布】日本固有種。秋田県、山形県、新潟県に分布する。
【特記事項】現在、確認されている生息地はごくわずかで、絶滅の危険性が高い。主にため池に生息するため、オオクチバスの侵入は本種にとって大きな脅威となる。環境省版レッドリスト（2013）における「ジュズカケハゼ鳥海山周辺固有種」は、本種に相当する。種小名の "*nakamurae*" は、本種を記載した D.S.Jordan 博士に標本を提供した博物学者の中村正雄氏に因む。

メスの体側に黄色横帯は見られない。

（武内啓明）

スズキ目　ハゼ科
チクゼンハゼ
Chikuzen goby

学　名　*Gymnogobius uchidai* (Takagi, 1957)

全長(cm)	3〜5
背鰭条数	VI-I, 10〜11
臀鰭条数	I, 9〜11
脊椎骨数	34

絶滅危惧Ⅱ類（VU）

- 下あごがやや突出する
- 体側に明瞭な黒色横帯がある
- 下あご腹面に1対のひげ状突起がある
- 腹部に暗色横帯がない
- 尾びれ下部に黒点がない

3.5cm 和歌山県産

【形態】体はやや側扁した円筒形で、頭部は縦扁する。口は大きく、上あごの後端は眼の後縁を大きく越える。体色は背部が淡褐色で、腹部は白い。婚姻色はメスのみに現れ、頭部腹面、臀びれ、腹びれが黒くなる。エドハゼに似るが、下あご腹面に1対のひげ状突起があることで区別できる。

【生態】前浜干潟や河口干潟の還元層が形成されていない砂底に生息し、エドハゼに比べて砂質を好む。繁殖期は1〜6月で、ニホンスナモグリやアナジャコの生息孔に卵を産みつけ、オスが保護する。多くは生後約1年で成熟する。

【分布】日本固有種。北海道から鹿児島県の太平洋沿岸、瀬戸内海沿岸、京都府から鹿児島県の日本海・東シナ海沿岸に分布する。

【特記事項】埋め立て、護岸工事、水質汚濁、土砂の流入、底質の有機汚染などにより生息環境が悪化している。

体の斑紋が目立つ。

（武内啓明）

スズキ目　ハゼ科
エドハゼ
Edo goby

学　名　*Gymnogobius macrognathos*
　　　　　(Bleeker, 1860)

全長(cm)	4〜6
背鰭条数	VI-I, 10〜13
臀鰭条数	I, 9〜11
脊椎骨数	35

絶滅危惧II類（VU）

- 繁殖期のメスは第1背びれが伸張し、第1背びれ後方に黒色斑が現れる
- 体側中央に黒色横帯がない
- 上あごが突出する
- 腹部に暗色横帯がない
- 下あご腹面にひげ状突起がない
- 尾びれ下部に黒点がない

5.1cm 千葉県産

【形態】形態的特徴はチクゼンハゼに似るが、下あご腹面にひげ状突起がないこと、体側中央に黒色横帯がないことなどで区別できる。体色は背部から体側が淡褐色で、腹部は白色。繁殖期のメスは第1背びれが伸長し、腹びれ・臀びれの縁辺が黒くなる。

【生態】前浜干潟や河口干潟の還元層が形成されていない砂底に生息し、チクゼンハゼに比べて泥質を好む。繁殖期は3〜5月で、ニホンスナモグリやアナジャコの生息孔に産卵すると考えられる。多くは生後約1年で成熟する。

【分布】宮城県から宮崎県の太平洋沿岸、瀬戸内海沿岸、兵庫県日本海側、福岡県から熊本県の有明海・八代海沿岸に分布する。また、北海道からも記録がある。国外では朝鮮半島西岸、中国山東省、沿海州から知られている。

体はほとんど無地。

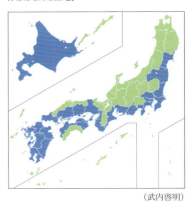

（武内啓明）

スズキ目　ハゼ科
クボハゼ
Kubo goby

学　名　*Gymnogobius scrobiculatus* (Takagi, 1957)

全長(cm)	3～5
背鰭条数	VI-I, 10～11
臀鰭条数	I, 9～10
脊椎骨数	33

絶滅危惧 IB 類（EN）

上あごが突出する
下あご腹面にひげ状突起がない
腹部に暗色横帯がある
尾びれ下部に黒色点がある

オス 4.5cm 和歌山県産

メス 3.6cm 和歌山県産

【形態】体はやや側扁した円筒形で、頭は縦扁する。体色は背部から体側が褐色で、腹部はやや白い。腹部を除き、暗色点が密に分布する。婚姻色はメスに現われ、頭部腹面、背びれ・臀びれ・腹びれが黒くなる。キセルハゼに似るが、腹部に数本の横帯があること、尾びれ下部に黒点列があることなどで区別できる。
【生態】河口干潟の還元層が形成されていない砂底から砂泥底に生息する。繁殖期は冬から春で、アナジャコの生息孔に卵を産みつけ、オスが保護する。多くは生後約 1 年で成熟する。
【分布】日本固有種。静岡県から宮崎県の太平洋沿岸、瀬戸内海沿岸、福井県から鹿児島県の日本海・東シナ海沿岸に分布する。
【特記事項】近縁種と同様に埋め立てや護岸工事などにより生息環境が悪化している。

良好な環境が保たれた河口干潟に生息する。

(武内啓明)

スズキ目　ハゼ科
キセルハゼ
Khsier goby

全長(cm)	5〜7
背鰭条数	IV〜VI-I, 11〜13
臀鰭条数	I, 10〜11
脊椎骨数	33〜34

絶滅危惧 IB 類（EN）

学　名　*Gymnogobius cylindricus*
　　　　　(Tomiyama, 1936)

上あごが突出する

下あご腹面にひげ状突起がない

腹部に暗色横帯がない

尾びれ下部に黒色点がない

6.2cm 福岡県産

【形態】体が細長く、口が大きいため、ヘビに似た印象を受ける。体色は背部から体側が褐色で、腹部はやや白い。頭部と体側の下部を除き、不定形の暗色点が密に分布し体側中央で縦列する。婚姻色はメスに現れ、体側下部が黄土色を呈し、ほかの部分は黒みを増す。クボハゼに似るが腹部に横帯がないこと、尾びれ下部に黒点列がないことなどで区別できる。
【生態】主に前浜干潟の軟泥底に生息するが、河口干潟の砂泥底にも見られる。水底に掘られたアナジャコの生息孔内に潜む。詳細な産卵生態は不明であるが、繁殖期は冬と推定されている。
【分布】日本固有種。北海道、伊勢湾沿岸、瀬戸内海、有明海、博多湾、中津干潟、対馬、五島列島に分布する。
【特記事項】近縁種と同様に埋め立てや護岸工事などにより生息環境が悪化している。

上あごが突出し、ユニークな顔立ちをしている。

（武内啓明）

477

スズキ目　ハゼ科
ゴクラクハゼ
Paradise goby

学　名　*Rhinogobius similis* Gill, 1859

全長(cm)	5～10	胸鰭条数	19
背鰭条数	VI-I, 8	縦列鱗数	30～34
臀鰭条数	I, 10	背鰭前方鱗数	12～13

眼から吻端に走る朱条がない（ヨシノボリ類にはある）

体側の中央に黒斑が並ぶ

眼の直後までうろこがある

オス 10.4cm 静岡県産

メス 9.6cm 静岡県産

【形態】吻が長く、ほかのヨシノボリ属魚類よりも面長に見える。眼の後方までうろこがあることでほかのヨシノボリ属魚類とは区別できる。また、胸びれは吸盤状であるがほかのヨシノボリ属魚類に比べ細長い。体側中央に黒色斑が縦列し、ある程度成長した個体には青い小斑点が散在する。ほほ部にミミズ状斑が存在する。生時は、青い小斑点が体側に見られる。最大で全長 10cm 程度。

【生態】両側回遊魚で、河川の中流域から汽水域の砂礫底の環境に生息。胸びれの吸盤の吸着力が弱いとされ、あまり流れの速いところにはいない。繁殖期は夏から秋で、オス個体が石の下を掘って巣を作り、メスを呼び込んで産卵する。オス個体は卵の保護を行う。稚魚の遡上は 9～11 月頃に行われる。雑食性。

【分布】茨城県、秋田県以南の本州、四国、九州。隠岐、壱岐、対馬、五島列島、屋久島、種子島、琉球列島。国外では朝鮮半島南部、台湾島、中国、ベトナムに分布。

【特記事項】シンガポールや中東では国外外来種として定着している。

（藤田朝彦）

成魚 河川下流域の砂礫底に多い。ほほのミミズ状斑と体背部の鞍状斑が目立つ。

頭部 顔はヨシノボリに似るが、眼の前の朱条がなく、体は青っぽい。

稚魚 秋頃に遡上個体が見られる。

スズキ目　ハゼ科
シマヨシノボリ
Cross-band yoshinobori goby

学　名　*Rhinogobius nagoyae*
　　　　　Jordan and Seale, 1906

全長(cm)	6〜10	胸鰭条数	19〜22
背鰭条数	VI-I, 8〜9	縦列鱗数	34〜36
臀鰭条数	I, 8〜9	背鰭前方鱗数	11〜13

オスの第1背びれは高い烏帽子形
体側に6列程度の黒斑
ほほにミミズ状の斑紋
胸びれ基底に複数の三日月斑がある
尾びれに横線がある

オス 8.3cm 静岡県産

メス 7.9cm 静岡県産

【形態】ほほに赤色のミミズ状斑が存在するのが特徴。この斑紋は琉球列島の個体群の方が太く現れる。体側には6個程度の明瞭な横斑が並ぶ。胸びれ基底に複数の三日月状斑紋がある。えらぶた上部に黒色縦帯が明瞭。繁殖期の個体の腹部は明るい青色になり、特にメスで強く染まる。そのため、愛媛県大州地方では本種を「アオバラ」と呼ぶ。全長は6〜7cm程度。最大で約10cmだが、琉球列島個体群の方が小さい傾向がある。

【生態】小卵型の両側回遊魚。河川中流域の平瀬などに生息する。雑食性で付着藻類や水生昆虫を捕食する。本州では春から初夏に産卵するが、琉球列島の個体群は冬に産卵する。

【分布】本州、四国、九州、隠岐、壱岐、対馬、五島列島、種子島、屋久島、琉球列島、朝鮮半島南部、台湾島

【特記事項】ヨシノボリ属のなかではもっとも普通に見られる種の一つ。琉球列島の個体群はそのほかの集団と遺伝的に大きく離れている。かつてはヨシノボリ横斑型とも呼ばれていた。

（藤田朝彦）

未成魚 小さな河川では中流域に多く見られる。

成魚 本種は大河川から小河川まで幅広く生息する。

オスの顔 ほほのミミズ状斑が目立ち、ヨシノボリ類の他種との判別は容易。

スズキ目　ハゼ科
ルリヨシノボリ
Cobalt yoshinobori goby

学　名　*Rhinogobius mizunoi*
Suzuki, Shibukawa and Aizawa, 2017

全長(cm)	8〜12	胸鰭条数	19〜22
背鰭条数	VI-I, 8〜9	縦列鱗数	34〜36
臀鰭条数	I, 8〜9	背鰭前方鱗数	11〜13

ほほと体側にるり色の斑紋
オスの第1背びれは高い烏帽子型
胸びれ基底に白色帯がある
尾びれ基底にハの字を横にしたような斑紋

オス 8.5cm 和歌山県産

メス 9.3cm 三重県産

【形態】ほほと体側に特徴的なるり色の斑紋がある。尾びれの軟条に点列がなく、胸びれの付け根に、赤く縁どられた白色帯と暗色帯がある。尾びれの付け根には太いハの字斑がある。本種は、ヨシノボリ類としてはオオヨシノボリと並び大型化する種である。全長は通常8cm程度で、最大12cmに達する。
【生態】河川の比較的上流側に生息し、中流域から渓流域に見られる。早瀬などの流れの速い場所を好む。ほかのヨシノボリ類と同様に、石の下を掘って巣を作り繁殖する。雑食性。両側回遊を行うが、ダムで陸封された個体群や、自然に湖沼陸封された個体群が確認されている。陸封化した個体群は、両側回遊型のように大型化しないようである。
【分布】北海道の積丹半島から渡島半島の日本海側、下北半島西部、本州、四国、九州。本州の太平洋側では房総半島以南に分布とされてきたが、近年では東北でも確認されている。瀬戸内海沿岸部では少ない。国外では、韓国の済州島に生息し、湖沼陸封個体群も確認されている。

（藤田朝彦）

オス成魚 比較的大型になる種。ほほと体側のるり色の斑紋が目立つ。

成魚の群れ 河川の上・中流域の流れの速い場所に多い。

スズキ目　ハゼ科
アヤヨシノボリ
Yoshinobori goby (Mosaic type)

学　名　*Rhinogobius* sp. MO

全長(cm)	5〜8
背鰭条数	VI-I, 8〜9
臀鰭条数	I, 8〜9
胸鰭条数	19〜22
縦列鱗数	34〜36

ほほにるり色の斑紋が散在
胸びれ基部に暗色斑がある
オスの第1背びれは高い烏帽子型
オス 5.4cm 沖縄県産
尾びれに目立つ点列
メス 5.7cm 沖縄県産
腹部は青色になる

【形態】ルリヨシノボリと同様にほほと体側にるり色の斑紋が散在する。胸びれ基部には暗色斑がある。成熟個体の腹部は青色を呈する。尾びれ軟条の中央部に点列がある。全長は通常6cm、最大で8cm程度。

【生態】琉球諸島のヨシノボリ類としてはもっとも下流側に生息し、河川の汽水域から下流域における淵や平瀬などの流れの緩やかな場所に生息する。小卵型で、両側回遊魚である。ほかのヨシノボリ属魚類と同様に、石の下を掘って巣を作り繁殖する。雑食性である。

【分布】日本固有種。徳之島、奄美大島、加計呂麻島、沖縄島、久米島に分布。

【特記事項】外見的な特徴として、ほほのるり色の斑紋はルリヨシノボリ、胸びれの黒斑はオオヨシノボリ、オスの尾びれの点列はクロヨシノボリ、メスの腹部の青色はシマヨシノボリにそれぞれ似ている。このように、様々な種の外見的特徴を合わせ持つことから以前はヨシノボリモザイク型と呼ばれていた。しかし、これらの種が交雑して生じた種というわけではない。

(藤田朝彦)

オス成魚 ほほにるり色の斑紋があるが、ルリヨシノボリよりも大きく派手。吻部の朱条も目立つ。

オス成魚 下流域の流れの緩やかな場所を好む。

485

スズキ目　ハゼ科
アオバラヨシノボリ
Yoshinobori goby (Blueberry type)

学　名　*Rhinogobius* sp. BB

全長(cm)	4〜6	胸鰭条数	16〜19
背鰭条数	VI-I, 8〜9	縦列鱗数	33〜35
臀鰭条数	I, 7〜9	背鰭前方鱗数	5〜13

絶滅危惧 IA 類（CR）

オスの第1背びれは将棋駒形　　第2背びれ、尾びれに点列や斑紋がない

ほほにるり色の斑紋はない

オス 4.7cm 沖縄県産

メス 3.9cm 沖縄県産　　腹部がるり色になる

【形態】小型のヨシノボリで、全長は4〜5cm、最大で6cm程度。成熟時の腹部がるり色になる。ほかのヨシノボリ類と異なり、ほほや背びれ、尾びれなどに模様がない。オスの婚姻色は橙色で、特に背びれ、尾びれ、臀びれが強く染まる。アヤヨシノボリから種分化して生じた種と考えられており、小型個体では両者の同定が難しい場合もある。
【生態】河川上流域の流れが緩やかな場所に生息。比較的砂底を好む。中卵型で、海には下らない河川陸封型のヨシノボリである。雑食性であるが、陸生昆虫を多く捕食する傾向がある。
【分布】沖縄島北部の固有種で、読谷村、名護市以北に分布する。
【特記事項】本種は、ヨシノボリ属魚類では唯一環境省レッドリスト（2019）において絶滅危惧 IA 類（CR）に選定され

ている種である。現在は絶滅した水系も生じており、本種の生息状況は危機的な状況である。また、沖縄島の東岸の個体群と西岸の個体群間では遺伝的な差異が存在することも指摘され、個別の保全単位を設定することが望まれる。

（藤田朝彦）

成魚（手前） 腹部が青色を示している。

成魚 闘争するオス同士。

頭部 アヤヨシノボリに似るが、ほほに斑紋はない。ヨシノボリ特有の朱条が目立つ。

スズキ目　ハゼ科
オオヨシノボリ
Large yoshinobori goby

学　名　*Rhinogobius fluviatilis* Tanaka, 1925

全長(cm)	10〜12	胸鰭条数	19〜22
背鰭条数	VI-I, 8〜9	縦列鱗数	34〜36
臀鰭条数	I, 8〜9	背鰭前方鱗数	11〜13

胸びれ基部に黒色斑がある

オスの第1背びれは高い烏帽子型

オス 8.9cm 和歌山県産

尾びれ基底に暗色横帯が1つ

メス 8.2cm 三重県産

【形態】大型のヨシノボリであり、成魚は10cm程度に成長するが、最大で全長11cm以上に達する。体側の斑紋は不明瞭である。胸びれ基底上部には明瞭な黒色斑があり、尾びれの基底には明瞭な暗色横帯がある。ほほには斑紋がない。繁殖期には体色が著しく黒くなり、背びれ、臀びれ、尾びれが白く縁どられ、よく目立つようになる。

【生態】河川の上・中流域の流れの速い瀬などの急流部に生息する。比較的大河川に多い傾向がある。ほかのヨシノボリと同様に、石の下に巣穴を作り産卵する。両側回遊を行い、ふ化仔魚はすぐに降海し、2〜3ヵ月後に15〜20mm程度に成長して河川を遡上する。ダム湖などにより陸封個体群が生じる場合があり、陸封個体は回遊性の個体よりも小型である。雑食性で、付着藻類や水生昆虫なﾞどを捕食する。

【分布】日本固有種。本州、四国、九州に分布。

【特記事項】以前はヨシノボリ黒色大型と呼称されていた種。

(藤田朝彦)

成魚 色のよく出たオス成魚。

成魚 ヨシノボリ類のなかでも流れの速い礫環境を好む。

メス成魚 胸びれ、尾柄部の黒斑は、同属のなかでもよく目立つ。

スズキ目　ハゼ科
ケンムンヒラヨシノボリ
Ryukyu fluviatile goby

学　名　*Rhinogobius yonezawai*
　　　　　Suzuki, Oseko, Kimura & Shibukawa, 2020

全長(cm)	5～7	側線鱗数	35～39
背鰭条数	VI, I,8	脊椎骨数	26
臀鰭条数	I, 8	背鰭前方鱗数	0～17

オス 8.6cm 沖縄県産

- 頭部は縦扁する
- 体の前部に黒色線がある
- オスの第1背びれは高い烏帽子形、もしくは台形か将棋駒形
- 尾びれ基底に2個の暗色斑

メス 6.2cm 沖縄県産

- 尾びれ基底に2個の暗色斑

【形態】斑紋などはオオヨシノボリに似るが、頭部が縦扁していることが特徴。また、他種に比べ体が細長い。胸びれは左右にせり出して見える。体の前半に3本程度の縦帯がある。眼から吻端にかけての朱条は太く明瞭。ヨシノボリ類としては大型で、成魚は7～8cm程度。最大で全長約10cmに達するとされる。ヒラヨシノボリは第1背びれが第2背びれまで届く（ケンムン）か届かない（ヤイマ）かで区別できる。

【生態】ヨシノボリ類のなかでも特に急流を好み、渓流域の早瀬など流れの速い場所に生息する。両側回遊魚。冬季は中流域にも出現することがある。流程の長い河川で、比較的多く見られる。

【分布】鹿児島県の屋久島、種子島、奄美大島、徳之島、沖縄県の沖縄本島に分布。同時に記載されたヤイマヒラヨシノボリ *R. yaima* は沖縄県の石垣島、西表島に分布する。

【特記事項】いずれの種も、県条例により採捕は禁止されている。

（藤田朝彦）

急流の岩盤にはりつくヤイマヒラヨシノボリ成魚 ヨシノボリ属のなかでも平べったい体形は急流への適応。

模様のよく出た成魚 体前部の数条の縦帯はヨシノボリ属のなかでも特徴的。

スズキ目　ハゼ科
オガサワラヨシノボリ
Ogasawara yoshinobori goby

学　名　*Rhinogobius ogasawaraensis*
Suzuki, Chen and Senou, 2012

全長(cm)	4～8	胸鰭条数	18～20
背鰭条数	VI-I, 8～9	縦列鱗数	32～33
臀鰭条数	I, 8～9	背鰭前方鱗数	10～14

絶滅危惧 IB 類（EN）

胸びれ基部に1つの暗色斑
オスの第1背びれは高い烏帽子型
オス 6.2cm 東京都産
体側の中央に黒い縦列斑
メス 5.2cm 東京都産

【形態】体は円筒形で頭部はやや縦扁し、体側に暗色斑が点在する。尾びれ基底には2個の暗色斑が垂直に並び、尾びれ中央には数本の暗色横点列がある。体色は黄褐色であるが、成熟メスは藍色がかる。腹部は黄白色。成魚の全長は4cm程度で、最大で全長約8cmに達する。

【生態】小卵型の両側回遊魚で、生息河川では汽水域から滝の点在する上流端まで幅広く見られる。ダム湖内にも生息し、陸封化している可能性も示唆されている。雑食性で、付着藻類、流下昆虫などを摂食する。繁殖期は1～5月で、ふ化仔魚は降海し、1～2ヵ月の海域での浮遊生活の後、4月頃から遡上を行う。1年で成熟すると考えられている。

【分布】日本固有種。小笠原諸島の父島、母島、弟島、兄島に分布。

【特記事項】小笠原諸島のヨシノボリは1970年代から生息が確認されていたが、クロヨシノボリとされたり、ヨシノボリ不明型として報告されていた。2011年に新種記載された。小笠原諸島の淡水魚としては唯一の固有種である。

（藤田朝彦）

オス成魚 ややクロヨシノボリに似るが、尾びれの斑紋などが異なる。

メス成魚 ヨシノボリ属のなかでも小型の種である。

スズキ目　ハゼ科
クロヨシノボリ
Dark yoshinobori goby

学　名　*Rhinogobius brunneus*
(Temminck and schlegel, 1845)

全長(cm)	6〜10	胸鰭条数	19〜22
背鰭条数	VI-I, 8〜9	縦列鱗数	34〜36
臀鰭条数	I, 8〜9	背鰭前方鱗数	11〜13

胸びれ基部に帯状の黒色斑
オスの第1背びれは高い烏帽子型
尾びれ基底にはハの字斑

オス 8.6cm 和歌山県産

繁殖期のオスは特に黒みが強い
体の中央に断続的な黒色縦帯

メス 5.2cm 和歌山県産

【形態】体色は全体的に黒味が強い。体側中央に黒色の縦帯破線があり、背面にも小黒点が点在する。胸びれ基部に三日月斑がある。尾びれ基底には黒色のハの字斑がある。繁殖期のオスはさらに体色の黒味が強くなる。成魚の全長は6〜8cm程度。最大約10cm。
【生態】両側回遊魚で、河川の上・中流域の流れが緩やかな場所に生息。流程数kmの小河川に多く生息する。陸封個体群も存在する。雑食性で、付着藻類や小動物を捕食する。繁殖期は5〜7月頃で、ほかのヨシノボリ類同様にオス個体が石の下に巣穴を掘って産卵する。オス親は卵保護を行う。ふ化仔魚はすぐ降海し、2〜3ヵ月生活した後河川に遡上する。
【分布】秋田県牡鹿半島から九州の日本海側、千葉県以南の太平洋側の本州、四国、九州。隠岐、対馬、五島列島、種子島、屋久島、琉球列島。
【特記事項】以前はヨシノボリ黒色型とされていた集団。琉球列島の集団と、屋久島以北の集団は遺伝的に差異があるとされる。

(藤田朝彦)

オス成魚 ふだんは体側に斑紋が断続的に見える。

オス成魚 威嚇行動をとっている。

メス成魚 河川の上流域の礫底に多い。

スズキ目　ハゼ科
キバラヨシノボリ
Yoshinobori goby (Yellowberry type)

学　名　*Rhinogobius* sp. YB

全長(cm)	6～8	胸鰭条数	18～20
背鰭条数	VI-I, 8	縦列鱗数	35～37
臀鰭条数	I, 7～8	背鰭前方鱗数	9～14

絶滅危惧IB類（EN）

繁殖期のオスの体色は赤みが強い

オス 6.0cm 沖縄県産

メス 5.9cm 沖縄県産

メスの腹部は黄色になる

【形態】色斑はクロヨシノボリに似る。繁殖期の雌は腹部が黄色く、雄は赤身が強い。胸びれ基底には三日月状斑がある。尾びれに横線が入る。尾びれ基底に上下一対の暗色斑がある。

【生態】中卵型で、一生を淡水域で過ごす河川陸封型のヨシノボリである。滝の上の渓流域などに生息し、流れのゆるやかな淵などを好む。雑食性。

【分布】キバラヨシノボリは鹿児島県の奄美大島、徳之島、沖永良部島、沖縄県の沖縄本島、久米島に生息。西表島に生息する集団はイリオモテパイヌキバラヨシノボリ *Rhinogobius aonumai aonumai*、石垣島に生息する集団はイシガキパイヌヨシノボリ *Rhinogobius aonumai ishigakiensis* として別種（別亜種）として記載された。

【特記事項】いずれの種も、県条例により採捕は禁止されている。

上流域に生息するが、流れの遅い場所を好む。

（藤田朝彦）

スズキ目 ハゼ科
クロダハゼ
Yoshinobori goby (Ku-oda type)

学　名　*Rhinogobius kurodai*
　　　　　(Tanaka, 1908)

全長(cm)	4〜6	胸鰭条数	19〜22
背鰭条数	VI-I, 8〜9	縦列鱗数	34〜36
臀鰭条数	I, 8〜9	背鰭前方鱗数	11〜13

オスの第1背びれは将棋駒形
胸びれ前方に埋没したうろこがある
オスの尾びれでは点列が分かる
オス 3.4cm 東京都産
尾びれの付け根に橙色斑がある
メスの尾びれでは点列が不明瞭
メス 4.2cm 東京都産

【形態】オスの尾びれは白色の縁どりがあり、赤褐色横芎がある。皮下に埋没する腹鰭前方鱗がある。ほほに斑紋はない。オスの第1背びれの伸長は見られない。シマヒレヨシノボリに酷似するが、オスの尾びれ基部に橙色斑があること、シマヒレヨシノボリのオスの尾びれ下部にある朱色斑がないことで区別できる。

【生態】河川中流域の流れの緩やかな場所から、遊水地、池沼、ワンド、池などの止水域を中心とした流れの緩やかな場所に生息している。

【分布】神奈川県から東京都にかけて確認されている。分布の詳細については、今後、充分な調査が必要である。

比較的小型の種。流れの速い場所にはいない。

（藤田朝彦）

スズキ目　ハゼ科
トウヨシノボリ
Yoshinobori goby (Orange type)

学　名　*Rhinogobius* sp. OR

全長(cm)	4〜8	胸鰭条数	18〜22
背鰭条数	I, 8〜9	縦列鱗数	31〜38
臀鰭条数	I, 8〜9	背鰭前方鱗数	11〜13

オス 7.9cm 島根県産

尾びれ基底に橙色斑がある

【形態】オスの尾柄部から尾びれ基部は繁殖期に橙色になる。ほほ部に朱小点の現れる個体もある。雄の背びれは、伸びて烏帽子型になる集団と、伸びずに将棋駒型になる集団がある。

【生態】河川の上流域から下流域、池沼など様々な場所で見られる。両側回遊を行う集団や、湖に降りる集団、止水で生活する集団などが存在する。雑食性。

【分布】北海道から九州。

【特記事項】　トウヨシノボリは、大きく2集団に分けられるとされる。一方は北海道〜九州北部の日本海側、九州北部〜薩摩半島の東シナ海側、房総半島〜大分県の太平洋側に分布し、全長6〜8cm程度に達する大型の集団で、背びれが伸びる（烏帽子型になる）。もう一方は本州、四国、九州に分布し、全長5cm程度に達する小型の集団で、第1背びれは伸びない（将棋駒型になる）。前者には、旧カズサヨシノボリ（房総半島）、旧オウミヨシノボリ（琵琶湖水系）、

また、トウヨシノボリの宍道湖型・北日本型、西九州系、房総型などとして呼ばれてきた集団が含まれるが、近年はこれらについて個体変異があり、形態的差異を明確にできないとされている。このような背景を踏まえ、現在は総括して、これらの集団を再度和名「トウヨシノボリ」として呼称するようになっている。

(藤田朝彦)

(旧カズサヨシノボリ)

オス 6.9cm 千葉県産

- 体色はやや青みが強い
- オスの第1背びれは高い烏帽子型
- 尾びれの付け根に橙色斑がある
- ほほに小斑点がない
- 体側の暗色斑は比較的明瞭

メス 6.0cm 千葉県産

(旧オウミヨシノボリ)

オス 6.8cm 滋賀県産

- オスの第1背びれは高い烏帽子形
- 体側の暗色斑は比較的明瞭
- 尾びれの付け根に橙色斑がある

メス 7.0cm 滋賀県産

ヨシノボリ類は多様であり、確認された集団の多くが長く学名のないままであった。しかし、近年は新種記載が進み、ヒラヨシノボリ、アオバラヨシノボリ、キバラヨシノボリ、アヤヨシノボリ以外は分類学的に記載され、学名がついている。しかし、トウヨシノボリとされてきたグループは、その多様さから、いまだ分類学的取り扱いが難しい集団であると考えられる。また、近年では移入による交雑も各地で確認されており、その同定の困難さに拍車がかかっている。

トウヨシノボリ穴道湖型と呼ばれた個体。

カズサヨシノボリと呼ばれた個体。

オウミヨシノボリと呼ばれた個体。

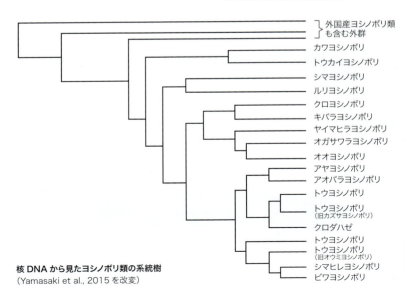

核 DNA から見たヨシノボリ類の系統樹
(Yamasaki et al., 2015 を改変)

スズキ目　ハゼ科
トウカイヨシノボリ
Yoshinobori goby (Tokai type)

学　名　*Rhinogobius telma*
　　　　Suzuki, Kimura and Shibukawa, 2019

全長(cm)	3〜5	胸鰭条数	19〜21
背鰭条数	VI-I, 8〜9	縦列鱗数	31〜34
臀鰭条数	I, 7〜9	背鰭前方鱗数	3〜15

準絶滅危惧（NT）

オス 4.0cm 愛知県産

メス 3.2cm 愛知県産

第1背びれの上縁は橙黄色
オスの第1背びれは台形か将棋駒形
第1背びれに黒色斑がある
体側の模様はまだら
頭部は丸みを帯びる
体のサイズは比較的小さい

【形態】体色は褐色で、体側に暗色斑があるが、列状をなさず不規則なまだら状に見えることが多い。吻が短く、頭部が詰まった印象を受ける。また、えらぶたの前鰓蓋管を欠く。第1背びれには黒斑があり、繁殖期のオスの喉部は橙色になる。体側の模様はほかのヨシノボリ類に比べ不明瞭で、まだら状に見えることが多い。ヨシノボリ類としては比較的小型で、全長は通常3〜4cm程度、最大で約5cm。

【生態】平地の池沼や水路、河川の中・下流域の流れがないワンドなどに生息するなど、止水性が強く、本流には少ない。比較的泥底を好む。食性や繁殖生態については不明な点が多いが、ほかの止水性の強いヨシノボリ類に類似すると思われる。

【分布】日本固有種。静岡県西部から、愛知県、岐阜県、三重県にかけて生息する。

丸い頭部と不明瞭な斑紋が特徴的。

（藤田朝彦）

スズキ目　ハゼ科
シマヒレヨシノボリ
Bandedfin yoshinobori goby

学　名　*Rhinogobius tyoni*
　　　　　Suzuki, Kimura and Shibukawa, 2019

全長(cm)	3～6	胸鰭条数	20～22
背鰭条数	VI～VIII, 8～9	縦列鱗数	32～35
臀鰭条数	I, 7～9	背鰭前方鱗数	15

準絶滅危惧（NT）

- オスの第1背びれは台形か半円形
- 第2背びれ、尾びれの点列が縞模様に見える
- 頭部は丸みを帯びる
- 体のサイズは比較的小さい

5.8cm 岡山県産

【形態】第1背びれは伸長せず、台形を示す。頭部に前鰓蓋管が存在する。尾びれに点列が存在する。オスの尾びれ軟条下部は朱色になる。オスの臀びれに赤色系縦帯がある。体側中央には楕円形の暗色斑が7～8個存在する。生時の体色は暗褐色から淡褐色。ヨシノボリ属のなかでは小型で全長3～5cm、最大で6cm程度。
【生態】陸封型のヨシノボリ。河川下流域やワンド、また池沼や水路などの流れの緩やかな場所に生息する。比較的泥底を好む。
【分布】和歌山県北部から広島県および徳島県から愛媛県の瀬戸内海側。静岡県から三重県の本州太平洋側、兵庫県日本海側にも不連続分布しているが、自然分布かどうかは不明。
【特記事項】以前はトウヨシノボリ縞鰭型と呼ばれていた。

背びれ、尾びれの縞模様が名前の由来。

（藤田朝彦）

スズキ目　ハゼ科
ビワヨシノボリ
Biwa yoshinobori goby

学　名　*Rhinogobius biwaensis*
　　　　　Takahashi and Okazaki, 2017

全長(cm)	3〜5	胸鰭条数	18〜22
背鰭条数	VI-I, 7〜9	縦列鱗数	31〜36
臀鰭条数	I, 8〜9	背鰭前方鱗数	0〜3

情報不足（DD）

背びれ前方のうろこがない（あっても少ない）
オスの第1背びれは台形か半円形
繁殖期のオスの胸びれ、第2背びれ、臀びれが著しく伸長する

オス 4.6cm 滋賀県産

【形態】ほかのヨシノボリ類と異なり、多くの個体で背鰭前方鱗を欠く。また、腹びれの吸盤が縦長で鰭膜が薄い。体側の斑紋は不明瞭である。成熟期のオスは第2背びれと胸びれ、臀びれが伸長し、非常に美しい。ヨシノボリとしては小型の種で、全長は3〜4cm程度。最大でも約5cm。

【生態】普段は琵琶湖の沖合で、底層付近、もしくは中層を遊泳して生活している。繁殖期に接岸して産卵し、河川には遡上しない。このような生態は、琵琶湖におけるほかのハゼ科魚類であるイサザとウキゴリの関係と類似している。1年で成熟し、寿命を迎える可能性が示唆されている。

【分布】琵琶湖固有種であるが、島根県江の川水系、三重県宮川水系、愛媛県蒼社川水系、岐阜県で国内外来種として確認されている。

体側の斑紋は不明瞭である。

（藤田朝彦）

スズキ目　ハゼ科
カワヨシノボリ
Terrential yoshinobori goby

学　名　*Rhinogobius flumineus* (Mizuno, 1960)

全長(cm)	5〜8	胸鰭条数	15〜17
背鰭条数	VI〜VII-I, 8	縦列鱗数	35
臀鰭条数	I, 8〜10	背鰭前方鱗数	5〜7

オスの第1背びれは高い烏帽子形（地域によっては台形または半円形）

オス 5.7cm 岐阜県産

胸鰭条数は 15〜17 本で少ない

メス 5.6cm 和歌山県産

【形態】胸鰭条数が 15〜17 本であり、ほかのヨシノボリ（19本以上）よりも少ないことで区別できる。胸鰭条の間が広く見えるので、慣れれば同定は容易である。体側に7〜10個程度の暗色斑が一列に並ぶ。全長は5〜8cm程度。オスの第1背びれは長く伸びるが、壱岐-佐賀の集団は伸びないとされる。山陰地方の集団は、胸びれ基部に白帯と黒色斑がある。

【生態】河川の上・中流域の流れが緩やかな場所に生息する。止水域では生息できない。河川陸封型。大卵型で、ふ化した仔魚はすぐに着底する。雑食性で、付着藻類や小動物を捕食する。

【分布】日本固有種。静岡県富士川、富山県神通川以西の本州、四国、九州北部、壱岐、福江島（五島列島）。近年は、関東地方で国内外来種として確認されている。

【特記事項】カワヨシノボリは、遺伝的、形態的に複数の地域集団に区分できるとされる。ただし、現在ではこれらの集団に対する明確な分類学的位置づけについての検討が十分ではないと考えたため、各地域集団についての詳細な言及は避けた。

（藤田朝彦）

繁殖期のオス 背びれの伸長が顕著。

産卵床作り 口で石をくわえて運び出す。

産卵床 産卵場内のオスがメスを呼び込もうとしている。

卵保護中のオス メス親は石の下面に卵を産みつけ、オス親がふ化まで世話をする。1回の産卵で産みつけら

る卵は100粒程度。

スズキ目　ハゼ科
チチブ
Japanese trident goby

学　名　*Tridentiger obscurus*
(Temminck and Schlegel, 1845)

全長(cm)	5〜10
背鰭条数	VI-I, 9〜12
臀鰭条数	I, 8〜11
脊椎骨数	25〜26

第1背びれは雌雄とも糸状に伸びる
頭部に白点が密に分布する
オス 9.7cm 和歌山県産
胸びれ基部に分枝した橙色線がない

3.1cm 和歌山県産

【形態】体は太短く、やや側扁した円筒形。頭部は丸い。両あごの外側歯は3尖頭。体色は明褐色から黒色で、繁殖期のオスは特に黒い。明色時は体側に太い黒色縦帯が現れる。ヌマチチブに似るが、成魚では雌雄ともに第1背びれの棘条が糸状に伸びること、頭部の側面にヌマチチブより小さな白色点が密に分布すること、胸びれ基部に黄色横帯があり、そのなかに橙色線がないこと（ある場合もある）で区別できる。

【生態】主に内湾や河川の河口域に生息するが、淡水域に出現することもある。砂泥底や転石の周辺で単独で見られる。繁殖期は5〜9月で、転石の下や石垣の間隙などに産卵する。雑食性で付着藻類や小型の底生動物などを食べる。

【分布】北海道から九州南岸にかけての日本海・太平洋沿岸に分布する。国外では朝鮮半島、沿海州から知られている。

【特記事項】属名の"*Tridentiger*"は「3つの歯をもつ」の意味。チチブ属の特徴である3尖頭の歯に由来する。

（武内啓明）

オス成魚 主に内湾や河口域に生息し、東京湾のような汚濁の進んだ水域にも見られる。

頭部 ヌマチチブより小さな白点が密に分布する。

求愛するオス 繁殖期のオスは全身が黒くなる。

スズキ目　ハゼ科
ヌマチチブ
Short-spined Japanese trident goby

学　名　*Tridentiger brevispinis*
　　　　　Katsuyama, Arai and Nakamura, 1972

全長(cm)	5〜15
背鰭条数	VI-I, 10〜12
臀鰭条数	I, 9〜10
脊椎骨数	25〜26

第1背びれはオスのみ糸状に伸びる

頭部の白点はまばら

オス 11.1cm 和歌山県産

胸びれ基部に分枝した橙色線がある

メス 8.9cm 和歌山県産

【形態】チチブに似るがメスの第1背びれの棘条は伸びないこと、頭部側面の白点がまばらであること、胸びれ基部に黄色横帯があり、そのなかに明瞭に分枝した橙色線があることなどで区別できる。

【生態】主に河川の中・下流域に生息し、チチブが生息する河川では、本種の分布は上流側に偏る。両側回遊魚であるが容易に陸封される。流れの緩やかなところに多いが、平瀬にも見られる。繁殖期は春から夏で、転石の下や石垣の間隙などに産卵する。雑食性で主に付着藻類を食べる。

【分布】北海道から九州にかけての日本各地に分布する。また、奥多摩湖、芦ノ湖、富士五湖、鳳来湖、琵琶湖・淀川水系に移殖されている。国外ではサハリン、朝鮮半島、千島列島から知られている。

【特記事項】あまり利用されることはないが、高知県の四万十川流域では、春に河川を遡上する本種を含むハゼ科稚魚を狙ってゴリの上り落とし漁やガラ曳き漁が行われる。春を告げる魚として、唐揚げや卵とじなどで賞味される。

(武内啓明)

オス成魚 主に河川の中・下流域に生息し、チチブよりも上流側に偏る。

頭部 頭部の白点はチチブよりまばら。胸びれ基部の横帯のなかに分類形質の橙色線が見える。

幼魚 群れをなして河川を遡上する。

511

スズキ目　ハゼ科
ナガノゴリ
Nagano's goby

学　名　*Tridentiger kuroiwae*
　　　　　Jordan and Tanaka, 1927

全長(cm)	5～10
背鰭条数	VI-I, 9～11
臀鰭条数	I, 7～10
脊椎骨数	26

第1背びれは雌雄とも糸状に伸びる

頭部に小さな青色点が散在する

体側中央に暗色縦帯がある

オス 6.4cm 沖縄県産

黄色横帯がある

背面 6.7cm 沖縄県産

【形態】体は黄土色で、体側中央に暗色縦帯が走り、背面には黄色横帯がある。胸びれ基部は青みがかった黄色を呈する。雌雄ともに第1背びれの棘条が糸状に伸びる。チチブやヌマチチブに似るが、頭部の側面に青色点が散在し、体側に黄色横帯が現れること、雌雄とも体色が薄い色をしている時、体側に2本の黒色縦帯が現れることなどで区別できる。本種の口は、チチブやヌマチチブと比べてやや下方に位置しているが、これは石の表面に生えた藻類を食べやすくするための適応と考えられている。

【生態】主に河川の中流域に生息する。淵から平瀬の礫底や岩場に見られ、大型個体は流れの速い場所、小型個体は流れの緩やかな場所に多い。両側回遊魚であるが、沖縄島にはダムに陸封された個体群がある。雑食性で、主に糸状藻類を食べる。

【分布】日本固有種。種子島以西の島嶼に分布するが、神奈川県からも成魚1個体の記録がある。

【特記事項】和名の「ナガノ」は本種のタイプ標本の採集に協力した永野彦熊氏に因む。

(武内啓明)

512

成魚 体側に黄色横帯が現れることがある。

頭部 チチブやヌマチチブと比べて口がやや下方に位置する。

背面 石の表面に生えた藻類を盛んに食べる。

スズキ目　ハゼ科
アカオビシマハゼ
Chameleon goby

全長(cm)	5〜10
背鰭条数	VI-I, 11〜14
臀鰭条数	I, 10〜12
脊椎骨数	26

学　名　*Tridentiger trigonocephalus* (Gill, 1859)

胸びれの最上軟条は遊離する

体側に2本の黒色縦帯がある（横帯に変化することもある）

頭部の腹面に白点がない

臀びれに2本の赤色縦帯がある

6.7cm 和歌山県産

【形態】体は太短く、やや側扁した円筒形。頭部は丸い。吻から尾びれ基底にかけて2本の黒色縦帯が走るが、繁殖期のオスは全身が黒くなる。頭部の腹面に白点がないこと、臀びれに2本の赤色縦帯とその中間に白色縦帯があることなどで、近似のシモフリシマハゼと区別できる。

【生態】主に内湾に生息し、シモフリシマハゼに比べて塩分の高い場所に多い。石やカキ殻の間などに単独で見られる。

【分布】北海道から九州南岸にかけての日本海・東シナ海沿岸、瀬戸内海沿岸、青森県から土佐湾にかけての太平洋沿岸に分布する。国外では河北省から香港にかけての中国大陸から知られている。また、船舶のバラスト水を介して、アメリカ合衆国のカリフォルニア州、オーストラリアのシドニー湾、ビクトリア州に侵入し、定着している。

頭部腹面に白点がないのが特徴。

(武内啓明)

スズキ目　ハゼ科
シモフリシマハゼ
Marbled goby

学　名 *Tridentiger bifasciatus*
Steindachner, 1881

全長(cm)	5〜10
背鰭条数	VI-I, 11〜13
臀鰭条数	I, 9〜11
脊椎骨数	26

- 胸びれの最上軟条は遊離しない
- 体側に2本の黒色縦帯がある（この個体は横帯に変化している）
- 頭部腹面に白点がある
- 臀びれに赤色縦帯がない

7.3cm 島根県産

【形態】アカオビシマハゼに似るが、頭部の腹面に白点が散在する（婚姻色の出たオスでは頭部一面に小さな白点が散在する）こと、臀びれに赤色縦帯と白色縦帯がないこと、胸びれの最上軟条は遊離しないことなどで区別できる。

【生態】河川の河口域に生息し、アカオビシマハゼに比べて塩分の低い場所に多い。繁殖期は春から夏。石の下やカキ殻の中に産卵し、オスは産卵後も巣にとどまり、ふ化するまで卵を保護する。

【分布】青森県から高知県にかけての太平洋沿岸、石川県から九州北西岸にかけての日本海・東シナ海沿岸（有明海、島原湾を含む）、瀬戸内海沿岸に分布する。国外では朝鮮半島沿岸、台湾、中国福建省から知られている。

アカオビシマハゼと異なり、頭部腹面に白点がある。

（武内啓明）

515

スズキ目　ハゼ科
マハゼ
Yellowfin goby

全長(cm)	15〜25	胸鰭条数	20〜22
背鰭条数	VIII-I, 12〜14	縦列鱗数	46〜53
臀鰭条数	I, 10〜12	背鰭前方鱗数	24〜30

学　名　*Acanthogobius flavimanus*
(Temminck and Schlegel, 1845)

第1背びれは8棘
暗色の小斑点列がある
眼は吻長より小さい
ほほとえらぶたにうろこがある
体側に黒色斑が並ぶ
第2背びれは10〜15軟条

19.0cm 和歌山県産

7.1cm 和歌山県産

【形態】ハゼ科のなかでは比較的大型化する。体はやや細長い。頭は大きく、吻がやや長い。眼は小さく、眼径は吻長よりも小さい。背びれは2基ある。腹びれは左右が癒合し、吸盤状となる。体側には黒色斑が並ぶ。背びれと尾びれには暗色の小斑点が並ぶ。尾びれ基部の黒色斑は2叉しない。成熟しても、オスの第1背びれの棘状が糸状に伸長することはない。第2背びれと臀びれの基底は長い。尾びれは丸みを帯びる。
【生態】河口や内湾の砂泥底に生息する。河川の淡水域にも入ることがある。繁殖期は1〜5月で、温暖な地域ほど早い。内湾や汽水域の泥底や砂泥底にオスが穴を掘り、そこにメスがやってきて内壁に卵を産む。ゴカイや甲殻類を主な餌とするが、小魚や藻類も摂食する。
【分布】国内では北海道から種子島にかけて分布する。国外では朝鮮半島や中国から知られる。バラスト水に混入した個体がカリフォルニアとシドニーで定着している。
【特記事項】水質汚染に比較的強い。ハゼ釣りの代表種でなじみの深いハゼ。

(川瀬成吾)

斑紋 体側には黒色斑が、背部には鞍状斑が並び、砂や砂礫底では目立ちにくい

成魚 成長とともに海の影響のある水域へ移動する。

顔 眼は比較的小さく、吻長よりも眼径は短い。

スズキ目　ハゼ科
ハゼクチ
Hazekuchi goby

学　名　*Acanthogobius hasta*
　　　　　(Temminck and Schlegel, 1845)

全長(cm)	40〜60	胸鰭条数	15〜22
背鰭条数	VIII〜IX-I, 18〜20	縦列鱗数	62〜80
臀鰭条数	I, 13〜17	背鰭前方鱗数	28〜40

絶滅危惧II類（VU）

黒色斑は不明瞭　　第2背びれの軟条数は18〜20　　点列を欠き、全体的に暗色

21.2cm　福岡県産

【形態】マハゼに類似しており、成長とともに尾部が伸び、成魚は細長い体形となる。ハゼ科のなかではかなり大型化する。オスは成熟するとほほが肥大する。体側や尾びれに黒点がないことでマハゼと区別できる。

【生態】河川感潮域の泥底に生息する。仔稚魚は河口沖で浮遊生活をおくり、その後、河川感潮域に移動する。繁殖期は3〜4月。小型甲殻類、ゴカイの仲間、小魚などを捕食する。

【分布】国内では有明海と八代海の北部海域にのみ分布する。日本列島が大陸と陸続きであったことを示す遺存種と考えられている。国外では朝鮮半島西岸、中国、台湾に分布する。

【特記事項】人的影響の受けやすい河口や干潟に生息しているため、減少が懸念されている。特に河口堰や干拓の影響は大きい。地元では高価な魚として知られ、漁獲圧も脅威である。

体側背部は灰褐色、腹部は白色となる。

（川瀬成吾）

スズキ目　ハゼ科
アシシロハゼ
Ashishiro goby

学　名　*Acanthogobius lactipes*
(Hilgendorf, 1879)

全長(cm)	8～10	胸鰭条数	18～19
背鰭条数	VIII-I, 10～11	縦列鱗数	34～37
臀鰭条数	I, 9～10	背鰭前方鱗数	0～11

- ほほとえらぶたはうろこがない
- 糸状に伸びる
- 軟条数は10～11
- 斑紋は明瞭
- メスは黒色斑を有する
- 体側に白色の横帯がある

オス 6.3cm 三重県産

メス 5.6cm 三重県産

【形態】マハゼやハゼクチと似ているが、頭やうろこが比較的小さいことや第１背びれ以外の鰭条数が少ないことで見分けられる。また、本種の全長は大きくても10cmほどと、概して小さい。成熟すると雌雄ともに白色の横帯が出現する。また、オスの第１背びれの棘は糸状に伸び、メスの第１背びれには黒色斑点がある。

【生態】内湾や汽水域の砂底から砂礫底に生息する。塩分濃度の変化に対して順応性がある。河川では淡水域まで遡上することがあるが、上流まで達することはない。繁殖期は５～９月。汽水域の沈石や貝殻の下面にオスが巣を作り、そこに卵が産みつけられる。卵はオスによって保護される。底生動物や藻類を食べる雑食性。

【分布】北海道、本州、四国、九州に分布。国外ではオホーツク海、サハリン、沿海州、朝鮮半島、渤海、黄海から知られる。

石や貝殻の下に巣を作る。

(川瀬成吾)

スズキ目　ハゼ科
シロウオ
Ice goby

学　名　*Leucopsarion petersii*
　　　　　Hilgendorf, 1880

全長(cm)	4〜6
背鰭条数	11〜15
臀鰭条数	16〜19
胸鰭条数	13〜15
脊椎骨数	33〜36

絶滅危惧Ⅱ類（VU）

体表にはほとんど色素がなく半透明

オス 4.7cm 大分県産

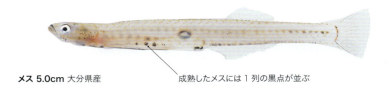

メス 5.0cm 大分県産　　成熟したメスには1列の黒点が並ぶ

【形態】体は細長く、やや側扁する。体表には色素が少なく、半透明を呈する。第1背びれはなく、第2背びれのみを有する。腹びれは小さい。繁殖期になると、メスはオスより体サイズと、腹部が大きくなり、腹部に1列の黒点が並ぶため、雌雄を見分けることができる。

【生態】海岸線が入り組んだ、波の穏やかで透明度の高い沿岸に生息する。浅い沿岸域の中層から下層を、群れをなして遊泳する。遡河回遊魚で、1〜5月頃、河川に遡上して石の下に巣を作り産卵する。河川の遡上は南からはじまり、北に行くほど遅くなる。ヨコエビやカイアシ類などの小型の動物プランクトンを食する。

【分布】北海道南部から九州までの日本各地。国外では朝鮮半島南部から知られる。

【特記事項】地域によって著しく減少しているところがある。

半透明のため、食べたものが透けて見える。

（川瀬成吾）

スズキ目　ハゼ科
ヒナハゼ
Dwarf speckled goby

学　名　*Redigobius bikolanus*
　　　　　(Herre, 1927)

全長(cm)	3〜4
背鰭条数	VI-I, 7
臀鰭条数	I, 6〜7
脊椎骨数	26

オスの第1背びれは伸長する
体は太短く、側扁する
オスの上あご後端は、眼の後端を越える
うろこが大きい

オス 3.8cm 沖縄県産

メス 2.9cm 沖縄県産

【形態】体は太短く、後部でやや側扁する。体側や後頭部のうろこは大きい。体色は淡褐色で、体側に数個の褐色斑が並ぶ。あごの形態に顕著な性的二型が見られ、オス成魚では口の後端が眼の後縁を越えるとともに、歯の一部が犬歯状となる。メスは口も小さく、未成魚とほとんど差が見られない。

【生態】河川の下流域や河口域などに生息する。水が淀み、底に枯れ葉が堆積したところや草の下に多く見られる。繁殖期は夏で、貝殻や石の裏面に卵を1層に産みつける。

【分布】茨城県以西の太平洋沿岸、瀬戸内海沿岸、富山県以西の日本海・東シナ海沿岸に分布する。国外ではインド－太平洋から知られている。

【特記事項】1990年代以前は、東京湾での生息は確認されていなかったが、近年、湾奥の京浜運河などでもごく普通に見られるようになった。

オスは成長にともない、口が大きくなる。

（武内啓明）

スズキ目　ハゼ科
アベハゼ
Abe's goby

学　名 *Mugilogobius abei*
(Jordan and Snyder, 1901)

全長(cm)	4～5
背鰭条数	VI-I, 8
臀鰭条数	I, 8
脊椎骨数	26

頭は丸く、縦扁する
オスの第1背びれの棘条は糸状に伸びる
尾柄部に2本の縦帯がある
尾びれに黒色縦線がある

オス 3.6cm 高知県産

メス 5.5cm 和歌山県産

【形態】体は縦扁した円筒形。頭は丸く、両眼間隔が広い。オスの第1背びれの棘条は糸状に伸びる。体側前半に数本の横帯、後半に2本の縦帯がある。
【生態】河川の河口域に生息し、岸寄りの軟泥底の穴の中、石やカキ殻の間などに見られる。有機汚濁にも強く、ほかのハゼ科魚類が姿を消した後でも最後まで生き延びている。繁殖期は4～8月。雑食性。
【分布】宮城県から種子島の太平洋沿岸、瀬戸内海沿岸、新潟県から熊本県の日本海・東シナ海（有明海を含む）、壱岐島、対馬、五島列島、上甑島に分布する。国外では朝鮮半島西部、澎湖諸島から知られている。
【特記事項】イズミハゼの分布との境界に位置する上甑島や種子島では、両種の中間的な斑紋を持つ個体が生息し、イズミハゼ系統のミトコンドリアDNAを持つ個体が確認されている。

尾びれ上部の縦線は濃い。

（武内啓明）

スズキ目　ハゼ科
イズミハゼ
Izumi goby

学　名　*Mugilogobius* sp. 1

全長(cm)	4～5
背鰭条数	VI-I, 8
臀鰭条数	I, 8
脊椎骨数	26

第1背びれの棘条は糸状に伸びる

頭は丸く、縦扁する

尾柄部に横帯がある

オス 4.3cm 沖縄県産

尾びれに黒色縦線がある

メス 3.5cm 沖縄県産

【形態】アベハゼに酷似するが、体側後半に横帯があることで区別できる。また、同属のナミハゼ *M. chulae*、フタホシハゼ *M. fuscus*、ホホグロハゼ *M. cavifrons*、タヌキハゼ *M.* sp. 2、ムジナハゼ *M.* sp. 3 とは、尾びれに黒色縦線があることで容易に区別できる。

【生態】河川の河口域に生息し、アベハゼと同様に有機汚濁に強い。雑食性。

【分布】五島列島、上甑島、種子島以西の島嶼に分布する。国外では台湾、フィリピン諸島、サモア諸島から知られている。

【特記事項】上甑島や紀伊半島南部のアベハゼ型もしくは中間型の体色を持つ個体からは、イズミハゼ系統のミトコンドリアDNAが確認されている。これは過去にイズミハゼの分布域が今より北上していたことに由来すると考えられている。

アベハゼと異なり尾柄部に横帯がある。

(武内啓明)

スズキ目　ハゼ科
スナゴハゼ
Sunago goby

学　名　*Pseudogobius poicilosoma*
(Bleeker, 1849)

全長(cm)	3～4
背鰭条数	VI-I, 7
臀鰭条数	I, 7
脊椎骨数	26

第1背びれに黒色斑がある

吻端は丸く、眼の下縁より下に位置する

3.7cm 沖縄県産

【形態】形態的特徴は同属のマサゴハゼやコクチスナゴハゼ *P.* sp. に似るが、体高が大きいことや、第1背びれの後方に黒色斑があること、尾びれの下部に黒点列があることで区別できる。

【生態】河川の河口域に生息し、岸際の浅く平坦な砂泥底に多く見られる。雑食性と考えられる。

【分布】種子島以西の島嶼に分布する。また、広島県、壱岐島、対馬、薩摩半島、大隅半島からも記録されている。国外では西部太平洋から知られている。

【特記事項】本種は従来、*P. javanicus* として取り扱われてきたが、この学名は *P. poicilosoma* のジュニアシノニムとされた。スナゴハゼ属からは、世界で15種が知られ、そのうち日本からはスナゴハゼ、マサゴハゼ、コクチスナゴハゼの3種が知られている。

マサゴハゼと比べると体高がやや大きい。

（武内啓明）

スズキ目　ハゼ科
マサゴハゼ
Masago goby

学　名 *Pseudogobius masago*
(Tomiyama, 1936)

全長(cm)	2〜3
背鰭条数	VI-I, 7
臀鰭条数	I, 7
脊椎骨数	26

絶滅危惧Ⅱ類（VU）

第１背びれに黒色斑はない
吻端は丸く、眼の下縁より下に位置する
3.0cm 愛知県産

【形態】全長3cmほどの小型種。体は細長く、側扁した円筒形。吻端は丸く、眼の下縁より下に位置する。オスの体は黒色を帯び、生殖突起が細長い筒状であるのに対し、メスの体は淡褐色で生殖突起が太短い。同属のスナゴハゼに似るが、体高が小さいことや、第１背びれに黒色斑がないことなどで区別できる。

【生態】河川の河口域に生息し、岸際の浅く平坦な泥底に多く見られる。有機物の堆積した場所を好むが、汚濁が進むとすぐに姿を消す。繁殖期は５〜９月で、生後約１年で全長2cm程度になると雌雄とも成熟する。仔魚はカイアシ類など捕食し、着底後は主にデトリタスを食べるようになる。

【分布】宮城県以西の太平洋沿岸、瀬戸内海沿岸、対馬以南の日本海・東シナ海沿岸に分布する。国外では朝鮮半島南西岸、台湾、澎湖諸島から知られている。

干潟の消失にともない減少している。

（武内啓明）

スズキ目　ハゼ科
ゴマハゼ
Sesamoid goby

学　名　*Pandaka* sp.

全長(cm)	1〜2
背鰭条数	VI-7
臀鰭条数	7
脊椎骨数	25

絶滅危惧Ⅱ類（VU）

第1背びれの前下方は透明
第1背びれの後方は透明
1.8cm 和歌山県産
4つの黒色斑がある

【形態】全長2cm程度の小型種。日本産の同属他種に似るが、体がやや大きいこと、第1背びれの後方に黄色斑がなく、第1背びれの前下方が透明であることなどで区別できる。臀びれ基底から尾びれ基底の間に4つの黒色斑を持つ。
【生態】内湾や河川の河口域に生息する。船溜の隅、橋脚の周り、アマモ場などで群泳していることが多く、岸や構造物から離れた開けた場所では見られない。繁殖期は6〜8月で、カキ殻の隙間などに産卵する。寿命は約1年で、主にカイアシ類などの動物プランクトンを食べる。
【分布】日本固有種。三重県から屋久島にかけての太平洋沿岸、対馬、五島列島に分布する。
【特記事項】従来、本種の学名として用いられていた *P. lidwilli* はマングローブゴマハゼに相当することが明らかとなった。

第1背びれ後方に黄色斑がないのが特徴。

（武内啓明）

スズキ目　ハゼ科
マングローブゴマハゼ
Mangrove sesamoid goby

学　名　*Pandaka lidwilli*
　　　　　(McCulloh, 1917)

全長(cm)	1〜1.5
背鰭条数	VI-7
臀鰭条数	7〜8
脊椎骨数	25

絶滅危惧Ⅱ類（VU）

黒色斑は第1背びれの上端に達する　　第1背びれの後方は黄色
第1背びれの前下方は黒い

1.5cm 沖縄県産

【形態】きわめて小型で、成魚でも全長1cm程度にしかならない。体は太短く、透明感が強い。頭部や体側に黒色斑を持つ。ミツボシゴマハゼに似るが、第1背びれ前方の黒色斑が細長く、その上端が第1背びれの上端に達することで区別できる。

【生態】河川の汽水域中流部に生息する。マングローブや係留された船などの障害物の陰で群泳していることが多く、岸や構造物から離れた開けた場所では見られない。近似種のミツボシゴマハゼと混合群を作ることもあるが、本種の生息域はマングローブに接する軟泥底の環境に限定される。寿命は約1年で、主に動物プランクトンを食べると考えられる。

【分布】沖縄島、石垣島、西表島に分布し、宮崎県からも記録がある。国外ではアンダマン海、リボン島、オーストラリア（南岸を除く）から知られている。

第1背びれの黒色斑は細長い。

（武内啓明）

スズキ目　ハゼ科
ミツボシゴマハゼ
Three spotted sesamoid goby

学　名　*Pandaka trimaculata*
　　　　　Akihito and Meguro, 1975

全長(cm)	1～1.5
背鰭条数	VI-7
臀鰭条数	7～8
脊椎骨数	25

黒色斑は第1背びれの上端に達しない
第1背びれの後方は黄色
第1背びれの前下方は黒い
（奄美大島の個体群のなかには黒くない個体も見られる）

1.3cm 沖縄県産

3つの黒色斑がある

【形態】形態的特徴は、日本産の同属他種とほぼ同様。マングローブゴマハゼに似るが、第1背びれ前方の黒色斑が丸く、その上端が第1背びれの上端に達しないことで区別できる。和名の「ミツボシ」は、臀びれ基底から尾びれ基底にかけて3つの黒色斑を持つことに由来する。
【生態】河川の汽水域に生息する。同属他種と同様に障害物の陰で群泳していることが多く、岸や構造物から離れた開けた場所では見られない。河川内での生息範囲はマングローブゴマハゼよりも広く、汽水域中・上流部のさまざまな環境に見られる。寿命は約1年で、主に動物プランクトンを食べると考えられる。
【分布】奄美大島以西の島嶼に分布する。国外ではシンガポール、ミンダナオ島から知られている。

第1背びれの黒色斑は丸い。

（武内啓明）

スズキ目　ハゼ科
ヒトミハゼ
Sleepy goby

学　名　*Psammogobius biocellatus*
　　　　　(Valenciennes, 1837)

全長(cm)	6～8
背鰭条数	VI-I, 9
臀鰭条数	I, 8～9
脊椎骨数	27

眼に三角形の虹彩皮膜がある

頭は細長く尖り
下あごが突出する

腹びれに黒色斜帯がある
（この個体では不明瞭）

7.2cm 沖縄県産

【形態】頭は縦扁し、下あごは上あごより前方に突出する。ウロハゼ属魚類に似るが、左右の鰓条膜が互いに融合し、その後縁が峡部を横切る遊離縁状であることなどにより区別できる。
【生態】河川の河口域に生息する。泥底を好み、泥中にもぐっていることが多い。動物食性で魚を好んで食べる。
【分布】千葉県以西の太平洋沿岸に分布する。国外ではインド－太平洋から知られている。
【特記事項】本種は、ウロハゼ属に分類されていたが、左右の鰓条膜が互いに融合し、その後縁が峡部を横切る遊離縁状であることなどでウロハゼ属魚類と区別できるとし、現在ではヒトミハゼ属に分類されている。

虹彩皮膜があるため虹彩上部が欠けて見える。

（武内啓明）

スズキ目　ハゼ科
ウロハゼ
Uro goby

学　名　*Glossogobius olivaceus*
(Temminck and Schlegel, 1845)

全長(cm)	15〜20
背鰭条数	VI-I, 9
臀鰭条数	I, 8
脊椎骨数	27

後頭部に黒色斑が散在する
眼に虹彩皮膜がない
頭は細長く尖り下あごが突出する

13.9cm 静岡県産

3.7cm 和歌山県産

【形態】ハゼ科魚類としては比較的大型で、全長20cmに達する。頭は縦扁し、細長く尖る。下あごは突出する。体色は褐色で、体側に数個の暗色斑がある。後頭部の背面に黒点が散在すること、下あご先端にひげ状突起がないこと、眼の虹彩上部に三角形の虹彩皮膜がないことなどでほかの日本産ウロハゼ属魚類と区別できる。

【生態】河川の河口域や汽水湖に生息し、純淡水域まで侵入することは少ない。泥底を好み、障害物の下や隙間に単独で潜んでいることが多い。繁殖期は夏で、障害物の下で産卵し、オスが保護する。動物食性で魚食性が強い。

【分布】福島県から種子島にかけての太平洋沿岸、瀬戸内海沿岸、新潟県佐渡島から九州南岸の日本海・東シナ海沿岸に分布する。国外では台湾、中国浙江省、広東省から知られている。

【特記事項】あまり利用されることはないが、岡山県を中心とする瀬戸内海の一部では、素焼きのつぼや木箱を水中に沈めて本種を漁獲する「はぜつぼ漁」が知られている。

(武内啓明)

成魚 周囲の環境によく同化している。背側の鞍状斑が目立つ。

幼魚 マハゼに似るが、下あごが突出するため容易に区別できる。

スズキ目　ハゼ科
クロコハゼ
Kuroko goby

学　名　*Drombus* sp.

全長(cm)	3～6
背鰭条数	VI-I, 10
臀鰭条数	I, 8～9
脊椎骨数	26

体は一様に黒褐色
オスの第1背びれに黒色斑がある
第2背びれと尾びれの上縁に白色帯がある

オス 5.1cm 和歌山県産

メス 3.4cm 和歌山県産

【形態】頭は丸く、両眼間隔は狭い。体は一様に黒褐色で、第2背びれと尾びれの上部に白色帯が走る。オスの第1背びれ中央には黒色斑がある。第1背びれ中央に透明帯があること、尾びれ基底中央にやや不明瞭な黒色斑があることなどで近似のイッテンクロコハゼ *D. simulus* と区別できる。

【生態】主に河口付近に生息するが、内湾にも現れる。泥底や砂泥底に転石や枯れ葉が堆積したところに単独で見られる。動物食性。

【分布】千葉県以西の太平洋沿岸に分布する。国外では台湾、香港、海南島、シンガポールから知られている。

【特記事項】本種の分布域は、2000年頃までは和歌山県以南に限られていたが、2004年には静岡県、2007年には神奈川県、2016年には千葉県で確認され、分布域の北上が示唆されている。

全身が一様に黒褐色。

（武内啓明）

スズキ目　ハゼ科
ヒメハゼ
Sharpnose sand goby

学　名 *Favonigobius gymnauchen*
(Bleeker, 1860)

全長(cm)	5〜10
背鰭条数	VI-I, 9
臀鰭条数	I, 9
脊椎骨数	26

オスは第1背びれが糸状に伸びる
背びれと尾びれに楕円状の斑紋が並ぶ
体側中央に4つの黒色斑がある

オス 7.6cm 和歌山県産

下あごがやや突出する

メス 7.0cm 神奈川県産

【形態】体はやや側扁した円筒形。吻はやや尖り、上あごより下あごが前方に突出する。オスでは第1背びれが糸状に伸びる。体側中央に4つの黒色斑を持ち、背びれと尾びれには楕円形の斑紋が並ぶ。第2背びれと臀びれの軟条数が9であること、臀びれに白黒の斜帯模様がないこと、尾びれ基底の黒色斑が2叉することなどで日本産の同属他種と区別できる。

【生態】内湾や河川の河口域にごく普通に見られる。砂底や砂泥底を好み、底砂によくもぐる。生息水深は1〜10m。繁殖期は春から夏。動物食性で小型の底生動物を食べる。

【分布】北海道以西の太平洋沿岸、瀬戸内海沿岸、青森県以西の日本海・東シナ海沿岸（有明海を除く）に分布する。国外では中国河北省、朝鮮半島西岸・南岸から知られている。

河口域の砂泥底に多く、砂によくもぐる。

（武内啓明）

スズキ目　ハゼ科	全長(cm)	5〜10
スジハゼ	背鰭条数	VI-I, 10〜11
Striped goby	臀鰭条数	I, 9〜11
	脊椎骨数	26

学　名　*Acentrogobius virgatulus*
　　　　(Jordan and Snyder, 1901)

前鰓部前方の頭部背面にうろこがある

胸びれ基底下部の棒状斑は明瞭

腹びれの先端は黒くない

尾びれ下部に黒色線がない

5.3cm 和歌山県産

【形態】ツマグロスジハゼやモヨウハゼ *A. pflaumii* に似るが、頭部背面のうろこは前鰓蓋部を越えること、腹びれ先端は黒くないこと、尾びれ下部に斜め上方に向かう黒色線がないこと、胸びれ基底下部の棒状斑が明瞭であること、尾びれ基底の黒色斑は円形ではないことなどで区別できる。

【生態】内湾の湾奥から河川の河口域に生息する。泥底や砂泥底を好み、アマモ場に多い。テッポウエビ類と共生することがある。生息水深は1m以深。繁殖期は春から夏。生後約1年で成熟し、多くは産卵後死亡する。動物食性。

【分布】青森県以西の太平洋沿岸、瀬戸内海沿岸、北海道から九州南岸の日本海・東シナ海沿岸に分布する。国外では朝鮮半島西岸・南岸、香港から知られている。

【特記事項】かつて「スジハゼB」と呼ばれていた。

体側に青色点が散在する。

(武内啓明)

スズキ目　ハゼ科
ツマグロスジハゼ
Black margin striped goby

学　名　*Acentrogobius* sp. 2

全長(cm)	5〜10
背鰭条数	VI-I, 9
臀鰭条数	I, 10
脊椎骨数	26

前鰓蓋部前方の頭部背面にうろこがない

頭と体側に青色点が散在する

胸びれ基底の棒状斑は不明瞭

4.4cm 和歌山県産

腹びれの先端は黒い

尾びれ下部に黒色線がある

【形態】スジハゼやモヨウハゼに似るが、頭部背面のうろこが前鰓蓋部を越えないこと、腹びれの先端が黒いこと、尾びれ下部に斜め上方に向かう黒色線があることなどで区別できる。
【生態】内湾の湾奥から河川の河口域に生息し、泥底や砂泥底に単独で見られる。生息水深は 2m 以浅。近縁のスジハゼやモヨウハゼに比べて塩分の低いところにも出現する。繁殖期は春から夏で、テッポウエビの巣穴の中や貝殻の下などに産卵する。生後約 1 年で成熟し、親魚の多くは産卵後死亡する。動物食性。
【分布】宮城県、東京湾以西の太平洋沿岸、瀬戸内海沿岸、秋田県、石川県以西の日本海・東シナ海沿岸に分布する。国外では台湾から知られている。
【特記事項】かつて「スジハゼ A」と呼ばれていた。

河川の河口域にも現れる。

(武内啓明)

スズキ目　ハゼ科
ツムギハゼ
Yellowfin toxic goby

学　名　*Yongeichthys nebulosus*
　　　　　(Forsskål, 1775)

全長(cm)	10〜13
背鰭条数	VI-I, 9
臀鰭条数	I, 9
脊椎骨数	26

眼と頭が大きい
体側中央に3個の黒褐色斑がある

5.8cm 沖縄県産

【形態】体は太短く、頭と眼が大きい。ニセツムギハゼ *A. audax* やカスミハゼ *A. janthinopterus* に似るが、体側中央に3個の黒褐色斑があることでと区別できる。なお、本種が属するツムギハゼ属は、キララハゼ属 *Acentrogobius* に酷似し、体色以外にほとんど形態的な差異が認められないことから、そのシノニムとする意見もある。

【生態】河川の河口域、内湾の湾奥に生息する。開けた水域の軟砂底から砂底に単独から数尾の群れで見られる。生息水深は30m以浅。動物食性。

【分布】八丈島、静岡県、和歌山県、高知県、鹿児島県、屋久島、琉球列島から報告されている。国外ではインド–太平洋から知られている。

【特記事項】ハゼ類としては特異的に筋肉や皮膚に強い毒（フグと同じテトロドトキシン）を持つ。毒性は季節や生息場所によって異なることが知られている。

テトロドトキシンを持つため、食べてはいけない。

（武内啓明）

スズキ目　ハゼ科
タネハゼ
Tanegashima goby

学　名　*Callogobius tanegasimae* (Snyder, 1908)

全長(cm)	10〜12
背鰭条数	VI-I, 13〜15
臀鰭条数	I, 10〜13
胸鰭条数	16〜18

6.8cm 和歌山県産

拡大

【形態】体は側扁して細長い。頭部は縦扁する。頭長は胸びれ長より明らかに短い。胸びれは大きい。腹びれには膜蓋があり、吸盤状となる。尾びれは後方に伸びて尖形となる。第2背びれの軟条数は13〜15で、臀びれの軟条数は10〜13。体色は全身が暗褐色を呈する。

【生態】河口付近から淡水の影響のある感潮域最上流部まで生息する。マングローブ帯にも生息する。泥底から砂泥底の石や貝殻の下や巣穴を掘ってその中に潜んだりする。

【分布】国内では相模湾から琉球列島西表島までの黒潮の影響を受ける地域に分布する。国外では台湾やフィリピンから知られる。

【特記事項】近年行われた遺伝解析の結果、本州や沖縄島の集団と西表島の集団は遺伝的に異なることがわかってきている。

暗褐色の体と長いひれが特徴。

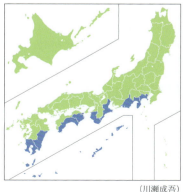

(川瀬成吾)

スズキ目　ハゼ科
ミナミイソハゼ
Southern shore goby

学　名　*Eviota japonica*
　　　　　Jewett and Lachner, 1983

全長(cm)	2～3
背鰭条数	VI-I, 9
臀鰭条数	I, 8
脊椎骨数	26

- 後頭部に2個の斑紋がある
- オスの第1背びれは長く伸びる
- うろこの縁辺は赤色
- 前鼻管が長い
- 胸びれ基底と腹びれ基底の間に黒点がない
- 胸びれの鰭膜はほとんど発達しない

1.9cm 和歌山県産

【形態】全長3cm程度の小型種。体は側扁した円筒形。前鼻管は比較的長く、ひげのように見える。腹びれは左右に分かれ、鰭膜はほとんど発達しない。オスでは第1背びれが長く伸びる。体の透明感が強く、体側に紫色の数本の横帯が入り、うろこの縁辺が赤または赤褐色を呈する。後頭部に暗青色の円形斑が2つあり、尾柄部後方に暗色斑はない。ホシヒレイソハゼ *E. queenslandica* に似るが、胸びれ基底と腹びれ基底の間に黒点がないこと、臀びれ基底の暗色点が3つであること、腹部の暗色斑は腹面に達することなどで区別できる。

【生態】河川の河口域、内湾の湾奥、サンゴ礁域の礁原に生息する。生息水深は1～3m。食性は不明であるが、小型の底生動物などを食べると考えられる。

【分布】日本固有種。三重県以西の太平洋沿岸に分布する。

小型で体は透明感が強い。

（武内啓明）

スズキ目　クロユリハゼ科
サツキハゼ
Satsuki goby

学　名 *Parioglossus dotui* Tomiyama, 1958

全長(cm)	3～5
背鰭条数	VI-I, 16～18
臀鰭条数	I, 16～18
脊椎骨数	26

頭部に青色斑がある
体側に黒色縦帯が走る
尾びれ基底の黒色斑は縦長

オス 4.2cm 和歌山県産

メスの肛門は黒い

メス 3.7cm 和歌山県産

【形態】体は細長く、側扁する。吻は短く、口は強く上を向く。体側正中線上に黒色縦帯が走る。ベニツケサツキハゼに似るが、尾びれ基底の黒色斑は縦長で、それに続く黒色縦帯が水平であること、メスの肛門が黒いことなどで区別できる。
【生態】内湾の湾奥、河川の河口域に生息する。ヒルギ類の根本や橋脚や岩についたカキ殻の周囲を群泳し、近似種のベニツケサツキハゼと混合群を作ることもある。夜間や干潮時は、マングローブの根の間やカキ殻などの障害物の中に潜む。繁殖期は夏で、カキ殻の隙間などに産卵する。動物プランクトン食性。
【分布】千葉県以西の太平洋沿岸、瀬戸内海沿岸、石川県以西の日本海・東シナ海沿岸に分布する。国外では済州島、香港から知られている。
【特記事項】和名の「サツキ」は、体色が5月の新緑を思わせることに因む。

ハゼ科魚類としては遊泳性が強い。

（武内啓明）

サツキハゼ未成魚 性格は臆病で、障害物から離れようとしない。

サツキハゼ成魚 河口域に形成された塩水くさびの中を群泳する。

スズキ目　クロユリハゼ科
ベニツケサツキハゼ
Philippine dartfish

学　名　*Parioglossus philippinus*
　　　　　(Herre, 1945)

全長(cm)	3〜5
背鰭条数	VI-I, 17〜19
臀鰭条数	I, 17〜18
脊椎骨数	26

頭部に青色斑がある　　　　　　　体側に黒色縦帯が走る

尾びれ基底の黒色斑は円形

オス 3.5cm 和歌山県産

【形態】サツキハゼに酷似するが、尾びれ基底の黒色斑は丸みを帯び、それに続く黒色縦帯は後下方に向かうこと、メスの肛門は黒くないことで区別できる。また、第1背びれに黒色斑がないこと、オスの第1背びれの棘条は糸状に伸びないこと、尾びれ基底に黒色斑があることでほかの日本産サツキハゼ属魚類（サツキハゼを除く）と区別できる。
【生態】内湾の湾奥、河川の河口域に生息する。ヒルギ類の根本や橋脚や岩についたカキ殻の周囲を群泳し、サツキハゼと混合群を作ることもある。夜間や干潮時は、マングローブの根の間やカキ殻などの障害物の中に潜む。
【分布】茨城県以西の太平洋沿岸、瀬戸内海沿岸に分布する。国外では西部太平洋から知られている。

しばしばサツキハゼと混合群を作る。

（武内啓明）

541

スズキ目　ゴクラクギョ科
タイワンキンギョ
Paradise fish

学　名　*Macropodus opercularis*
　　　　　(Linnaeus, 1758)

全長(cm)	6〜11
背鰭条数	XIII〜XIV, 7〜9
臀鰭条数	XVII〜XX, 11〜14
側線鱗数	28〜33

絶滅危惧IA類（CR）

えらぶたに眼状青色斑がある

尾びれ後縁は大きく湾入する

体側の横帯は濃青色。横帯はどれも直走する

オス 9.6cm 沖縄県産

メス 9.6cm 沖縄県産

【形態】チョウセンブナに似るが、尾びれの後縁が深く切れ込むことで区別できる。さらに体側の横帯は本種では一様に濃菁色で、ほぼ垂直に並んでいるのに対して、チョウセンブナでは濃褐色で、胸びれ端までの体前部の横帯は「く」の字形に曲がる。本種のオスは成熟すると、体色が朱色に変わり、濃青色横帯との間でコントラストが強くなる。各ひれは伸長する。
【生態】本種は金魚ではなく熱帯魚のベタの仲間である。平野部の水田、用水路、池に生息している。チョウセンブナに比べて低温に弱く、日本本土では野外での越冬は困難である。1年で成熟する個体が多い。オスは気泡で直径5〜8cmの浮巣を作る。主に動物プランクトン、アカムシ、イトミミズなどを食べる。
【分布】自然分布域は福建省より南の中国、台湾、東南アジアなど。日本列島では沖縄県、鹿児島県（絶滅）、高知県（絶滅）から報告があり、いずれも国外からの移殖と考えられている。現在、沖縄島に現存する集団にはいくつかの系統があるようで、在来の個体群も存在する可能性がある。

（細谷和海）

第2次性徴の誇示 成熟したオスは金魚のようにカラフル。尾はライアテールと呼ばれる湾入形。

繁殖期のオス ベタの仲間なのでオス同士ケンカをする。沖縄県での地方名は闘魚(トーユー)。

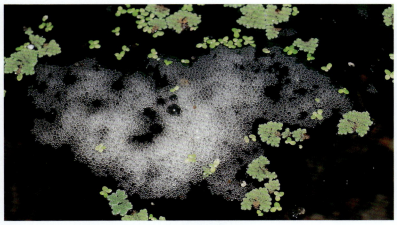

泡巣 オスは口から泡を出して浮巣を作り、卵や仔魚を保護する。

スズキ目　ゴクラクギョ科
チョウセンブナ
Roundtail paradise fish

学　名 *Macropodus ocellatus*
　　　　Cantor, 1842

全長(cm)	5〜8
背鰭条数	XIV〜XIX, 5〜8
臀鰭条数	XV〜XX, 7〜12
側線鱗数	26〜31

体前部の横帯はわずかに「く」の字に曲がる

尾びれの後縁は丸い

体後部の横帯は不明瞭

オス 6.9cm 岡山県産

メス 5.8cm 岡山県産

【形態】尾びれの後縁は丸みを帯び、えらぶた後縁には眼状の青色斑がある。オスは成熟すると、背びれ、臀びれ、尾びれ、腹びれが著しく伸びて、青の美しい婚姻色を現わす。鰓腔上部に鰓弓上皮が変形してできたラビリンス（迷路状器官）があり、これを使って空中の酸素を取り込むなど、低酸素環境に適応している。

【生態】本種はフナではなく熱帯魚のベタの仲間である。平野部の水田、用水路、池に生息している。成熟にはふつう2年かかる。繁殖期は6〜7月で、オスは浮草の間に口から泡を出して浮巣を作る。ジャンプ力があり、水槽から容易に飛び出す。主に動物プランクトン、アカムシ、イトミミズなどを食べる。

【分布】自然分布域はアムール川から長江にかけて中国東北部、朝鮮半島西部。1914年頃に朝鮮半島から観賞目的で移殖された。一時は各地で繁殖したが、現在では圃場整備の影響でほとんどいなくなっている。現在、栃木県、茨城県、千葉県、新潟県、長野県、愛知県、岡山県のごく一部の水域に局在している。

（細谷和海）

オス婚姻色 成熟すると背びれ、臀びれ、腹びれが伸びて青色に染まる。

産卵行動 オスはひれを大きく張ってメスを産卵に誘う。

幼魚 フナではなく明らかにベタを想起させる。

スズキ目　タイワンドジョウ科
カムルチー
Northern sneakhead

学　名　*Channa argus*
　　　　　(Cantor, 1842)

全長(cm)	50〜100
背鰭条数	45〜54
臀鰭条数	31〜35
側線鱗数	59〜60

側線上方横列鱗数は7〜10枚

頭部は長く、縦扁する

47.4cm 滋賀県産

斑紋は2列に見え、突起の少ない大きな楕円形
大型個体は全体的に体色が黒化することも多い

8.9cm 岡山県産

【形態】通常成魚は全長50〜70cm程度だが、まれに全長1mを超えるまで成長する。体側に2列程度の斑紋を備えるが、大型個体は黒化したり、繁殖期に斑紋が明瞭になったりと個体により外見は多様。

【生態】大型の肉食魚であり、魚類、両生類、哺乳類などを捕食。上鰓器官により空気呼吸を行う。親魚は浮葉・抽水植物帯にドーナツ状の繁殖巣を作るが、明瞭な形をなしていないことも多い。繁殖期は春から夏で、雌雄がペアになって産卵行動を行い、浮性卵を産卵する。親が産卵巣や仔魚・稚魚群の保護を行う。冬は泥などにもぐり込み越冬する。

【分布】離島を除く全国。国外では、アムール川以南から中国、朝鮮半島。北米およびアラル海沿岸にも国外外来種として持ち込まれ、定着している。

【特記事項】和名のカムルチーは韓国語由来。日本へは、朝鮮半島および中国大陸から1920年代ごろ持ち込まれた。美味であり、原産地では重要な食用魚とされている。日本ではルアーフィッシングの対象魚となっている。

(藤田朝彦)

成魚 英名「スネークヘッド」と呼ばれるヘビのような頭部。

未成魚 体をくねらせて泳ぐ姿は特徴的。胸びれをよく動かす。

空気呼吸を行っているところ 呼吸の半分は空気呼吸に依存している。斑紋は概して円い。

スズキ目　タイワンドジョウ科
タイワンドジョウ
Formosan sneakhead

学　名　*Channa maculata* (Lacepède, 1801)

全長(cm)	40〜70
背鰭条数	40〜44
臀鰭条数	26〜29
側線鱗数	41〜60

カムルチーよりも頭部は丸い
側線上方横列鱗数は4〜6枚
カムルチーよりも寸詰まりの体形
39.0cm 兵庫県産
体側の斑紋は概ね3列に見える
4.5cm 兵庫県産
稚魚は緑色から黄色味の強い体色を示す

【形態】成魚は全長40〜50cm程度。カムルチーよりも小型で、全長80cmに達することはきわめてまれ。外見はカムルチーに似るが、斑紋はより細かく、概ね3列に見える。頭部が丸く、カムルチーよりも寸詰まりの体形をしている、鰭条数が少ないことなどにより判別できる。

【生態】カムルチーと同様に平野部の止水域に生息。肉食で魚類、両生類などを捕食。やや南方系の種であるため、低水温では活動が鈍る。上鰓器官により空気呼吸を行う。全呼吸量の半分程度は空気呼吸に依存しているとされる。繁殖期は夏で、複数回産卵する。

【分布】愛媛県を除く瀬戸内海周縁の各地、石垣島。国外では、中国南部からベトナム、フィリピン、台湾、海南島。オアフ島、マダガスカル島にも国外外来種として定着。

【特記事項】日本へは1900年代はじめに台湾より持ち込まれた。和歌山県では本種とカムルチーの交雑種が確認された報告があるが、両者がペアリングできる飼育環境でも繁殖行動は起さなかったという報告もある。

(藤田朝彦)

未成魚 小型の個体は体側の斑紋が明瞭。下列の斑紋は突起の多いコンペイトウ形。

未成魚 本種は釣り人に「ライヒー」と呼ばれることが多い。

スズキ目　タイワンドジョウ科
コウタイ
Small snakehead

学　名　*Channa asiatica*
　　　　　(Linnaeus, 1758)

全長(cm)	20〜40
背鰭条数	44
臀鰭条数	27〜28
側線鱗数	54

1列の濃青色の横斑がある
体側に白色斑が散在する
体色は黄色味が強い
前鼻管が伸びる
尾柄部に眼状斑
腹びれを欠く
16.1cm 東南アジア産

【形態】成魚は全長20cm程度。最大で約40cm。タイワンドジョウ科であるが、本邦に定着する他種と異なり、腹びれを欠き、前鼻管が長く、形態は大きく異なる。体側におおむね1列の横斑が存在し、また白銀色のスポットが散在する。これらの模様は個体変異が大きい。尾柄部に眼状斑がある。

【生態】肉食性であるが、小型であるため魚類のほかに甲殻類、水生昆虫類も多くは食する。本邦に定着する他種と異なり、流水環境に多いが、池沼にも生息する。営巣はしないが水面の水草に卵を産みつけ、仔稚魚の保護は行う。

【分布】大阪府の淀川水系、石垣島、沖縄本島で確認されているが、近年はあまり見られない。原産地は長江以南の中国、ベトナム、台湾、海南島。

【特記事項】本邦に定着した個体群は減少傾向にあるが、観賞用として多く流通している。

体側の白色点が特徴的。

(藤田朝彦)

タウナギ目

Synbranchiformes

目名は「合鰓類」の意で、左右の鰓孔がつながることに因む。真のウナギとは無関係で、魚類を特徴づけるうろこやうきぶくろを欠き、血液性状がほかの魚類とは異なり四肢動物の特性を示すなど、きわめて特殊化の進んだ一群である。そのためタウナギ目の系統的位置は定まらず、長年、便宜的にトゲウナギやタイワンドジョウと類縁関係にあると考えられてきた。一方、Miya et al. (2003) は、東南アジア産熱帯魚でヨウジウオの仲間の淡水種であるパラドクスフィッシュ *Indostomus paradoxus* と遺伝的に近縁であることを明らかにしている。タウナギ目の主要な属である *Ophisternon* は中南米、東南アジア、オーストラリア北西部およびアフリカ・ギニア湾沿岸部などに散在する。この極端な不連続分布は大陸移動の結果と考えられている。

タウナギ目　タウナギ科
タウナギ
Swamp eel

| 全長(cm) | 30〜90 |

学　名　*Monopterus albus*
　　　　　(Zuiew, 1793)

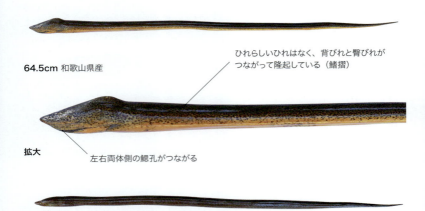

64.5cm 和歌山県産

ひれらしいひれはなく、背びれと臀びれがつながって隆起している（鰭褶）

拡大

左右両体側の鰓孔がつながる

リュウキュウタウナギ *M.* sp.　**37.0cm** 沖縄県産

【形態】細長いウナギ形の体形であるが、胸びれ、腹びれを欠き、背びれおよび臀びれはつながって隆起しているのみである。うろこはなく、体表は粘液に覆われている。体色は橙色から黄褐色で、暗褐色の斑紋がある。左右の鰓孔がつながることが系統的に大きな特徴である。成魚の全長は30〜50cm。最大で90cm。
【生態】淡水域のため池や湿地帯、水田などで、土中に巣穴を掘ったり石垣の隙間などに潜んで生息している。空気呼吸を行う。動物食性で、ミミズ、昆虫類などの小動物を捕食する。繁殖期は6〜7月で、巣穴の入口に泡巣を作って行う。オス親は仔魚を口腔内で保育するが、琉球列島の個体群は行わないとされる。メスからオスへ性転換（雌性先熟）する。
【分布】利根川水系以西の本州から九州に国外外来種として定着。近年は東北で繁殖が確認された。琉球列島の個体群は在来集団（**リュウキュウタウナギ**）。

リュウキュウタウナギの頭部

（藤田朝彦）

カレイ目

Pleuronectiformes

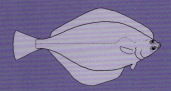

　カレイ・ヒラメ類のように極端に平べったくて底にはりついている魚類は、その体形的特徴から一般に異体類と呼ばれている。目が左にあるか右にあるかの違いは、系統分類学上それほど重要ではない。体の表裏がはっきりしているので、縦扁形のアンコウやコチと同じ体形と思いがちであるが、じつはタイやタナゴと同じ側扁形である。仔魚はうきぶくろを備え浮遊しているが、変態にともないうきぶくろは退縮して目は片側に移動し着底する。ボウズガレイ亜目とカレイ亜目に分けられ、14科129属約800種が知られている。ボウズガレイは背びれと臀びれに発達した棘条を備え、異体類のなかでもっとも原始的と考えられている。カレイ亜目は所帯が大きく沿岸の砂底域を主な生息場所とするが、このうち10種が完全な純淡水魚である。日本列島ではヌマガレイが淡水域に、イシガレイ、ヒラメなどが汽水域に浸入する。

カレイ目　カレイ科
ヌマガレイ
Starry flounder

学　名 *Platichthys stellatus*
(Pallas, 1787)

全長(cm)	30〜80
背鰭条数	52〜68
臀鰭条数	36〜51
胸鰭条数	10〜12
腹鰭条数	6

【形態】眼のつく位置に地理的変異があり、日本産はカレイ類でありながらヒラメ同様、眼が左側にある。カリフォルニアでは右対左は1：1。側線はうろこに保護されていない。体の表面には粗雑な星状鱗が散在し、背びれと臀びれの基底のうろこは小瘤状突起に変化し、体全体がざらざらしている。ひれには本種特有の黒色帯が規則正しく並んで縞模様をなす。
【生態】浅海の沿岸域から、潟湖、湖沼、河川下流域まで生息する。繁殖期は2〜3月。沿岸域で産卵し、仔魚は浮遊期の後に変態し、着底する。着底に合わせて右側に対在していた眼は左側に移動する。食性は動物食で、仔稚魚はカイアシ類、ワムシなどの動物プランクトン、幼魚は多毛類、ヨコエビ類などの底生小動物、大型魚は貝類、エビ類、小魚など。食用対象となっているが、肉質は水っぽく不味とされる。
【分布】日本海から北太平洋にかけての沿岸部に広く分布する。日本では、太平洋側では利根川以北、日本海側では若狭湾以北から知られ、特に北海道沿岸部では多い。

(細谷和海)

フグ目

Tetraodontiformes

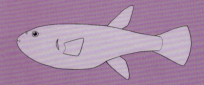

目名は"4つの"tetraoと"歯"dontを意味し、フグの歯板の構成要素に由来する。くちばしをもつ代わりに顎を突出することができなくなっている。フグが興奮して膨らむのは胃に水や空気を吸い込むための特殊な「弁」と袋状の「膨張のう」をもっているからで、腹びれと肋骨を欠くのも関係している。フグ目の類縁関係についてはさまざまな意見があるが、現在ではアンコウ目と姉妹関係にあるという説が有力である。フグ目はフグ亜目、ベニカワムキ亜目、モンガラカワハギ亜目に分けられ、カワハギ科やマンボウ科を含む10科に整理され約350種が知られている（Santini and Tyler, 2003）。フグ科では約20種が淡水域に浸入し、このうちタンガニーカ湖のムブを含む12種が純淡水魚である。東シナ海・南シナ海沿岸部に分布するメフグは遡河回遊魚で、河豚の語源となっている。日本列島ではクサフグが河口域に、オキナワフグがマングローブ域に浸入する。

フグ目　フグ科
クサフグ
Grass puffer

学　名　*Takifugu niphobles*
(Jordan and Snyder, 1901)

全長(cm)	15〜30
背鰭条数	12〜14
臀鰭条数	10〜12
胸鰭条数	13〜17
脊椎骨数	19〜22

絶滅のおそれのある地域個体群（LP）

13.9cm 静岡県産

【形態】体の背面は暗緑褐色で円い小さな白点が散在し、腹面は一様に白い。胸びれ上部と背びれの付け根には大きな黒色斑があるが、他魚種で見られるような白い縁どりはない。腹びれを欠く。体表にはうろこの変形物である小棘がある。胃を膨らませて腹を大きくさせる。

【生態】浅海域の岩礁・砂地から河口域まで生息する。日本産フグ科魚類のなかでもっともよく河川に侵入する。繁殖期は6〜7月で、大潮に合わせ波打ち際で産卵・放精する。本種が持つテトロドトキシンは人を死に追いやる神経毒で、海洋細菌に由来し、食物連鎖を通じて内臓や皮膚に蓄積される。

【分布】北海道道南から沖縄島までの沿岸、朝鮮半島南部、中国大陸南部など。琉球列島では本種は少ない。

【特記事項】沖縄島の個体群は環境省版のレッドリスト（2019）において絶滅のおそれのある地域個体群（LP）。

2つの黒色斑は大きくて目立つ。

（細谷和海）

フグ目　フグ科
オキナワフグ
Okinawan puffer

学　名 *Chelonodon patoca*
(Hamilton, 1822)

全長(cm)	15〜30
背鰭条数	9〜10
臀鰭条数	8
胸鰭条数	15〜16
脊椎骨数	19

鞍状斑が3本
大きな白点が散在
目立つ黄色帯がある
腹面は一様に白い

8.9cm 沖縄県産

【形態】体の背面は緑褐色で円い大きな白点が散在し、腹面は一様に白い。体の背面から尾柄にかけて幅の広い３本の鞍状斑がある。腹側下方を１本の目立つ黄色帯が眼下から尾柄に向かって縦走する。鼻孔は皮弁により前後に分けられる。クサフグに比べて背鰭条数と臀鰭条数が少ない。

【生態】成魚は浅海域から河川感潮域に生息し、河口付近のマングローブ帯に特に多い。幼魚は夏になると河川の淡水域まで侵入するが、渓流域まで達することはない。昼行性。甲殻類、多毛類、小型貝類などの小動物を食べる。生殖腺、肝臓、筋肉、皮膚は有毒で中毒死の事例が報告されている。

【分布】紀伊半島以南の本州から、四国、九州、琉球列島まで黒潮が洗う沿岸域に分布するが、小笠原諸島ではまれ。国外ではインド・西太平洋の熱帯域に分布する。

琉球列島沿岸部ではふつうに見られる。

(細谷和海)

魚類・生物多様性用語解説

あ

- **IUCN** 国際自然保護連合のこと。1948年に設立され、国や各国の省庁、NGOなどを会員とする世界最大の自然保護機関。絶滅危惧種をまとめたIUCNレッドリストは地球規模の保全対象となる。

- **亜科(あか)** 科の下位に設定される分類階級。

- **亜種(あしゅ)** 種の下位分類群。同種内で地理的に隔離され、形態などに差異があるが、生殖的隔離がないもしくは野生下で検証できない場合に亜種に分類される。

- **亜属(あぞく)** 属と種の間に設定される分類階級。属名と種小名の間に括弧でくくられる。

- **あぶらびれ** 背びれの後方にある鰭条のない膜条のこと。ナマズ科、サケ科、キュウリウオ科、シラウオ科などに見られる。→p.6

- **アンモシーテス** ヤツメウナギ科の幼生。目は皮下に埋もれ、口は裂溝状で微小な水生生物やデトリタスをろ過摂食する。

- **鞍状斑(あんじょうはん)** 乗馬に用いる鞍のように背部に並ぶ斑紋のこと。カマツカ亜科やハゼ科など底生魚に見られる。

- **育児のう(いくじのう)** ヨウジウオ科魚類のオスの躯幹部もしくは尾部腹面に見られる溝状または袋状の保育器官。発達程度や存在部位など種によって異なるため、ヨウジウオ科の分類形質として重要である。

- **一時的水域(いちじてきすいいき)** 通常は乾いているが、季節的に水没する河川の周辺域のこと。ワンド、たまり、水田などは重要な繁殖場となる。恒久的水域の対立語。

- **遺伝子頻度(いでんしひんど)** ある遺伝子座の対立遺伝子が集団内で占める相対頻度。

- **咽頭歯(いんとうし)** 咽頭骨(咽頭部にある骨)に並ぶ歯のことで、食物の咀嚼を行う。コイ科魚類でよく発達し、多様な形態があり、それぞれの種の食性と深く関係している。ふつう3列あるが、小型になるほど少なくなる傾向がある。→p.10

- **ウェーベル氏器官(うぇーべるしきかん)** ウェーバー器官ともいう。脊椎前端部が変形してできた聴覚補助器官で、結骨、膜骨、三脚骨、舟状骨から成る。骨鰾類にのみ見られる。→p.9

- **うきぶくろ** 脊椎と消化管の間にある浮力調節器官。通常、前室と後室に分かれる。気体で満たされている。呼吸や発音、聴覚補助機能を有することもある。→p.9

- **円鱗(えんりん)** 硬骨魚類にふつう見られるうろこで、後縁に小さな棘がないものをいう。コイ科、サケ科、メダカ科などに見られる。

- **追星(おいぼし)** 繁殖期に表皮が厚くかたくなってできる突起のことで、頭部やうろこ、ひれに生じる。追星の出現パターンは近縁種間で異なることがあり、重要な分類形質となる。

- **横斑(おうはん)** 横(背から腹の方向)に走る斑紋のこと。→p.7

か

- **外套腔(がいとうこう)** 軟体動物の外套膜と内臓嚢の間の空所のこと。二枚貝類では、入水管から入った水がここを通り、えらを通って出水管から出ていく。ヒガイ類はここに卵を産みつける。

- **学名(がくめい)** 生物種の世界共通の名前。種の学名は属名と種小名の2語で表される。亜種が存在する場合、亜種小名が種小名の後に付加されて3語となる。

- **河川水辺の国勢調査(かせんみずべのこくせいちょうさ)** 河川の豊かさを生物の視点からとらえるために国土交通省が行っている調査。魚類は5年に1度実施される。全国109水系の一級河川や二級河川およびダムが対象となっている。

- **眼窩(がんか)** 眼球の収まる頭蓋骨のくぼみのこと。

- **感覚管(かんかくかん)** 水の動きや温度、化学物質などを感じる管状の器官。側線など。→p.9

- **環境DNA(かんきょうでぃーえぬえー)** 生物体から自然水域に溶出した遺伝子。生息する魚類の存在を推定できる。→P.228

- **感潮域(かんちょういき)** 河川の潮の干満の影響を受ける水域。汽水域より広い意味で使用される。

- **管理単位(かんりたんい)** 保全単位の1つ。遺伝子頻度の異同を重視し、MU(Management Unit)と略記される。

- **気道(きどう)** うきぶくろと消化管をつなぐ管。コイやナマズ、ウナギの仲間などは成魚になっても気道があり、有管鰾(有気管鰾)と呼ばれる。一方、スズキやタイ、マダラなどの成魚にはうきぶくろがなく、無管鰾(無気管鰾)という。→p.9

- **求愛行動(きゅうあいこうどう)** 産卵に関係した親の行動のなかで、つがいを組む、もしくは組もうとする時、異性に対してとる行動のこと。

- **魚類相(ぎょるいそう)** ある地域に出現する魚種の構成を示す用語。

- **銀毛(ぎんけ)** スモルト。サケ・マス類の幼魚が海に下る時、体色が銀白色になる。その時の銀白色になった個体のことを銀毛といい、銀毛になることを銀毛化という。

- グアニン　魚体の銀白色を表す主成分。
- 計数形質(けいすうけいしつ)　鰭条数や側線鱗数、脊椎骨数など、数を数えられる形質のこと。
- 降河回遊(こうかいゆう)　海で生まれた後、川に入って成長し、産卵のために再び海に下る回遊のこと。ウナギやヤマノカミなどがその例。
- 孔器(こうき)　側線の感覚器官のうち、側線管の中になく体表の表皮上にむき出しのまま点在するものをいう。
- 光周期(こうしゅうき)　1日の明暗サイクルのこと。光周期の季節的変化に応じて、発育や繁殖、行動などを調整する性質を光周性といい、魚類では繁殖期前にはじまる成熟を促す外的要因として、養殖や希少魚保存の現場では水温とともに重要視されている。
- 後頭部(こうとうぶ)　眼の後から項部の前の部分。
- 口内哺育(こうないほいく)　口の中で卵や仔稚魚を守る親魚の子に対する保護形態。カワスズメやナイルティラピアがその例。
- 項部(こうぶ)　後頭部の後の部分。後頭部と項部の境界やそれらの占める範囲は厳密には決められていない。
- 国内希少野生動植物種(こくないきしょうやせいどうしょくぶつしゅ)　種の保存法によって特別に保護の対象として指定された動植物種のこと。個体の捕獲・採取や譲渡し等が原則禁止されている。
- 骨学(こつがく)　脊椎動物の骨格に関する比較形態・比較発生・機能形態学的な学問分野の総称。魚類学では系統類縁関係の推定によく用いられ、骨の形態の共有状況や類似度から近縁種を探し出す。
- 骨質盤(こつしつばん)　ドジョウ科魚類のオスの胸びれの第2軟条基部が肥大してできた板状の骨で、雌雄のみならず種の判別にも用いられる。骨質板とも書く。→p.9
- 骨嚢(こつのう)　袋状の構造をもつ薄い骨の総称で、うきぶくろ前室など柔らかい器官を保護する機能を有する。
- 固有種(こゆうしゅ)　特定の地域にしか分布しない種のこと。系統的に新しいものを初期固有、古いものを遺存固有という。
- 婚姻色(こんいんしょく)　繁殖期に見られる特有の体色。ふつうオスに顕著に現れる。

さ

- 鰓弓(さいきゅう)　えらを支える弓状の骨。→p.10
- 鰓腔(さいこう)　えらぶたで覆われた空間のこと

で、えらが収納されている。
- 鰓条骨(さいじょうこつ)　えらぶたの下にある細い弓状の複数の骨。個体が死ぬとしばしば外に張り出してくる。
- 鰓耙(さいは)　鰓弓の前方に並ぶ小突起のことで、味覚を感じる組織があり、ろ過して水と食物を分ける働きがある。また、異物を除去して鰓葉を保護する。細かい餌を食べる魚の鰓耙は、細長く密生する傾向がある。→p.10
- 鰓膜(さいまく)　えらぶたの後縁内側にある鰓条骨によって支えられる膜のことで、鰓腔内の水流を調整する弁の役割をする。頭長などを計測するとき、後端はこの鰓膜部分となる。
- 鰓葉(さいよう)　鰓弓後縁に接着する呼吸器官で、血管が密生しているために赤くみえる。→p.10
- シーボルト(しーぼると)　Philipp Franz Balthasar von Siebold (1796〜1866)のこと。日本の博物学の基礎を築いた。→P.15
- 仔魚(しぎょ)　ふ化してからすべてのひれの条数が定数に達するまでの期間の段階のこと。発育程度によってさらに前期仔魚、後期仔魚などに区分される。
- 脂瞼(しけん)　眼の周囲や表面をおおう、厚い透明な膜のこと。高速で泳ぐとき、流水抵抗の軽減と前方の視野の確保という機能がある。ボラ目などで発達しており、発達状況やその有無は分類形質となる。
- 耳石(じせき)　内耳の中にある炭酸カルシウムを主成分とした石状のもので、平衡感覚に関与している。耳石には礫石、扁平石、星状石があるが、単に耳石と呼ぶときは扁平石を指す。年齢や日齢の査定、また回遊履歴の推定にも利用される。
- 櫛状(しつじょう)　櫛(くし)のような形態のことで、櫛鱗、櫛状歯などがこれに該当する。
- シノニム　同物異名。ある種に対して2つ以上の学名がつけられている場合、それぞれをシノニムという。このうちもっとも古い学名がシニアシノニムで有効名となる。シノニムをまとめたものをシノニムリストという。
- 種(しゅ)　自由交配可能な自然個体群のことで、ほかの種とは何らかの要因によって交配することができない。種形成の最終段階には生態的分化をともなう。⇒生殖的隔離
- 縦斑(じゅうはん)　縦(頭から尾の方向)に走る斑紋のこと。→p.7
- 縦扁(じゅうへん)　魚体を前から見た時に上下につぶした形をしたもの。⇔側扁。→p.8
- 縦列鱗数(じゅうれつりんすう)　肩帯に接するうろ

559

こから脊柱末端までの縦1列に並ぶうろこの数のこと。側線がないか途切れている種に適用される。

- **上鰓器官**(じょうさいきかん)　タイワンドジョウ科に見られる空気呼吸するための器官。鰓腔の上部に毛細血管が張り巡らされた粘膜があり、ガス交換を行う。

- **上鰓腔**(じょうさいこう)　二枚貝のえら内部の空所のことで、ガス交換後の水がここに集まり、出水管から外に排出される。

- **進化有意単位**(しんかゆういたんい)　保全単位の1つ。遺伝的特徴や適応形質において、固有性を備えた単系統群からなる種内集団。ESU (Evolutionary Significant Unit)と略記される。

- **水系**(すいけい)　一つの中心的な川と、それにつながる支流、池、湖沼などを含めた系統。

- **成魚**(せいぎょ)　はじめての成熟を迎えてから以降の個体。

- **生殖的隔離**(せいしょくてきかくり)　自然下において、集団間で交雑を避ける何らかの要因があり、混ざり合わないこと。種を定義する上できわめて重要な規準。

- **積算温度**(せきさんおんど)　発生に要する時間と平均有効温度との積のことで、発生可能な温度範囲内での発生時間を知る目安となる。

- **遡河回遊**(そかいかいゆう)　淡水で生まれた後、海に下って成長し、再び産卵のために淡水に戻ってくる回遊のこと。サケ・マスの仲間がその例。

- **側線鱗**(そくせんりん)　側線管を載せたあながあいたうろこ。一般に、体側中線付近に1列に並ぶ。→p.9

- **側扁**(そくへん)　魚体を前から見た時に左右につぶした形をしたもの。⇔縦扁。→p.8

た

- **タイプ産地**(たいぷさんち)　模式産地、タイプローカリティ。タイプ標本(ホロタイプ、レクトタイプ、ネオタイプ)が採集された場所。タイプ産地の現存個体群はトポタイプと呼ばれ、保全分類学的に重要。

- **托卵**(たくらん)　造巣・抱卵・育仔をせずに、そのすべてをほかの個体に託す動物の習性。日本産淡水魚ではムギツクが有名。

- **単系統**(たんけいとう)　一つの共通祖先から派生したすべての子孫を含む系統。分類命名の基本的対象。

- **稚魚**(ちぎょ)　仔魚の次の段階で、すべてのひれの条数が成魚と同じ数になってから、うろこが完成するまでの時期の個体のこと。

- **抽水植物**(ちゅうすいしょくぶつ)　植物の上部は水上に出ているが、下部は水中にあって固着生活をする植物のこと。ヨシやガマなどがこれにあてはまり、魚にとって、産卵場や仔稚魚の生育場として重要。

- **潮間帯**(ちょうかんたい)　海の波打ち際で、大潮の最高高潮線と最低低潮線の間の部分をいう。

- **沈水植物**(ちんすいしょくぶつ)　体のすべてが水中にあって固着生活をする植物のことで、ネジレモやクロモなどがその例。

- **デトリタス**　生物体の断片、死骸、排せつ物やそれらの分解産物、微生物など微細な有機物粒子のことで、水中の懸濁物の構成要素で、堆積物にも多く含まれる。仔稚魚や小型魚のエサとして重要。

- **特定外来生物**(とくていがいらいせいぶつ)　日本政府によって、許可なく輸入・飼育・販売・譲り渡し・活魚移送が禁止されている外来生物のこと。チャネルキャットフィッシュ、オオクチバスやコクチバス、ブルーギル、カダヤシなど。

な

- **内湖**(ないこ)　琵琶湖の周囲に存在する付属湖・ラグーン。本来、琵琶湖の一部であったものが、河川から運ばれる土砂や波の作用により、入り口が閉鎖してできたものが多い。琵琶湖とつながっている。

- **軟条**(なんじょう)　鰭条のうち、節があり、柔らくて左右にさくことができるものをいう。先が枝分かれしないものを棘条軟条(不分枝軟条)、枝分かれするものを分枝軟条という。→p.8

- **2次性徴**(にじせいちょう)　生殖腺や生殖器など生殖に直接的に関わる性徴を1次性徴といい、それ以外の成熟にともなって見られる性徴を2次性徴という。体サイズやひれなどの大きさや形の変化、婚姻色や追星の発現など。

- **ニッチ**　正確にはニーシュ。生態的地位。生物種にとっていわば職業のこと。

- **年齢**(ねんれい)　通常、対象の個体群の産卵盛期を境とする満年齢で数えるが、数え年で数えることもある。また、うろこや耳石、主鰓蓋骨などに生じる年輪に基づいたときには、0+や1+と表す。

は

- **ハビタット**　生息場。生物種にとっていわば住所のこと。

- **パーマーク**　小判状斑。サケ・マス類の幼魚には、銀毛になるまで体側に楕円形の斑紋が並んでいる。これをパーマークという。

- **尾柄**(びへい)　臀びれ後端から尾びれ基部までの間のことをいう。→p.6

- ビオトープ　市街地において自然再生を目的に人為的に作られた池や林などの環境のこと。
- ひれ膜(ひれまく)　鰭膜(きまく)ともいう。ひれの膜の部分を指し、水をとらえる帆の役割を果たす。
- 腹中線(ふくちゅうせん)　魚体を真下から見た時、腹面中央に頭から尾びれ方向に引いた仮想の直線のこと。
- 淵(ふち)　河川のなかで水深が深く、水の流れが緩やかな部分のこと。淵はさらに、蛇行型(M型)、岩型(R型)、基質変化型(S)の3つの基本型と、ダム型(D型)、三日月型(O型)、およびそれらの複合型に分けられる。
- プランクトン　水中に浮き、水の流れに身を任せて生活している生物の総称で、浮遊生物のこと。動物プランクトンや植物プランクトンは群集を意味し、個々のものはプランクトン動物やプランクトン植物という。
- 吻(ふん)　眼の前端から上顎前端までの部位。→p.6
- 変態(へんたい)　幼魚期に成魚と著しく異なった形をしているものが、成長の初期に急に成魚に類似した形に変化すること。
- 圃場整備(ほじょうせいび)　稲作の効率化を目的に、耕作区画の整備、用排水路の分離、土地改良、農道の整備、耕地の集団化を実施する公共事業。生物への配慮に欠けており、きわめて多くの水生生物が圃場整備により姿を消している。
- 保全単位(ほぜんたんい)　遺伝的固有性と多様性を配慮した生物保全に向けた単位。1990年以降、遺伝子レベルでの解析技術が発達したために、これまで種を対象としてきた保全から種内の集団を対象とする保全へ変化してきた。
- 母川回帰(ぼせんかいき)　ある個体が河川で生まれ海へ下り、海洋生活をしたのち、再び生まれた河川に戻ってくること。サケ・マス類が代表例。

ま

- 膜蓋(まくがい)　ハゼ類の腹びれは吸盤状になっており、その左右の棘をつなぐ膜のこと。
- 未成魚(みせいぎょ)　うろこが完成してから最初に成熟するまでの個体をさす。若魚。

や

- 幽門垂(ゆうもんすい)　胃の後端部(幽門部)につながっている袋状の突起物で、通常、複数本ある。この数は分類形質として重要視される。
- 腰帯(ようたい)　腹びれを支える支持骨格。
- 幼魚(ようぎょ)　稚魚から成熟する前の段階をさす。魚類学では厳密な意味では使用しない。

ら

- 卵(らん)　大きく底に沈む"沈性卵"と水中に漂う"浮性卵"に分けられ、淡水魚は沈性卵を産むものが多い。沈性卵はさらに、卵同士や水草などの物にくっつく粘着卵(付着沈性卵)と粘着性のない分離沈性卵に二分される。
- 卵黄突起(らんおうとっき)　バラタナゴ属の仔魚の卵黄前部の側方に発達する突起のこと。翼状突起ともいう。
- 卵胎生(らんたいせい)　親の体内から仔魚などの状態で産出される繁殖形態で、体内で母体から栄養をもらうことがないことで胎生と区別される。
- 陸封(りくふう)　海と川を回遊していた魚が、何らかの要因で一生を川などの淡水域で過ごすようになること。サケ・マス類やトゲウオ類などでよく見られる。
- 流域(りゅういき)　ある川に降った雨が集まってくる範囲全体を指す。集水域。ある流域と流域の境界は分水界という。水系は単に川などの系統を示すのみだが、流域は川だけでなく集水域内の森や水田さらには集落なども含む。
- 隆起線(りゅうきせん)　うろこの表面には鱗紋と呼ばれる独特の模様が形成される。鱗紋の中心からうろこの縁辺まで多数の環状の溝があり、これを隆起線と呼ぶ。
- 両側回遊(りょうそくかいゆう)　淡水でふ化してすぐ海へ下り、産卵とは関係なく、再び淡水に戻る回遊。アユやヨシノボリ類が代表例。
- 稜鱗(りょうりん)　コノシロやサッパの腹中線上のうろこやマアジやシマアジの側線後部のうろこのように鋭い突起を備えるもの。
- 鱗板(りんばん)　トゲウオ類のうろこに見られる、かたく大きな板状のうろこのこと。その有無や数、形態などは分類形質として重要。
- 涙骨(るいこつ)　多くの硬骨魚類では、眼の周囲に一連の小骨片が並び、そのなかでもっとも大きく眼の前縁にあるものをいう。
- レプトケファルス　葉形仔魚ともいう。透明感があり、柳の葉のような形をした仔魚のこと。ウナギ目やカライワシ目魚類に見られる。体が扁平になり、多量の水分が含まれるため、浮遊生活に適しているといわれている。

わ

- 和名(わめい)　標準和名のこと。日本国内における種の名称。
- ワンド　河川敷にできた池状の入り江のこと。川の本流とつながっている。川と離れて独立したものをたまりという。

日本産淡水魚類リスト

淡水魚の分類学的再検討や新種記載は年々進められている。1991年の「日本の淡水魚改訂版（山と溪谷社）」では289種の淡水魚が掲載されており、2012年の「環境省レッドデータブック汽水・淡水魚類」の目録では、日本の淡水魚は約400種とされている。

本書では、再度、日本産の淡水・汽水魚目録を整理し、淡水域から汽水域を生息場所とする526種（亜種、型を含む）を以下にリストアップした。なお、通常は海域に生息し、偶来的に河川で見られるものについては、リストには含めていない。法令による指定などの情報は、2025年5月時点のものである。

【凡例】

◆国外外来種

「特定外来」…特定外来生物／「未判定」…未判定外来生物／

「総合対策」「産業管理」…総合対策外来種および産業管理外来種／「○」…そのほかの国外外来種

◆環境省 RL（2020）

「EX」…絶滅／「EW」…野生絶滅／「CR」…絶滅危惧ⅠA類／「EN」…絶滅危惧ⅠB類／

「VU」…絶滅危惧Ⅱ類／「NT」…準絶滅危惧／「DD」…情報不足／

「LP」…絶滅のおそれのある地域個体群（「含_LP」は地域によって指定のあるもの）

◆その他

「天然記念物」…天然記念物指定種／「国内希少」…国内希少野生動植物種／「特定第1」…特定第一種国内希少野生動植物種／「特定第2」…特定第二種国内希少野生動植物種

和名	学名	国外外来種	環境省 RL	その他
ヤツメウナギ目				
ヤツメウナギ科				
ミツバヤツメ	*Entosphenus tridentatus*		含_LP	
ミナミスナヤツメ	*Lethenteron hattai*		VU	
キタスナヤツメ	*Lethenteron mitsukurii*		VU	
ウチワスナヤツメ	*Lethenteron satoi*			
シベリアヤツメ	*Lethenteron reissneri*		NT	
カワヤツメ	*Lethenteron camtschaticum*		VU	
メジロザメ目				
メジロザメ科				
オオメジロザメ	*Carcharhinus leucas*			
ノコギリエイ目				
ノコギリエイ科				
ノコギリエイ	*Anoxypristis cuspidata*			
トビエイ目				
アカエイ科				
アカエイ	*Hemitrygon akajei*			
チョウザメ目				
チョウザメ科				
ダウリアチョウザメ	*Huso dauricus*			
チョウザメ	*Acipenser medirostris*		EX	
カラチョウザメ	*Acipenser sinensis*			
アロワナ目				
アロワナ科				
シルバーアロワナ	*Osteoglossum bicirrhosum*			
カライワシ目				
カライワシ科				
カライワシ	*Elops hawaiensis*			
イセゴイ科				
イセゴイ	*Megalops cyprinoides*			
ウナギ目				
ウナギ科				
ヨーロッパウナギ	*Anguilla anguilla*	○		
ニホンウナギ	*Anguilla japonica*		EN	
オオウナギ	*Anguilla marmorata*			
ニューギニアウナギ	*Anguilla bicolor pacifica*		DD	
ウツボ科				
コゲウツボ	*Uropterygius hades*		CR	
ナミダカワウツボ	*Echidna rhodochilus*		CR	
ウミヘビ科				
ハクテンウミヘビ	*Lamnostoma polyophthalmum*			

和名	学名	国外外来種	環境省 RL	その他
カワウミヘビ	*Lamnostoma mindorum*			
ニシン目				
ニシン科				
ニシン	*Clupea pallasii*		合 _LP	
サッパ	*Sardinella zunasi*			
コノシロ	*Konosirus punctatus*			
ドロクイ	*Nematalosa japonica*		EN	
リュウキュウドロクイ	*Nematalosa come*			
エツ	*Coilia nasus*		EN	
ツマリエツ	*Setipinna tenuifilis*			
ネズミギス目				
サバヒー科				
サバヒー	*Chanos chanos*			
コイ目				
コイ科				
コイ（飼育型）	*Cyprinus carpio*		合 _LP	
コイ（野生型）	*Cyprinus carpio*		合 _LP	
ゲンゴロウブナ	*Carassius cuvieri*		EN	
ギンブナ	*Carassius* sp.			
オオキンブナ	*Carassius buergeri buergeri*			
ニゴロブナ	*Carassius buergeri grandoculis*		EN	
ナガブナ	*Carassius buergeri* subsp. 1		DD	
キンブナ	*Carassius buergeri* subsp. 2		VU	
フナ属の1種（南西諸島）	*Carassius* sp.		CR	
パールダニオ	*Danio albolineatus*	総合対策（その他）		
ゼブラダニオ	*Danio rerio*	総合対策（その他）		
アカヒレ	*Tanichthys albonubes*	総合対策（その他）		
アブラボテ	*Tanakia limbata*		NT	天然記念物/国内希少
ミヤコタナゴ	*Tanakia tanago*		CR	
ヤリタナゴ	*Tanakia lanceolata*		NT	
カネヒラ	*Acheilognathus rhombeus*			
オオタナゴ	*Acheilognathus macropterus*	特定外来 / 総合対策（その他）		
イタセンパラ	*Acheilognathus longipinnis*		CR	天然記念物/国内希少
ゼニタナゴ	*Acheilognathus typus*		CR	特定第 1
イチモンジタナゴ	*Acheilognathus cyanostigma*		CR	
タナゴ	*Acheilognathus melanogaster*		EN	
シロヒレタビラ	*Acheilognathus tabira tabira*		EN	
アカヒレタビラ	*Acheilognathus tabira erythropterus*		EN	
キタノアカヒレタビラ	*Acheilognathus tabira tohokuensis*		EN	
ミナミアカヒレタビラ	*Acheilognathus tabira jordani*		CR	
セボシタビラ	*Acheilognathus tabira nakamurae*		CR	国内希少
タイリクバラタナゴ	*Rhodeus ocellatus ocellatus*	総合対策（重点対策）		
ニッポンバラタナゴ	*Rhodeus ocellatus kurumeus*		CR	
カゼトゲタナゴ（北九州集団）	*Rhodeus smithii smithii*			
カゼトゲタナゴ（山陽集団）	*Rhodeus smithii smithii*			国内希少
カラゼニタナゴ	*Rhodeus notatus*	◯		
ハクレン	*Hypophthalmichthys molitrix*	総合対策（その他）		
コクレン	*Hypophthalmichthys nobilis*	総合対策（その他）		
ワタカ	*Ischikauia steenackeri*		CR	
ダントウボウ	*Megalobrama amblycephala*	◯		
カワイワシ	*Hemiculter leucisculus*	◯		
カワバタモロコ	*Hemigrammocypris neglecta*		EN	特定第 2
ヒナモロコ	*Aphyocypris chinensis*		CR	
キクチヒナモロコ	*Aphyocypris kikuchii*	◯	CR	
ハス	*Opsariichthys uncirostris uncirostris*		VU	
オイカワ	*Opsariichthys platypus*			
カワムツ	*Candidia temminckii*			
ヌマムツ	*Candidia sieboldii*			
ソウギョ	*Ctenopharyngodon idella*	総合対策（その他）		
アオウオ	*Mylopharyngodon piceus*	総合対策（その他）		
ヤチウグイ	*Rhynchocypris percnura sachalinensis*		NT	
アブラハヤ	*Rhynchocypris lagowskii steindachneri*			
ヤマナカハヤ	*Rhynchocypris lagowskii yamamotis*		DD	
タカハヤ	*Rhynchocypris oxycephala jouyi*			
ファットヘッドミノー	*Pimephales promelas*	◯		

和名	学名	国外外来種	環境省RL	その他
ウグイ	*Pseudaspius hakonensis*			
マルタ	*Pseudaspius brandtii maruta*			
ジュウサンウグイ	*Pseudaspius brandtii brandtii*		含_LP	
ウケクチウグイ	*Pseudaspius nakamurai*		EN	
エゾウグイ	*Pseudaspius sachalinensis*		含_LP	
シナイモツゴ	*Pseudorasbora pumila*		CR	特定第2
ウシモツゴ	*Pseudorasbora pugnax*		CR	
モツゴ	*Pseudorasbora parva*			
アブラヒガイ	*Sarcocheilichthys biwaensis*		CR	
カワヒガイ	*Sarcocheilichthys variegatus variegatus*		NT	
ビワヒガイ	*Sarcocheilichthys variegatus microoculus*			
ムギツク	*Pungtungia herzi*			
タモロコ	*Gnathopogon elongatus elongatus*			
スワモロコ	*Gnathopogon elongatus suwae*		EX	
ホンモロコ	*Gnathopogon caerulescens*		CR	
ゼゼラ	*Biwia zezera*		VU	
ヨドゼゼラ	*Biwia yodoensis*		EN	
カマツカ	*Pseudogobio esocinus*			
スナゴカマツカ	*Pseudogobio polystictus*			
ナガレカマツカ	*Pseudogobio agathonectris*			
ツチフキ	*Abbottina rivularis*		EN	
ズナガニゴイ	*Hemibarbus longirostris*			
コウライニゴイ	*Hemibarbus labeo*			
ニゴイ	*Hemibarbus barbus*			
イトモロコ	*Squalidus gracilis gracilis*			
デメモロコ	*Squalidus japonicus japonicus*		VU	
スゴモロコ	*Squalidus chankaensis biwae*		VU	
コウライモロコ	*Squalidus chankaensis tsuchigae*			
ドジョウ科				
アユモドキ	*Parabotia curtus*		CR	天然記念物/国内希少
ドジョウ	*Misgurnus anguillicaudatus*		NT	
キタドジョウ	*Misgurnus chipisaniensis*		DD	
シノビドジョウ	*Misgurnus amamianus*		DD	
ヒョウモンドジョウ	*Misgurnus* sp. OK		DD	
カラドジョウ	*Misgurnus dabryanus*	総合対策（その他）		
アジメドジョウ	*Cobitis delicata*		VU	
イシドジョウ	*Cobitis takatsuensis*		EN	
ヒナイシドジョウ	*Cobitis shikokuensis*		EN	
オオシマドジョウ	*Cobitis* sp. BIWAE type A			
ニシシマドジョウ	*Cobitis* sp. BIWAE type B			
ヒガシシマドジョウ	*Cobitis* sp. BIWAE type C			
トサシマドジョウ	*Cobitis* sp. BIWAE type D		VU	
ヤマトシマドジョウ	*Cobitis* sp. 'yamato' complex		VU	
タンゴスジシマドジョウ	*Cobitis takenoi*		CR	国内希少
オオガタスジシマドジョウ	*Cobitis magnostriata*		EN	
チュウガタスジシマドジョウ	*Cobitis striata striata*		VU	
オンガスジシマドジョウ	*Cobitis striata fuchigamii*		EN	
ハカタスジシマドジョウ	*Cobitis striata hakataensis*		CR	国内希少
アリアケスジシマドジョウ	*Cobitis kaibarai*		EN	
オオヨドシマドジョウ	*Cobitis sakahoko*		EN	
ビワコガタスジシマドジョウ	*Cobitis minamorii oumiensis*		EN	
ヨドコガタスジシマドジョウ	*Cobitis minamorii yodoensis*		CR	
サンヨウコガタスジシマドジョウ	*Cobitis minamorii minamorii*		CR	
トウカイコガタスジシマドジョウ	*Cobitis minamorii tokaiensis*		EN	
サンインコガタスジシマドジョウ	*Cobitis minamorii saninensis*		EN	
フクドジョウ	*Barbatula oreas*			
エゾホトケドジョウ	*Lefua nikkonis*		EN	
ヒメドジョウ	*Lefua costata*	○		
ホトケドジョウ	*Lefua echigonia*		EN	
ナガレホトケドジョウ	*Lefua torrentis*		EN	
トウカイナガレホトケドジョウ	*Lefua tokaiensis*		EN	
レイホクナガレホトケドジョウ	*Lefua nishimurai*			
ナマズ目				
ギギ科				
ギギ	*Tachysurus nudiceps*			

和名	学名	国外外来種	環境省 RL	その他
コウライギギ	*Tachysurus sinensis*	特定外来 / 総合対策（その他）		
ネコギギ	*Tachysurus ichikawai*		EN	天然記念物
ギバチ	*Tachysurus tokiensis*		VU	
アリアケギバチ	*Tachysurus aurantiacus*		VU	
ナマズ科				
イワトコナマズ	*Silurus lithophilus*		NT	
ビワコオオナマズ	*Silurus biwaensis*			
タニガワナマズ	*Silurus tomodai*			
アカザ科				
アカザ	*Liobagrus reinii*		VU	
アメリカナマズ科				
チャネルキャットフィッシュ	*Ictalurus punctatus*	特定外来 / 総合対策（緊急対策）		
ヒレナマズ科				
ヒレナマズ	*Clarias fuscus*	特定外来 / 総合対策（その他）		
ウォーキングキャットフィッシュ	*Clarias batrachus*	特定外来 / 総合対策（その他）		
ロリカリア科				
マダラロリカリア	*Pterygoplichthys disjunctivus*	特定外来 / 総合対策（その他）		
スノープレコ	*Pterygoplichthys anisitsi*	特定外来 / 総合対策（その他）		
アマゾンセイルフィンキャットフィッシュ	*Pterygoplichthys pardalis*	特定外来 / 総合対策（その他）		
サケ目				
キュウリウオ科				
シシャモ	*Spirinchus lanceolatus*		含_LP	
キュウリウオ	*Osmerus dentex*			
ワカサギ	*Hypomesus nipponensis*			
イシカリワカサギ	*Hypomesus olidus*		NT	
アユ科				
アユ	*Plecoglossus altivelis altivelis*			
リュウキュウアユ	*Plecoglossus altivelis ryukyuensis*		CR	
シラウオ科				
シラウオ	*Salangichthys microdon*			
イシカワシラウオ	*Neosalangichthys ishikawae*			
アリアケシラウオ	*Salanx ariakensis*		CR	
アリアケヒメシラウオ	*Neosalanx reganius*		CR	国内希少
サケ科				
シナノユキマス	*Coregonus maraena*	○		
イトウ	*Parahucho perryi*		EN	
ブラウントラウト	*Salmo trutta*	産業管理		
カワマス	*Salvelinus fontinalis*	総合対策（その他）		
レイクトラウト	*Salvelinus namaycush*	産業管理		
アメマス・エゾイワナ	*Salvelinus leucomaenis leucomaenis*			
オショロコマ	*Salvelinus curilus krascheninnikovi*		VU	
ミヤベイワナ	*Salvelinus curilus miyabei*		VU	
ヤマトイワナ	*Salvelinus leucomaenis japonicus*		含_LP	
ニッコウイワナ	*Salvelinus leucomaenis pluvius*		DD	
ゴギ	*Salvelinus leucomaenis imbrius*		VU	
ニジマス	*Oncorhynchus mykiss*	産業管理		
サケ	*Oncorhynchus keta*			
クニマス	*Oncorhynchus kawamurae*		EW	
ベニザケ・ヒメマス	*Oncorhynchus nerka*		CR	
カラフトマス	*Oncorhynchus gorbuscha*			
マスノスケ	*Oncorhynchus tshawytscha*			
ギンザケ	*Oncorhynchus kisutch*			
サクラマス・ヤマメ	*Oncorhynchus masou masou*		NT	
サツキマス・アマゴ	*Oncorhynchus masou ishikawae*		NT	
ビワマス	*Oncorhynchus biwaensis*		NT	
タウナギ目				
タウナギ科				
タウナギ（本土産）	*Monopterus albus*	○		
リュウキュウタウナギ	*Monopterus sp.*		CR	
トゲウオ目				
トゲウオ科				
ニホンイトヨ	*Gasterosteus nipponicus*		含_LP	
太平洋系降海型イトヨ	*Gasterosteus aculeatus aculeatus*			
太平洋系陸封型イトヨ	*Gasterosteus aculeatus subsp. 1*		含_LP	
ハリヨ	*Gasterosteus aculeatus subsp. 2*		CR	

和名	学名	国外外来種	環境省 RL	その他
エゾトミヨ	*Pungitius tymensis*		VU	
ミナミトミヨ	*Pungitius kaibarae*		EX	
トミヨ属淡水型	*Pungitius* sp. 1		LP	
トミヨ属汽水型	*Pungitius* sp. 2		NT	
カクレトミヨ	*Pungitius modestus*		CR	
トミヨ属雄物型	*Pungitius* sp. 3		CR	
ムサシトミヨ	*Pungitius* sp. 4		CR	
ヨウジウオ科				
ミナミオクヨウジ	*Urocampus yaeyamaensis*			
ヨウジウオ	*Syngnathus schlegeli*			
ガイテンイシヨウジ	*Parasyngnathus penicillus*			
ハクテンヨウジ	*Hippichthys cyanospilos*			
アミメカワヨウジ	*Hippichthys heptagonus*		EN	
カワヨウジ	*Hippichthys spicifer*			
タニヨウジ	*Lophocampus retzii*		CR	
イッセンヨウジ	*Coelonotus leiaspis*			
ホシイッセンヨウジ	*Coelonotus argulus*		CR	
テングヨウジ	*Oostethus brachyurus brachyurus*			
ヒメテングヨウジ	*Oostethus jagorii*		CR	
ボラ目				
ボラ科				
ボラ	*Mugil cephalus cephalus*			
カワボラ	*Cestraeus plicatilis*		CR	
ナガレフウライボラ	*Crenimugil heterocheilos*		EN	
オニボラ	*Ellochelon vaigiensis*		DD	
セスジボラ	*Chelon lauwergnii*			
メナダ	*Chelon haematocheilus*			
アンピンボラ	*Chelon subviridis*		DD	
コボラ	*Chelon macrolepis*			
ヒルギメナダ	*Chelon melinopterus*			
タイワンメナダ	*Moolgarda seheli*			
カマヒレボラ	*Moolgarda tade*		DD	
ナンヨウボラ	*Osteomugil perusii*			
モンナシボラ	*Osteomugil engeli*		DD	
トウゴロウイワシ目				
トウゴロウイワシ科				
ペヘレイ	*Odontesthes bonariensis*	総合対策（その他）		
ヤクシマイワシ	*Atherinomorus lacunosus*			
ホソオビヤクシマイワシ	*Atherinomorus pinguis*			
ネッタイイソイワシ	*Doboatherina yoshinoi*		DD	
ミナミギンイソイワシ	*Hypoatherina temminckii*		DD	
オキナワトウゴロウ	*Hypoatherina lunata*			
カダヤシ目				
カダヤシ科				
グリーンソードテール	*Xiphophorus hellerii*	総合対策（その他）		
カダヤシ	*Gambusia affinis*	特定外来 / 総合対策（重点対策）		
グッピー	*Poecilia reticulata*	総合対策（その他）		
コクチモーリー	*Poecilia sphenops*	○		
スリコギモーリー	*Poecilia mexicana*	○		
ダツ目				
メダカ科				
ミナミメダカ	*Oryzias latipes*		VU	
キタノメダカ	*Oryzias sakaizumii*		VU	
サヨリ科				
コモチサヨリ	*Zenarchopterus dunckeri*		NT	
クルメサヨリ	*Hyporhamphus intermedius*		NT	
センニンサヨリ	*Hyporhamphus quoyi*			
スズキ目				
ハオコゼ科				
アゴヒゲオコゼ	*Tetraroge barbata*		CR	
ヒゲソリオコゼ	*Tetraroge nigra*		CR	
アカメ科				
アカメ	*Lates japonicus*		EN	
タカサゴイシモチ科				
ヒメタカサゴイシモチ	*Ambassis buruensis*			

和名	学名	国外外来種	環境省 RL	その他
ナンヨウタカサゴイシモチ	*Ambassis interrupta*		DD	
セスジタカサゴイシモチ	*Ambassis miops*			
ハナダカタカサゴイシモチ	*Ambassis macracanthus*		DD	
インドタカサゴイシモチ	*Pseudambassis ranga*	総合対策（その他）		
ケツギョ科				
オヤニラミ	*Coreoperca kawamebari*		EN	
コウライオヤニラミ	*Coreoperca herzi*	○		
スズキ科				
ヒラスズキ	*Lateolabrax latus*			
スズキ	*Lateolabrax japonicus*			含_LP
タイリクスズキ	*Lateolabrax sp.*	○		
ハタ科				
ハクテンハタ	*Epinephelus coeruleopunctatus*			
シラヌイハタ	*Epinephelus bontoides*		DD	
ホシヒレグロハタ	*Epinephelus corallicola*			
ヤイトハタ	*Epinephelus malabaricus*			
チャイロマルハタ	*Epinephelus coioides*			
サンフィッシュ科				
ブルーギル	*Lepomis macrochirus macrochirus*	特定外来/総合対策(緊急対策)		
オオクチバス	*Micropterus nigricans*	特定外来/総合対策(緊急対策)		
コクチバス	*Micropterus dolomieu dolomieu*	特定外来/総合対策(緊急対策)		
ロングイヤーサンフィッシュ	*Lepomis megalotis*	未判定		
パンプキンシードサンフィッシュ	*Lepomis gibbosus*	未判定		
テンジクダイ科				
ホソスジマンジュウイシモチ	*Sphaeramia orbicularis*			
カガミテンジクダイ	*Yarica hyalosoma*		CR	
アマミイシモチ	*Fibramia amboinensis*			
ワキイシモチ	*Fibramia lateralis*		DD	
ヒルギヌメリテンジクダイ	*Pseudamia amblyuroptera*		DD	
ヒイラギ科				
コバンヒイラギ	*Gazza minuta*			
ヒシコバンヒイラギ	*Gazza rhombea*			
オオメコバンヒイラギ	*Gazza achlamys*			
ヒイラギ	*Nuchequula nuchalis*			
セイタカヒイラギ	*Leiognathus equula*			
シマヒイラギ	*Aurigequula fasciata*			
タイワンヒイラギ	*Eubleekeria splendens*			
フエダイ科				
ゴマフエダイ	*Lutjanus argentimaculatus*			
ウラウチフエダイ	*Lutjanus goldiei*		CR	
クロサギ科				
セダカクロサギ	*Gerres erythrourus*			
ホソイトヒキサギ	*Gerres macracanthus*			
イトヒキサギ	*Gerres filamentosus*			
ヤマトイトヒキサギ	*Gerres microphthalmus*			
セダカダイミョウサギ	*Gerres akazakii*			
シマクロサギ	*Gerres shima*			
イサキ科				
コショウダイ	*Plectorhinchus cinctus*			
ダイダイコショウダイ	*Plectorhinchus albovittatus*		DD	
タイ科				
クロダイ	*Acanthopagrus schlegelii*			
キチヌ	*Acanthopagrus latus*			
ナンヨウチヌ	*Acanthopagrus pacificus*		VU	
ミナミクロダイ	*Acanthopagrus sivicolus*			
キス科				
アオギス	*Sillago parvisquamis*		CR	
アトクギス	*Sillaginops macrolepis*		EN	
モトギス	*Sillago sp.*			
ヒメツバメウオ科				
ヒメツバメウオ	*Monodactylus argenteus*			
テッポウウオ科				
テッポウウオ	*Toxotes jaculatrix*		CR	
カワスズメ科				
ジルティラピア	*Coptodon zillii*	総合対策（その他）		

567

和名	学名	国外外来種	環境省RL	その他
ブルーティラピア	*Oreochromis aureus*	○		
カワスズメ	*Oreochromis mossambicus*	総合対策（その他）		
ナイルティラピア	*Oreochromis niloticus*	総合対策（その他）		
コンビクトシクリッド	*Amatitlania nigrofasciata*	総合対策（その他）		
スズメダイ科				
リボンスズメダイ	*Neopomacentrus taeniurus*			
スミゾメスズメダイ	*Pomacentrus taeniometopon*			
アジ科				
ロウニンアジ	*Caranx ignobilis*			
カスミアジ	*Caranx melampygus*			
シマイサキ科				
コトヒキ	*Terapon jarbua*			
シマイサキ	*Rhynchopelates oxyrhynchus*			
ヨコシマイサキ	*Datnia cancellatus*		CR	
ニセシマイサキ	*Datnia argenteus*		CR	
シミズシマイサキ	*Datnia iravi*		CR	
ユゴイ科				
オオクチユゴイ	*Kuhlia rupestris*			
トゲナガユゴイ	*Kuhlia munda*		EN	
ユゴイ	*Kuhlia marginata*			
ツバメコノシロ科				
ツバメコノシロ	*Polydactylus plebeius*			
カジカ科				
ヤマノカミ	*Trachidermus fasciatus*		EN	
カマキリ（アユカケ）	*Rheopresbe kazika*		VU	
カジカ大卵型	*Cottus pollux*		NT	
カジカ中卵型	*Cottus sp.*		EN	
カジカ小卵型（ウツセミカジカ）	*Cottus reinii*		EN	
カンキョウカジカ	*Cottus hangiongensis*		含_LP	
ハナカジカ	*Cottus nozawae*		含_LP	
エゾハナカジカ	*Cottus amblystomopsis*			
ヘビギンポ科				
ウラウチヘビギンポ	*Enneapterygius cheni*		CR	
イソギンポ科				
ヒルギギンポ	*Omox biporos*		CR	
ゴマクモギンポ	*Omobranchus elongatus*		DD	
カワギンポ	*Omobranchus ferox*		CR	
ネズッポ科				
ナリタイトヒキヌメリ	*Callionymus ikedai*		DD	
ツバサハゼ科				
ツバサハゼ	*Rhyacichthys aspro*		CR	
ドンコ科				
ドンコ	*Odontobutis obscurus*			
イシドンコ	*Odontobutis hikimius*		VU	
カラドンコ	*Odontobutis potamophilus*	○		
ヨコシマドンコ	*Micropercops swinhonis*	○		
カワアナゴ科				
カワアナゴ	*Eleotris oxycephala*			
チチブモドキ	*Eleotris acanthopoma*			
オカメハゼ	*Eleotris melanosoma*			
テンジクカワアナゴ	*Eleotris fusca*			
タナゴモドキ	*Hypseleotris everetti*		EN	
オウギハゼ	*Bunaka gyrinoides*		NT	
エリトゲハゼ	*Belobranchus belobranchus*		DD	
タメトモハゼ	*Giuris tolsoni*		EN	
ゴシキタメトモハゼ	*Giuris viator*		EN	
シーサーハゼ	*Paloa villadolidi*			
ノコギリハゼ科				
ジャノメハゼ	*Bostrychus sinensis*		EN	
クモマダラハゼ	*Ophiocara gigas*			
ヤミマダラハゼ	*Ophiocara macrostoma*			
ホシマダラハゼ	*Ophiocara ophicephalus*		VU	
ヤエヤマノコギリハゼ	*Butis amboinensis*		CR	
ハゼ科				
ドウクツミミズハゼ	*Luciogobius albus*		CR	

和名	学名	国外外来種	環境省RL	その他
ネムリミミズハゼ	*Luciogobius dormitoris*		DD	
イドミミズハゼ	*Luciogobius pallidus*		NT	
ナガレミミズハゼ	*Luciogobius fluvialis*		NT	
ユウスイミミズハゼ	*Luciogobius fonticola*		NT	
ミナミヒメミミズハゼ	*Luciogobius ryukyuensis*		VU	
ミミズハゼ	*Luciogobius guttatus*			
ヒモハゼ	*Eutaeniichthys gilli*		NT	
シロウオ	*Leucopsarion petersii*		VU	
ワラスボ	*Odontamblyopus lacepedii*		VU	
アサガラハゼ	*Caragobius urolepis*		VU	
マバラヒゲワラスボ	*Trypauchenopsis intermedia*		VU	
チワラスボ	*Taenioides snyderi*		EN	
コガネチワラスボ	*Taenioides gracilis*			
アカナチワラスボ	*Taenioides anguillaris*			
ティーダチワラスボ	*Taenioides kentalleni*			
トカゲハゼ	*Scartelaos histophorus*		CR	
ムツゴロウ	*Boleophthalmus pectinirostris*		EN	
タビラクチ	*Apocryptodon punctatus*		VU	
トビハゼ	*Periophthalmus modestus*		NT	
ミナミトビハゼ	*Periophthalmus argentilineatus*			
トサカハゼ	*Cristatogobius lophius*		EN	
ヒメトサカハゼ	*Cristatogobius aurimaculatus*		CR	
クロトサカハゼ	*Cristatogobius nonatoae*		CR	
ミナミサルハゼ	*Oxyurichthys lonchotus*			
シマサルハゼ	*Oxyurichthys takagi*		CR	
タテガミハゼ	*Oxyurichthys microlepis*			
マツゲハゼ	*Oxyurichthys ophthalmonema*			
カマヒレマツゲハゼ	*Oxyurichthys cornutus*			
ウチワハゼ	*Mangarinus waterousi*			
タネハゼ	*Callogobius tanegasimae*			
ミスジハゼ	*Callogobius* sp. 1		CR	
ホシハゼ	*Asterropteryx semipunctata*			
マハゼ	*Acanthogobius flavimanus*			
ハゼクチ	*Acanthogobius hasta*		VU	
アシシロハゼ	*Acanthogobius lactipes*			
ミナミアシシロハゼ	*Acanthogobius insularis*		VU	
ヨロイボウズハゼ	*Lentipes armatus*		CR	
カエルハゼ	*Smilosicyopus leprurus*		CR	
アカボウズハゼ	*Sicyopus zosterophorus*		CR	
ヒノコロモボウズハゼ	*Sicyopus auxilimentus*		DD	
ルリボウズハゼ	*Sicyopterus lagocephalus*		VU	
ボウズハゼ	*Sicyopterus japonicus*			
カキイロヒメボウズハゼ	*Stiphodon surrufus*		DD	
ナンヨウボウズハゼ	*Stiphodon percnopterygionus*			
ハヤセボウズハゼ	*Stiphodon imperiorientis*		CR	
コンテリボウズハゼ	*Stiphodon atropurpureus*		CR	
ヒスイボウズハゼ	*Stiphodon alcedo*		CR	
ニライカナイボウズハゼ	*Stiphodon niraikanaiensis*		DD	
トラフボウズハゼ	*Stiphodon multisquamus*		DD	
ワカケサラサハゼ	*Amblygobius linki*		NT	
エサキサラサハゼ	*Amblygobius esakiae*			
ニセシラヌイハゼ	*Silhouettea* sp.		NT	
シラヌイハゼ	*Silhouettea dotui*		NT	
ギンポハゼ	*Parkraemeria saltator*		VU	
マングローブゴマハゼ	*Pandaka lidwilli*		VU	
ミツボシゴマハゼ	*Pandaka trimaculata*			
ゴマハゼ	*Pandaka* sp.		VU	
クマノコハゼ	*Dotsugobius bleekeri*			
インコハゼ	*Exyrias puntang*			
カブキハゼ	*Eugnathogobius mindora*		NT	
アベハゼ	*Mugilogobius abei*			
イズミハゼ	*Mugilogobius* sp. 1			
ナミハゼ	*Mugilogobius chulae*			
フタホシハゼ	*Mugilogobius fuscus*		DD	
ホホグロハゼ	*Mugilogobius cavifrons*		EN	

和名	学名	国外外来種	環境省RL	その他
ムジナハゼ	*Mugilogobius* sp. 3		VU	
タヌキハゼ	*Mugilogobius* sp. 2			
マサゴハゼ	*Pseudogobius masago*		VU	
スナゴハゼ	*Pseudogobius poicilosoma*			
コクチスナゴハゼ	*Pseudogobius melanosticta*		DD	
エソハゼ	*Schismatogobius saurii*		EN	
シマエソハゼ	*Schismatogobius ampluvinculus*		EN	
タネカワハゼ	*Stenogobius* sp.			
ドウケハゼ	*Stenogobius ophthalmoporus*		DD	
ミナミハゼ	*Awaous ocellaris*			
クロミナミハゼ	*Awaous melanocephalus*			
シロチチブ	*Tridentiger nudicervicus*		NT	
ショウキハゼ	*Tridentiger barbatus*		NT	
アカオビシマハゼ	*Tridentiger trigonocephalus*			
シモフリシマハゼ	*Tridentiger bifasciatus*			
ヌマチチブ	*Tridentiger brevispinis*			
チチブ	*Tridentiger obscurus*			
ナガノゴリ	*Tridentiger kuroiwae*			
ノボリハゼ	*Oligolepis acutipennis*			
クチサケハゼ	*Oligolepis stomias*			
ヒナハゼ	*Redigobius bikolanus*			
タスキヒナハゼ	*Redigobius balteatus*		DD	
シジミハゼ	*Bathygobius petrophilus*			
スジクモハゼ	*Bathygobius cocosensis*			
カワクモハゼ	*Bathygobius* sp.		CR	
クロコハゼ	*Drombus* sp.			
ゴクラクハゼ	*Rhinogobius similis*			
シマヨシノボリ	*Rhinogobius nagoyae*			
ルリヨシノボリ	*Rhinogobius mizunoi*			
アヤヨシノボリ	*Rhinogobius* sp. MO			
アオバラヨシノボリ	*Rhinogobius* sp. BB		CR	
オオヨシノボリ	*Rhinogobius fluviatilis*			
ケンムンヒラヨシノボリ	*Rhinogobius yonezawai*			
ヤイマヒラヨシノボリ	*Rhinogobius yaima*			
オガサワラヨシノボリ	*Rhinogobius ogasawaraensis*		EN	
クロヨシノボリ	*Rhinogobius brunneus*			
キバラヨシノボリ	*Rhinogobius* sp. YB		EN	
カワヨシノボリ	*Rhinogobius flumineus*			
クロダハゼ	*Rhinogobius kurodai*			
シマヒレヨシノボリ	*Rhinogobius tyoni*		NT	
ビワヨシノボリ	*Rhinogobius biwaensis*		DD	
トウヨシノボリ	*Rhinogobius* sp.			
トウカイヨシノボリ	*Rhinogobius telma*		NT	
ヒトミハゼ	*Psammogobius biocellatus*			
アゴヒゲハゼ	*Glossogobius bicirrhosus*		CR	
ウロハゼ	*Glossogobius olivaceus*			
スダレウロハゼ	*Glossogobius circumspectus*		NT	
コンジキハゼ	*Glossogobius aureus*		CR	
イワハゼ	*Glossogobius illimis*			
フタゴハゼ	*Glossogobius* sp.		DD	
ツムギハゼ	*Yongeichthys nebulosus*			
フタスジノボリハゼ	*Acentrogobius moloanus*			
ホクロハゼ	*Acentrogobius caninus*		NT	
カスミハゼ	*Acentrogobius janthinopterus*			
キララハゼ	*Acentrogobius viridipunctatus*		VU	
スズメハゼ	*Acentrogobius* sp.			
ニセツムギハゼ	*Acentrogobius audax*		NT	
ホホグロスジハゼ	*Acentrogobius suluensis*		NT	
セイタカスジハゼ	*Acentrogobius multifasciatus*			
ツマグロスジハゼ	*Acentrogobius* sp. 2			
モヨウハゼ	*Acentrogobius pflaumii*			
スジハゼ	*Acentrogobius virgatulus*			
ヒメハゼ	*Favonigobius gymnauchen*			
ツマジロヒメハゼ	*Favonigobius opalescens*			
ミナミヒメハゼ	*Favonigobius reichei*			

和名	学名	国外外来種	環境省RL	その他
クロヒメハゼ	*Favonigobius melanobranchus*			
ヒメカザリハゼ	*Istigobius goldmanni*			
イサザ	*Gymnogobius isaza*		CR	
スミウキゴリ	*Gymnogobius petschiliensis*		含_LP	
ウキゴリ	*Gymnogobius urotaenia*			
シマウキゴリ	*Gymnogobius opperiens*			
ヘビハゼ	*Gymnogobius mororanus*		DD	
ビリンゴ	*Gymnogobius breunigii*			
シンジコハゼ	*Gymnogobius taranetzi*		VU	
ジュズカケハゼ	*Gymnogobius castaneus*		NT	
コシノハゼ	*Gymnogobius nakamurae*		CR	国内希少
ムサシノジュズカケハゼ	*Gymnogobius* sp. 1		EN	
ホクリクジュズカケハゼ	*Gymnogobius* sp. 2		CR	
チクゼンハゼ	*Gymnogobius uchidai*		VU	
クボハゼ	*Gymnogobius scrobiculatus*		EN	
キセルハゼ	*Gymnogobius cylindricus*		EN	
エドハゼ	*Gymnogobius macrognathos*		VU	
ハゴロモハゼ	*Myersina macrostoma*			
オイランハゼ	*Cryptocentrus melanopus*			
ヤツシハゼ	*Vanderhorstia phaeosticta*			
コモンヤツシハゼ	*Vanderhorstia* sp. 2			
ウラウチイソハゼ	*Eviota ocellifer*		CR	
ミナミイソハゼ	*Eviota japonica*			
スナハゼ科				
ナミノコハゼ	*Gobitrichinotus radiocularis*		NT	
トンガスナハゼ	*Kraemeria tongaensis*		DD	
リュウキュウナミノコハゼ	*Kraemeria cunicularia*			
クロユリハゼ科				
ミヤラビハゼ	*Parioglossus raoi*			
マイコハゼ	*Parioglossus lineatus*		DD	
コマチハゼ	*Parioglossus taeniatus*		CR	
ボルネオハゼ	*Parioglossus palustris*		VU	
コビトハゼ	*Parioglossus rainfordi*		EN	
ヒメサツキハゼ	*Parioglossus interruptus*		CR	
サツキハゼ	*Parioglossus dotui*			
ベニツケサツキハゼ	*Parioglossus philippinus*			
クジャクハゼ	*Parioglossus caeruleolineatus*		DD	
クロホシマンジュウダイ科				
クロホシマンジュウダイ	*Scatophagus argus*			
アイゴ科				
ムシクイアイゴ	*Siganus vermiculatus*			
ゴマアイゴ	*Siganus guttatus*			
カマス科				
オニカマス	*Sphyraena barracuda*			
ゴクラクギョ科				
タイワンキンギョ	*Macropodus opercularis*		CR	
チョウセンブナ	*Macropodus ocellatus*	○		
タイワンドジョウ科				
カムルチー	*Channa argus*	○		
タイワンドジョウ	*Channa maculata*	○		
コウタイ	*Channa asiatica*	○		
カレイ目				
カレイ科				
ヌマガレイ	*Platichthys stellatus*			
イシガレイ	*Platichthys bicoloratus*			
トウガレイ	*Pleuronectes pinnifasciatus*			
クロガレイ	*Pseudopleuronectes obscurus*			
フグ目				
フグ科				
クサフグ	*Chelonodontops patoca*		含_LP	
オキナワフグ	*Chelonodontops patoca*			

学名さくいん

A

Abbottina rivularis ⋯⋯⋯⋯⋯⋯ 182
Acanthogobius flavimanus ⋯⋯⋯⋯ 516
Acanthogobius hasta ⋯⋯⋯⋯⋯⋯ 518
Acanthogobius lactipes ⋯⋯⋯⋯⋯ 519
Acanthopagrus latus ⋯⋯⋯⋯⋯⋯ 381
Acanthopagrus schlegelii ⋯⋯⋯⋯ 380
Acentrogobius sp. 2 ⋯⋯⋯⋯⋯⋯ 535
Acentrogobius virgatulus ⋯⋯⋯⋯ 534
Acheilognathus cyanostigma ⋯⋯⋯ 88
Acheilognathus longipinnis ⋯⋯⋯⋯ 90
Acheilognathus macropterus ⋯⋯⋯ 92
Acheilognathus melanogaster ⋯⋯⋯ 86
Acheilognathus rhombeus ⋯⋯⋯⋯ 74
Acheilognathus tabira erythropterus 78
Acheilognathus tabira jordani ⋯⋯⋯ 82
Acheilognathus tabira nakamurae ⋯ 84
Acheilognathus tabira tabira ⋯⋯⋯ 76
Acheilognathus tabira tohokuensis ⋯ 80
Acheilognathus typus ⋯⋯⋯⋯⋯⋯ 94
Acipenser medirostris ⋯⋯⋯⋯⋯⋯ 32
Anguilla bicolor pacifica ⋯⋯⋯⋯ 44
Anguilla japonica ⋯⋯⋯⋯⋯⋯⋯ 38
Anguilla marmorata ⋯⋯⋯⋯⋯⋯ 42
Aphyocypris chinensis ⋯⋯⋯⋯⋯ 116
Aphyocypris kikuchii ⋯⋯⋯⋯⋯⋯ 116
Apocryptodon punctatus ⋯⋯⋯⋯ 430
Awaous melanocephalus ⋯⋯⋯⋯ 437

B

Barbatula oreas ⋯⋯⋯⋯⋯⋯⋯⋯ 216
Biwia yodoensis ⋯⋯⋯⋯⋯⋯⋯⋯ 186
Biwia zezera ⋯⋯⋯⋯⋯⋯⋯⋯⋯ 184
Boleophthalmus pectinirostris ⋯⋯⋯ 425
Butis amboinensis ⋯⋯⋯⋯⋯⋯⋯ 417

C

Callogobius tanegasimae ⋯⋯⋯⋯ 537
Candidia sieboldii ⋯⋯⋯⋯⋯⋯⋯ 112
Candidia temminckii ⋯⋯⋯⋯⋯⋯ 110
Caranx ignobilis ⋯⋯⋯⋯⋯⋯⋯⋯ 370
Caranx melampygus ⋯⋯⋯⋯⋯⋯ 371
Carassius buergeri buergeri ⋯⋯⋯ 66
Carassius buergeri grandoculis ⋯⋯ 62
Carassius buergeri subsp.1 ⋯⋯⋯ 64
Carassius buergeri subsp.2 ⋯⋯⋯ 65
Carassius cuvieri ⋯⋯⋯⋯⋯⋯⋯⋯ 58
Carassius sp. ⋯⋯⋯⋯⋯⋯⋯⋯⋯ 60
Carcharhinus leucas ⋯⋯⋯⋯⋯⋯ 28

Channa argus ⋯⋯⋯⋯⋯⋯⋯⋯⋯ 546
Channa asiatica ⋯⋯⋯⋯⋯⋯⋯⋯ 550
Channa maculata ⋯⋯⋯⋯⋯⋯⋯ 548
Chelon affinis ⋯⋯⋯⋯⋯⋯⋯⋯⋯ 330
Chelon haematocheilus ⋯⋯⋯⋯⋯ 331
Chelon macrolepis ⋯⋯⋯⋯⋯⋯⋯ 332
Chelonodon patoca ⋯⋯⋯⋯⋯⋯⋯ 557
Clarias fuscus ⋯⋯⋯⋯⋯⋯⋯⋯⋯ 252
Cobitis kaibarai ⋯⋯⋯⋯⋯⋯⋯⋯ 210
Cobitis magnostriata ⋯⋯⋯⋯⋯⋯ 201
Cobitis minamorii minamorii ⋯⋯⋯ 202
Cobitis minamorii oumiensis ⋯⋯⋯ 204
Cobitis minamorii saninensis ⋯⋯⋯ 206
Cobitis minamorii tokaiensis ⋯⋯⋯ 203
Cobitis minamorii yodoensis ⋯⋯⋯ 205
Cobitis sakahoko ⋯⋯⋯⋯⋯⋯⋯⋯ 200
Cobitis shikokuensis ⋯⋯⋯⋯⋯⋯ 213
Cobitis sp. BIWAE type A ⋯⋯⋯⋯ 198
Cobitis sp. BIWAE type B ⋯⋯⋯⋯ 196
Cobitis sp. BIWAE type C ⋯⋯⋯⋯ 197
Cobitis sp. 'yamato' complex ⋯⋯⋯ 199
Cobitis striata fuchigamii ⋯⋯⋯⋯ 208
Cobitis striata hakataensis ⋯⋯⋯⋯ 209
Cobitis striata striata ⋯⋯⋯⋯⋯⋯ 207
Cobitis takatsuensis ⋯⋯⋯⋯⋯⋯ 212
Cobitis takenoi ⋯⋯⋯⋯⋯⋯⋯⋯ 211
Coilia nasus ⋯⋯⋯⋯⋯⋯⋯⋯⋯⋯ 50
Coelonotus leiaspis ⋯⋯⋯⋯⋯⋯⋯ 325
Coptodon zillii ⋯⋯⋯⋯⋯⋯⋯⋯⋯ 390
Coregonus maraena ⋯⋯⋯⋯⋯⋯ 310
Coreoperca herzi ⋯⋯⋯⋯⋯⋯⋯⋯ 366
Coreoperca kawamebari ⋯⋯⋯⋯⋯ 364
Cottus amblystomopsis ⋯⋯⋯⋯⋯ 397
Cottus hangiongensis ⋯⋯⋯⋯⋯⋯ 398
Cottus nozawae ⋯⋯⋯⋯⋯⋯⋯⋯ 396
Cottus pollux ⋯⋯⋯⋯⋯⋯⋯⋯⋯ 393
Cottus reinii ⋯⋯⋯⋯⋯⋯⋯⋯⋯⋯ 395
Cottus sp. ⋯⋯⋯⋯⋯⋯⋯⋯⋯⋯⋯ 394
Crenimugil heterocheilos ⋯⋯⋯⋯ 333
Ctenopharyngodon idella ⋯⋯⋯⋯ 124
Cyprinus carpio ⋯⋯⋯⋯⋯⋯⋯ 52, 53

D

Drombus sp. ⋯⋯⋯⋯⋯⋯⋯⋯⋯⋯ 532

E

Echidona rhodochilus ⋯⋯⋯⋯⋯⋯ 45
Eleotris acanthopoma ⋯⋯⋯⋯⋯⋯ 412
Eleotris fusca ⋯⋯⋯⋯⋯⋯⋯⋯⋯ 413

Eleotris melanosoma ⋯⋯⋯⋯⋯⋯ 414

Eleotris oxycephala ⋯⋯⋯⋯⋯⋯⋯ 410

Entoshenus tridentatus ⋯⋯⋯⋯⋯ 26

Eutaeniichthys gilli ⋯⋯⋯⋯⋯⋯⋯ 452

Eviota japonica ⋯⋯⋯⋯⋯⋯⋯⋯ 538

F

Favonigobius gymnauchen ⋯⋯⋯⋯ 533

G

Gambusia affinis ⋯⋯⋯⋯⋯⋯⋯⋯ 338

Gasterosteus aculeatus aculeatus ⋯⋯⋯ 313

Gasterosteus aculeatus subsp. ⋯⋯⋯ 315

Gasterosteus aculeatus subspp. ⋯⋯ 314

Gasterosteus nipponicus ⋯⋯⋯⋯⋯ 312

Gerres equulus ⋯⋯⋯⋯⋯⋯⋯⋯⋯ 379

Giuris tolsoni ⋯⋯⋯⋯⋯⋯⋯⋯⋯ 416

Glossogobius olivaceus ⋯⋯⋯⋯⋯ 530

Gnathopogon caerulescens ⋯⋯⋯⋯ 162

Gnathopogon elongatus elongatus ⋯ 159

Gymnogobius biwaensis ⋯⋯⋯⋯⋯⋯ 503

Gymnogobius breunigii ⋯⋯⋯⋯⋯ 466

Gymnogobius castaneus ⋯⋯⋯⋯⋯⋯ 470

Gymnogobius cylindricus ⋯⋯⋯⋯ 477

Gymnogobius isaza ⋯⋯⋯⋯⋯⋯⋯ 464

Gymnogobius macrognathos ⋯⋯⋯ 475

Gymnogobius nakamurae ⋯⋯⋯⋯ 473

Gymnogobius opperiens ⋯⋯⋯⋯⋯ 460

Gymnogobius petschiliensis ⋯⋯⋯ 462

Gymnogobius scrobiculatus ⋯⋯⋯ 476

Gymnogobius sp.1 ⋯⋯⋯⋯⋯⋯⋯ 471

Gymnogobius sp.2 ⋯⋯⋯⋯⋯⋯⋯ 472

Gymnogobius taranetzi ⋯⋯⋯⋯⋯ 469

Gymnogobius uchidai ⋯⋯⋯⋯⋯⋯ 474

Gymnogobius urotaenia ⋯⋯⋯⋯⋯ 458

H

Hemibarbus barbus ⋯⋯⋯⋯⋯⋯⋯ 164

Hemibarbus labeo ⋯⋯⋯⋯⋯⋯⋯ 166

Hemibarbus longirostris ⋯⋯⋯⋯⋯ 168

Hemiculter leucischus ⋯⋯⋯⋯⋯⋯ 120

Hemigrammocypris neglecta ⋯⋯⋯ 114

Hemitrygon akajei ⋯⋯⋯⋯⋯⋯⋯ 30

Hippichthys heptagonus ⋯⋯⋯⋯⋯ 324

Hippichthys spicifer ⋯⋯⋯⋯⋯⋯ 323

Hucho perryi ⋯⋯⋯⋯⋯⋯⋯⋯⋯ 308

Hypomesus nipponensis ⋯⋯⋯⋯⋯ 258

Hypomesus olidus ⋯⋯⋯⋯⋯⋯⋯ 259

Hypophthalmichthys molitrix ⋯⋯⋯ 122

Hypophthalmichthys nobilis ⋯⋯⋯⋯ 123

Hyporhamphus intermedius ⋯⋯⋯⋯ 347

Hypseleotris everetti ⋯⋯⋯⋯⋯⋯ 415

I·K

Ictalurus punctatus ⋯⋯⋯⋯⋯⋯⋯ 250

Ischikauia steenackeri ⋯⋯⋯⋯⋯ 118

Konosirus punctatus ⋯⋯⋯⋯⋯⋯ 49

Kuhlia marginata ⋯⋯⋯⋯⋯⋯⋯ 373

Kuhlia rupestris ⋯⋯⋯⋯⋯⋯⋯⋯ 374

L

Lateolabrax japonicus ⋯⋯⋯⋯⋯⋯ 350

Lateolabrax latus ⋯⋯⋯⋯⋯⋯⋯⋯ 352

Lateolabrax sp. ⋯⋯⋯⋯⋯⋯⋯⋯ 351

Lates japonicus ⋯⋯⋯⋯⋯⋯⋯⋯ 385

Lefua costata costata ⋯⋯⋯⋯⋯⋯ 220

Lefua costata nikkonis ⋯⋯⋯⋯⋯ 218

Lefua echigonia ⋯⋯⋯⋯⋯⋯⋯⋯ 222

Lefua nishimurai ⋯⋯⋯⋯⋯⋯⋯⋯ 227

Lefua tokaiensis ⋯⋯⋯⋯⋯⋯⋯⋯ 226

Lefua torrentis ⋯⋯⋯⋯⋯⋯⋯⋯ 224

Lentipes armatus ⋯⋯⋯⋯⋯⋯⋯⋯ 438

Lepomis gibbosus ⋯⋯⋯⋯⋯⋯⋯⋯ 357

Lepomis macrochirus macrochirus ⋯ 353

Lepomis megalotis ⋯⋯⋯⋯⋯⋯⋯ 356

Lethenteron camtschaticum ⋯⋯⋯⋯ 20

Lethenteron hattai ⋯⋯⋯⋯⋯⋯⋯ 23

Lethenteron mitsukurii ⋯⋯⋯⋯⋯ 22

Lethenteron reissneri ⋯⋯⋯⋯⋯⋯ 25

Lethenteron satoi ⋯⋯⋯⋯⋯⋯⋯⋯ 23

Leucopsarion petersii ⋯⋯⋯⋯⋯⋯ 520

Liobagrus reinii ⋯⋯⋯⋯⋯⋯⋯⋯ 238

Luciogobius fluvialis ⋯⋯⋯⋯⋯⋯ 456

Luciogobius fonticola ⋯⋯⋯⋯⋯⋯ 457

Luciogobius guttatus ⋯⋯⋯⋯⋯⋯ 453

Luciogobius pallidus ⋯⋯⋯⋯⋯⋯ 455

Luciogobius ryukyuensis ⋯⋯⋯⋯⋯ 454

Lutjanus argentimaculatus ⋯⋯⋯⋯ 375

Lutjanus goldiei ⋯⋯⋯⋯⋯⋯⋯⋯ 376

M

Maccullochella peelii ⋯⋯⋯⋯⋯⋯ 367

Macropodus ocellatus ⋯⋯⋯⋯⋯⋯ 544

Macropodus opercularis ⋯⋯⋯⋯⋯ 542

Megalobrama amblycephala ⋯⋯⋯⋯ 121

Megalops cyprinoides ⋯⋯⋯⋯⋯⋯ 36

Micropercops swinhonis ⋯⋯⋯⋯⋯ 409

Micropterus dolomieu dolomieu ⋯⋯ 362

Micropterus nigiricans ⋯⋯⋯⋯⋯ 358

Misgurnus anguillicaudatus ⋯⋯⋯⋯ 190

Misgurnus dabryanus ⋯⋯⋯⋯⋯⋯⋯⋯ 195

Misgurnus amamianus ⋯⋯⋯⋯⋯⋯ 194

Misgurnus chipisaniensis ⋯⋯⋯⋯⋯ 192

Misgurnus sp. OK ⋯⋯⋯⋯⋯⋯⋯⋯ 193

Monodactylus argenteus ⋯⋯⋯⋯⋯ 382

Monopterus albus ⋯⋯⋯⋯⋯⋯⋯⋯ 552

Monopterus sp. ⋯⋯⋯⋯⋯⋯⋯⋯⋯ 552

Mugil cephalus cephalus ⋯⋯⋯⋯⋯ 328

Mugilogobius abei ⋯⋯⋯⋯⋯⋯⋯⋯ 522

Mugilogobius sp.1 ⋯⋯⋯⋯⋯⋯⋯⋯ 523

Mylopharyngodon piceus ⋯⋯⋯⋯⋯ 125

N

Neosalanx reganius ⋯⋯⋯⋯⋯⋯⋯ 267

Niwaella delicata⋯⋯⋯⋯⋯⋯⋯⋯⋯ 214

Nuchequula nuchalis ⋯⋯⋯⋯⋯⋯⋯ 378

O

Odontesthes bonariensis ⋯⋯⋯⋯⋯ 336

Odontobutis hikimius ⋯⋯⋯⋯⋯⋯⋯ 408

Odontobutis obscurus ⋯⋯⋯⋯⋯⋯⋯ 404

Odontobutis potamophilus⋯⋯⋯⋯⋯ 406

Oligolepis acutipennis⋯⋯⋯⋯⋯⋯⋯ 435

Oligolepis stomias ⋯⋯⋯⋯⋯⋯⋯⋯ 436

Oncorhynchus biwaensis ⋯⋯⋯⋯⋯ 288

Oncorhynchus gorbuscha ⋯⋯⋯⋯⋯ 272

Oncorhynchus kawamurae ⋯⋯⋯⋯ 278

Oncorhynchus keta⋯⋯⋯⋯⋯⋯⋯⋯ 268

Oncorhynchus kisutch ⋯⋯⋯⋯⋯⋯ 270

Oncorhynchus masou ishikawae⋯⋯⋯ 284

Oncorhynchus masou masou ⋯⋯⋯⋯ 280

Oncorhynchus mykiss ⋯⋯⋯⋯⋯⋯ 290

Oncorhynchus nerka ⋯⋯⋯⋯⋯⋯⋯ 276

Oncorhynchus tshawytscha ⋯⋯⋯⋯ 275

Oostethus brachyurus brachyurus ⋯ 326

Ophiocara gigas ⋯⋯⋯⋯⋯⋯⋯⋯⋯ 418

Ophiocara macrostoma ⋯⋯⋯⋯⋯⋯ 418

Ophiocara ophicephalus ⋯⋯⋯⋯⋯ 419

Opsariichthys platypus ⋯⋯⋯⋯⋯⋯ 106

Opsariichthys uncirostris uncirostris 108

Oreochromis mossambicus ⋯⋯⋯⋯ 386

Oreochromis niloticus⋯⋯⋯⋯⋯⋯⋯ 388

Oryzias latipes ⋯⋯⋯⋯⋯⋯⋯⋯⋯ 342

Oryzias sakaizumii ⋯⋯⋯⋯⋯⋯⋯ 346

Osmerus dentex ⋯⋯⋯⋯⋯⋯⋯⋯⋯ 256

Osteoglossum bicirrhosum⋯⋯⋯⋯⋯ 34

Oxyurichthys cornutus ⋯⋯⋯⋯⋯⋯ 434

Oxyurichthys lonchotus⋯⋯⋯⋯⋯⋯ 433

P

Paloa villadolidi ⋯⋯⋯⋯⋯⋯⋯⋯⋯ 420

Pandaka lidwilli ⋯⋯⋯⋯⋯⋯⋯⋯⋯ 527

Pandaka sp. ⋯⋯⋯⋯⋯⋯⋯⋯⋯⋯ 526

Pandaka trimaculata ⋯⋯⋯⋯⋯⋯⋯ 528

Parabotia curtus ⋯⋯⋯⋯⋯⋯⋯⋯⋯ 188

Parioglossus dotui ⋯⋯⋯⋯⋯⋯⋯⋯ 539

Parioglossus philippinus ⋯⋯⋯⋯⋯ 541

Periophthalmus argentilineatus ⋯⋯⋯ 424

Periophthalmus modestus ⋯⋯⋯⋯⋯ 422

Pimephales promelas ⋯⋯⋯⋯⋯⋯⋯ 142

Platichthys stellatus ⋯⋯⋯⋯⋯⋯⋯ 554

Plecoglossus altivelis altivelis ⋯⋯⋯ 260

Plecoglossus altivelis ryukyuensis ⋯ 264

Plectorhinchus cinctus ⋯⋯⋯⋯⋯⋯ 377

Poecilia reticulata ⋯⋯⋯⋯⋯⋯⋯⋯ 340

Polydactylus prebeius⋯⋯⋯⋯⋯⋯⋯ 391

Psammogobius biocellatus⋯⋯⋯⋯⋯ 529

Pseudaspius brandtii brandtii ⋯⋯⋯ 130

Pseudaspius brandtii maruta ⋯⋯⋯ 128

Pseudaspius hakonensis⋯⋯⋯⋯⋯⋯ 126

Pseudaspius nakamurai⋯⋯⋯⋯⋯⋯ 132

Pseudaspius sachalinensis⋯⋯⋯⋯⋯ 131

Pseudogobio agathonectris ⋯⋯⋯⋯ 180

Pseudogobio esocinus ⋯⋯⋯⋯⋯⋯⋯ 178

Pseudogobio polystictus ⋯⋯⋯⋯⋯⋯ 181

Pseudogobius poicilosoma ⋯⋯⋯⋯⋯ 524

Pseudogobius masago⋯⋯⋯⋯⋯⋯⋯ 525

Pseudorasbora parva ⋯⋯⋯⋯⋯⋯⋯ 144

Pseudorasbora pugnax ⋯⋯⋯⋯⋯⋯ 148

Pseudorasbora pumila ⋯⋯⋯⋯⋯⋯ 146

Pterygoplichthys disjunctivus ⋯⋯⋯ 253

Pungitius kaibarae ⋯⋯⋯⋯⋯⋯⋯⋯ 321

Pungitius modestus ⋯⋯⋯⋯⋯⋯⋯⋯ 319

Pungitius sp. 1 ⋯⋯⋯⋯⋯⋯⋯⋯⋯⋯ 317

Pungitius sp. 3 ⋯⋯⋯⋯⋯⋯⋯⋯⋯⋯ 318

Pungitius sp. 4 ⋯⋯⋯⋯⋯⋯⋯⋯⋯⋯ 319

Pungitius tymensis ⋯⋯⋯⋯⋯⋯⋯⋯ 316

Pungtungia herzi⋯⋯⋯⋯⋯⋯⋯⋯⋯ 150

R

Redigobius bikolanus ⋯⋯⋯⋯⋯⋯⋯ 521

Rheopresbe kazika ⋯⋯⋯⋯⋯⋯⋯⋯ 400

Rhinogobius biwaensis ⋯⋯⋯⋯⋯⋯ 503

Rhinogobius brunneus ⋯⋯⋯⋯⋯⋯ 494

Rhinogobius flumineus ⋯⋯⋯⋯⋯⋯ 504

Rhinogobius fluviatilis ⋯⋯⋯⋯⋯⋯ 488

Rhinogobius kurodai ⋯⋯⋯⋯⋯⋯⋯ 497

Rhinogobius mizunoi ⋯⋯⋯⋯⋯⋯⋯ 482

Rhinogobius nagoyae ⋯⋯⋯⋯⋯⋯ 480

Rhinogobius ogasawaraensis ⋯⋯⋯ 492

Rhinogobius similis ⋯⋯⋯⋯⋯⋯⋯ 478

Rhinogobius sp.BB ⋯⋯⋯⋯⋯⋯⋯ 486

Rhinogobius sp.MO⋯⋯⋯⋯⋯⋯⋯ 484

Rhinogobius sp.OR ⋯⋯⋯⋯⋯⋯⋯ 498

Rhinogobius sp.YB ⋯⋯⋯⋯⋯⋯⋯ 496

Rhinogobius telma ⋯⋯⋯⋯⋯⋯⋯ 501

Rhinogobius tyoni ⋯⋯⋯⋯⋯⋯⋯ 502

Rhinogobius yaima⋯⋯⋯⋯⋯⋯⋯ 490

Rhinogobius yonezawai ⋯⋯⋯⋯⋯ 490

Rhodeus notatus ⋯⋯⋯⋯⋯⋯⋯⋯ 105

Rhodeus ocellatus kurumeus ⋯⋯⋯ 98

Rhodeus ocellatus ocellatus ⋯⋯⋯⋯ 96

Rhodeus smithii smithii ⋯⋯⋯⋯100, 102

Rhyacichthys aspro⋯⋯⋯⋯⋯⋯⋯⋯ 421

Rhynchocypris lagowskii steindachneri 138

Rhynchocypris lagowskii yamamotis 140

Rhynchocypris oxycephala jouyi⋯⋯⋯ 136

Rhynchocypris percnura sachaliensis 141

Rhynchopelates oxyrhynchus ⋯⋯⋯ 367

S

Salangichthys microdon ⋯⋯⋯⋯⋯ 265

Salanx ariakensis ⋯⋯⋯⋯⋯⋯⋯ 266

Salmo trutta ⋯⋯⋯⋯⋯⋯⋯⋯⋯ 292

Salvelinus curilus krascheninnikovi 302

Salvelinus curilus miyabei⋯⋯⋯⋯⋯ 304

Salvelinus fontinalis ⋯⋯⋯⋯⋯⋯ 306

Salvelinus leucomaenis imbrius ⋯⋯ 298

Salvelinus leucomaenis japonicus ⋯ 296

Salvelinus leucomaenis leucomaenis 300

Salvelinus leucomaenis pluvius ⋯⋯ 294

Salvelinus namaycush ⋯⋯⋯⋯⋯⋯ 307

Sarcocheilichthys biwaensis ⋯⋯⋯⋯ 158

Sarcocheilichthys variegatus microoculus 156

Sarcocheilichthys variegatus variegatus 154

Sardinella zunasi⋯⋯⋯⋯⋯⋯⋯⋯ 48

Scartelaos histophorus ⋯⋯⋯⋯⋯⋯ 428

Scatophagus argus ⋯⋯⋯⋯⋯⋯⋯ 383

Sicyopterus japonicus⋯⋯⋯⋯⋯⋯⋯ 450

Sicyopterus lagocephalus ⋯⋯⋯⋯⋯ 448

Sicyopus auxilimentus ⋯⋯⋯⋯⋯⋯ 442

Sicyopus zosterophorus ⋯⋯⋯⋯⋯⋯ 440

Silurus asotus ⋯⋯⋯⋯⋯⋯⋯⋯⋯ 240

Silurus biwaensis⋯⋯⋯⋯⋯⋯⋯⋯ 248

Silurus lithophilus ⋯⋯⋯⋯⋯⋯⋯ 244

Silurus tomodai ⋯⋯⋯⋯⋯⋯⋯⋯ 246

Smilosicyopus leprurus ⋯⋯⋯⋯⋯⋯ 439

Sphyraena barracuda⋯⋯⋯⋯⋯⋯⋯ 384

Spirinchus lanceolatus ⋯⋯⋯⋯⋯⋯ 257

Squalidus chankaensis biwae ⋯⋯⋯ 170

Squalidus chankaensis tsuchigae⋯⋯⋯ 172

Squalidus gracilis gracilis ⋯⋯⋯⋯⋯ 176

Squalidus japonicas japonicas ⋯⋯⋯ 174

Stiphodon alcedo⋯⋯⋯⋯⋯⋯⋯⋯ 443

Stiphodon atropurpureus ⋯⋯⋯⋯⋯ 446

Stiphodon imperiorientis ⋯⋯⋯⋯⋯ 447

Stiphodon percnopterygionus ⋯⋯⋯ 444

Syngnathus schlegeli ⋯⋯⋯⋯⋯⋯⋯ 322

T

Tachysurus aurantiacus ⋯⋯⋯⋯⋯⋯ 236

Tachysurus ichikawai⋯⋯⋯⋯⋯⋯⋯ 237

Tachysurus nudiceps ⋯⋯⋯⋯⋯⋯⋯ 230

Tachysurus sinensis ⋯⋯⋯⋯⋯⋯⋯ 232

Tachysurus tokiensis ⋯⋯⋯⋯⋯⋯⋯ 234

Taenioides snyderi ⋯⋯⋯⋯⋯⋯⋯⋯ 431

Takifugu niphobles ⋯⋯⋯⋯⋯⋯⋯⋯ 556

Tanakia lanceolata⋯⋯⋯⋯⋯⋯⋯⋯ 68

Tanakia limbata ⋯⋯⋯⋯⋯⋯⋯⋯ 70

Tanakia tanago ⋯⋯⋯⋯⋯⋯⋯⋯ 72

Terapon jarbua ⋯⋯⋯⋯⋯⋯⋯⋯⋯ 369

Toxotes jaculatrix ⋯⋯⋯⋯⋯⋯⋯⋯ 372

Trachidermus fasciatus ⋯⋯⋯⋯⋯⋯ 403

Tridentiger bifasciatus ⋯⋯⋯⋯⋯⋯ 515

Tridentiger brevispinis ⋯⋯⋯⋯⋯⋯ 510

Tridentiger kuroiwae ⋯⋯⋯⋯⋯⋯⋯ 512

Tridentiger obscurus ⋯⋯⋯⋯⋯⋯⋯ 508

Tridentiger trigonocephalus ⋯⋯⋯⋯ 514

Trypauchenopsis intermedia⋯⋯⋯⋯⋯ 432

Y·Z

Yongeichthys nebulosus⋯⋯⋯⋯⋯⋯ 536

Zenarchopterus dunckeri ⋯⋯⋯⋯⋯ 348

和名さくいん

ア

アオウオ	125
アオバラヨシノボリ	486
アカエイ	30
アカオビシマハゼ	514
アカザ	238
アカヒレタビラ	78
アカボウズハゼ	440
アカメ	385
アシシロハゼ	519
アジメドジョウ	214
アブラハヤ	136
アブラヒガイ	156
アブラボテ	70
アベハゼ	522
アマゴ	284
アミメカワヨウジ	324
アメマス	300
アヤヨシノボリ	484
アユ	260
アユカケ	400
アユモドキ	188
アリアケギバチ	236
アリアケシラウオ	266
アリアケスジシマドジョウ	210
アリアケヒメシラウオ	267
アリゲーターガー	392
イサザ	464
イシカリワカサギ	259
イシドジョウ	212
イシドンコ	408
イズミハゼ	523
イセゴイ	36
イタセンパラ	90
イチモンジタナゴ	88
イッセンヨウジ	325
イトウ	308
イドミミズハゼ	455
イトモロコ	174
イワトコナマズ	244
ウキゴリ	458
ウグイ	126
ウケクチウグイ	132
ウシモツゴ	146
ウチワスナヤツメ	22
ウツセミカジカ	395
ウラウチフエダイ	376

ウロハゼ	530
エゾイワナ	300
エゾウグイ	131
エゾトミヨ	316
エゾハナカジカ	397
エゾホトケドジョウ	218
エツ	50
エドハゼ	475
オイカワ	106
オオウナギ	42
オオガタスジシマドジョウ	201
オオキンブナ	66
オオクチバス	358
オオクチユゴイ	374
オオシマドジョウ	198
オオタナゴ	92
オオメジロザメ	28
オオヨシノボリ	488
オオヨドシマドジョウ	200
オガサワラヨシノボリ	492
オカメハゼ	414
オキナワフグ	557
オショロコマ	302
オニカマス	384
オヤニラミ	364
オンガスジシマドジョウ	208

カ

カエルハゼ	439
カクレトミヨ	319
カジカ小卵型	395
カジカ大卵型	393
カジカ中卵型	394
カスミアジ	371
カゼトゲタナゴ(北九州集団)	100
カゼトゲタナゴ(山陽集団)	102
カダヤシ	338
カネヒラ	74
カマキリ	400
カマツカ	176
カマヒレマツゲハゼ	434
カムルチー	546
カラゼニタナゴ(交雑種)	105
カラドジョウ	195
カラドンコ	406
カラフトマス	272
カワアナゴ	410
カワイワシ	186

カワスズメ	386	コウライニゴイ	164
カワチブナ	58	コウライモロコ	170
カワバタモロコ	114	ゴギ	298
カワヒガイ	152	コクチバス	362
カワマス	306	ゴクラクハゼ	478
カワムツ	110	コクレン	123
カワヤツメ	20	コシノハゼ	473
カワヨウジ	323	コショウダイ	377
カワヨシノボリ	504	コトヒキ	369
カンキョウカジカ	398	コノシロ	49
ギギ	230	コボラ	332
キクチヒナモロコ	116	ゴマハゼ	526
キセルハゼ	477	ゴマフエダイ	375
キタスナヤツメ	22	コモチサヨリ	348
キタドジョウ	192	コンテリボウズハゼ	446

サ

キタノアカヒレタビラ	80	サクラマス	280
キタノメダカ	346	サケ	268
キチヌ	381	サツキハゼ	539
ギバチ	234	サツキマス	284
キバラヨシノボリ	496	サッパ	48
キュウリウオ	256	サンインコガタスジシマドジョウ	206
キリクチ	296	サンヨウコガタスジシマドジョウ	202
ギンガメアジ	370	シーサーハゼ	420
ギンザケ	270	シシャモ	257
キンブナ	65	シナイモツゴ	144
ギンブナ	60	シナノユキマス	310
クサフグ	556	シノビドジョウ	194
クチサケハゼ	436	シベリアヤツメ	25
グッピー	340	シマイサキ	368
クニマス	278	シマウキゴリ	460
クボハゼ	476	シマヒレヨシノボリ	502
クモマダラハゼ	418	シマヨシノボリ	480
クルメサヨリ	347	シモフリシマハゼ	515
クロコハゼ	532	ジュウサンウグイ	130
クロサギ	379	ジュズカケハゼ	470
クロダイ	380	シラウオ	265
クロダハゼ	497	ジルティラピア	390
クロホシマンジュウダイ	383	シルバーアロワナ	34
クロミナミハゼ	437	シロウオ	520
クロヨシノボリ	494	シロヒレタビラ	76
ゲンゴロウブナ	58	シンジコハゼ	469
ケンムンヒラヨシノボリ	490	スイゲンゼニタナゴ	102
コイ(飼育型)	53	スゴモロコ	168
コイ(野生型)	52	スジハゼ	534
コウタイ	550	スズキ	350
コウライオヤニラミ	366	ズナガニゴイ	166
コウライギギ	232		

スナゴカマツカ	179
スナゴハゼ	524
スポッテッドガー	392
スミウキゴリ	462
スワモロコ	157
セスジボラ	330
ゼゼラ	182
ゼニタナゴ	94
セボシタビラ	84
ソウギョ	124

タ

太平洋系降海型イトヨ	313
太平洋系陸封型イトヨ	314
タイリクスズキ	351
タイリクバラタナゴ	96
タイワンキンギョ	542
タイワンドジョウ	548
タウナギ	552
タカハヤ	134
タナゴ	86
タナゴモドキ	415
タニガワナマズ	246
タネハゼ	537
タビラクチ	430
タメトモハゼ	416
タモロコ	157
タンゴスジシマドジョウ	211
ダントウボウ	187
チクゼンハゼ	474
チチブ	508
チチブモドキ	412
チャネルキャットフィッシュ	250
チュウガタスジシマドジョウ	207
チョウザメ	32
チョウセンブナ	544
チワラスボ	431
ツチフキ	180
ツバサハゼ	421
ツバメコノシロ	391
ツマグロスジハゼ	535
ツムギハゼ	536
テッポウウオ	372
デメモロコ	172
テングヨウジ	326
テンジクカワアナゴ	413
トウカイコガタスジシマドジョウ	203
トウカイナガレホトケドジョウ	226

トウカイヨシノボリ	501
トウヨシノボリ	498
トカゲハゼ	428
ドジョウ	190
トビハゼ	422
トミヨ属雄物型	318
トミヨ属汽水型	317
トミヨ属淡水型	317
ドンコ	404

ナ

ナイルティラピア	388
ナガノゴリ	512
ナガブナ	64
ナガレカマツカ	178
ナガレフウライボラ	333
ナガレホトケドジョウ	224
ナガレミミズハゼ	456
ナマズ	240
ナミダカワウツボ	45
ナンヨウボウズハゼ	444
ニゴイ	162
ニゴロブナ	62
ニシシマドジョウ	196
ニジマス	290
ニッコウイワナ	294
ニッポンバラタナゴ	98
ニホンイトヨ	312
ニホンウナギ	38
ニューギニアウナギ	44
ヌマガレイ	554
ヌマチチブ	510
ヌマムツ	112
ネコギギ	237
ノボリハゼ	435

ハ

ハカタスジシマドジョウ	209
ハクレン	122
ハス	108
ハゼクチ	518
ハナカジカ	396
ハヤセボウズハゼ	447
ハリヨ	315
パンプキンシードサンフィッシュ	357
ヒイラギ	378
ピエロカエルアンコウ	334
ヒガシシマドジョウ	197
ヒスイボウズハゼ	443

ヒトミハゼ	529
ヒナイシドジョウ	213
ヒナハゼ	521
ヒナモロコ	116
ヒノコロモボウズハゼ	442
ヒメツバメウオ	382
ヒメドジョウ	220
ヒメハゼ	533
ヒメマス	276
ヒモハゼ	452
ヒョウモンドジョウ	193
ヒラスズキ	352
ビリンゴ	466
ヒレナマズ	252
ビワコオオナマズ	248
ビワコガタスジシマドジョウ	204
ビワヒガイ	154
ビワマス	288
ビワヨシノボリ	503
ファットヘッドミノー	140
フクドジョウ	216
ブラウントラウト	292
ブルーギル	353
ベニザケ	276
ベニツケサツキハゼ	541
ペヘレイ	336
ヘラブナ	58
ボウズハゼ	450
ホクリクジュズカケハゼ	472
ホシマダラハゼ	419
ホトケドジョウ	222
ボラ	328
ホンモロコ	160

マ

マーレーコッド	367
マサゴハゼ	525
マスノスケ	275
マダラロリカリア	253
マハゼ	516
マバラヒゲワラスボ	432
マルタ	128
マングローブゴマハゼ	527
ミツボシゴマハゼ	528
ミナミアカヒレタビラ	82
ミナミイソハゼ	538
ミナミサルハゼ	433
ミナミスナヤツメ	23

ミナミトビハゼ	424
ミナミトミヨ	321
ミナミヒメミミズハゼ	454
ミナミメダカ	342
ミミズハゼ	453
ミヤコタナゴ	72
ミヤベイワナ	304
ムギツク	148
ムサシトミヨ	320
ムサシノジュズカケハゼ	471
ムツゴロウ	425
メナダ	331
モツゴ	142

ヤ

ヤイマヒラヨシノボリ	490
ヤエヤマノコギリハゼ	417
ヤチウグイ	139
ヤマトイワナ	296
ヤマトシマドジョウ	199
ヤマナカハヤ	138
ヤマノカミ	403
ヤマメ	280
ヤミマダラハゼ	418
ヤリタナゴ	68
ユウスイミミズハゼ	457
ユゴイ	373
ヨウジウオ	322
ヨコシマドンコ	409
ヨドコガタスジシマドジョウ	205
ヨドゼゼラ	184
ヨロイボウズハゼ	438

ラ

リュウキュウアユ	264
リュウキュウタウナギ	552
ルリボウズハゼ	448
ルリヨシノボリ	482
レイクトラウト	307
レイホクナガレホトケドジョウ	227
ロウニンアジ	370
ロングイヤーサンフィッシュ	356

ワ

ワカサギ	258
ワタカ	118

主な参考文献

Agorreta, A., D. San Mauro, U. Schliewen, J. L. Van Tassell, M. Kovačić, R. Zardoya and L. Rüber. 2013. Molecular phylogenetics of Gobioidei and phylogenetic placement of European gobies. Mol. Phylogenet. Evol., 69: 619–633.

尼岡邦夫・仲谷一宏・矢部 衛. 2020. 北海道の魚類全種図鑑. 北海道新聞社, 札幌. 590 pp.

Chen, Y. Y. ed. 1998. Fauna Sinica (Osteichthyes, Cypriniformes II). Science Press, Beijing, 531 pp.

Eschmeyer, W. N. and R. Fricke. 2015. Catalog of fishes: Genera, species, references. Electronic version: http://researcharchive.calacademy.org/research/ichthyology/catalog/fishcatmain.asp (参照 2015-9-27)

福地伊芙映・立原一憲. 2022. 大東諸島から得られたボラ科魚類 7 種の記録. 魚類学雑誌 69: 87-102.

Fukui, I. and K. Tachihara. 2020. Northernmost record of half-fringelip mallet, *Crenimugil heterocheilus* (Bleeker, 1885)(Teleostei:Mugillidae), from the Okinawa-jima Island, Ryukyu Archipelago, southern Japan. Biogeography, 22: 21-25.

細谷和海（編）. 2019. シーボルトが見た日本の水辺の原風景. 東海大学出版部, 平塚. xii+271 pp.

Hosoya, K., T. Ito and J-I. Miyazaki. 2018. *Lefua torrentis*, a new species of loach from western Japan (Teleostei:Nemacheilidae). Ichthyol. Explor. Freshwaters, 28(3):193-201.

Hubbs , C. L. K. and F. Lagler. Froese, R. and D. Pauly, eds. 2015. FishBase: www.fishbase.org（参照 2015-9-27）

Hubbs C. L, K. and F. Lagler .2004. Fishes of the Great Lakes Region, Revised Edition. 276 pp., The University of Michigan Press, Ann Arbor

井田 斎・奥山文弥. 2012. サケマス・イワナのわかる本. 山と渓谷社, 東京. 248 pp.

環境省. 2015. 生物多様性情報システム：http://www.biodic.go.jp/J-IBIS.html（参照 2015-9-27）

環境省. 2015. 「我が国の生態系等に被害を及ぼすおそれのある外来種リスト（生態系被害防止外来種リスト）」の公表について（お知らせ）：https://www.env.go.jp/press/100775.html（参照 2015-9-27）

環境省（編）. 2015. 日本の絶滅のおそれのある野生生物 レッドデータブック 2014 4 汽水・淡水魚類. 自然環境研究センター, 東京. 414 pp.

環境省自然環境局. 2002. 生物多様性調査, 動物分布調査報告書（淡水魚類）. 環境省自然環境局生物多様性センター, 富士吉田. 545 pp.

川那部浩哉・水野信彦・細谷和海（編）. 2005. 日本の淡水魚（改訂版）. 山と渓谷社, 東京. 719 pp.

Kim, I. S. and J. Y. Park. 2002. Freshwater fishes of Korea. Kyo-Hak Publishing Co., Seoul. 465 pp.

北村淳一・内山りゅう. 2020. 日本のタナゴ. 山と渓谷社, 東京. 223 pp.

Kobayashi, H. and M. Sato. 2023. The genus *Ophiocara* (Teleostei: Butidae) in Japan, with descriptions of two new species. Ichthyol. Res., 71 (1): 119-153.

Kobayashi, H., K. Nishigaki, T. Saki and K. Maeda. 2023. First records of *Paloa villadolidi* from Japan with a redescription of Odonteleotris macrodon (Teleostei: Butidae). Species Diversity, 28: 165-175.

国立研究開発法人国立環境研究所. 2015. 侵入生物データベース：https://www.nies.go.jp/biodiversity/invasive/（参照 2015-9-27）

国土交通省. 2015. 河川環境データベース：http://mizukoku.nilim.go.jp/ksnkankyo/（参照 2015-9-27）

Kottelat, M., A.J. Whitten, S.N. Kartikasari and S. Wirjoatmodjo. 1993. Freshwater fishes of Western Indonesia and Sulawesi. Periplus Editions, Hong Kong. 221 pp.

McDowall, R.M. 1988. Diadromy in fishes:migrations between marine and freshwater environments. Croom Helm, London. 308 pp.

松沢陽士・瀬能 宏. 2008. 日本の外来魚ガイド. 文一総合出版, 東京. 117 pp.

宮地傳三郎・川那部浩哉・水野信彦. 1965. 原色日本淡水魚類図鑑. 保育社, 大阪. 275 pp.

Miya, M., H. Takeshima, H. Endo, N.B. Ishiguro, J.G. Inoue, T. Mukai, T.P. Sato, M. Yamaguchi, A. Kawaguchi, K. Mabuchi, S.M. Shirai and M. Nishida. 2003. Major patterns of higher teleostean phylogenies: a new perspective based on 100 complete mitochondrial DNA sequences. Mol. Phylogenet. Evol., 26(1):121-138.

本村浩之・佐土哲也・木村清志. 2002. ツバメコノシロ *Polydactylus plebeius* の摂餌行動. 魚類学雑誌, 49(2):156-157.

中坊徹次（編）. 2013. 日本産魚類検索全種の同定, 第三版. 東海大学出版会, 秦野. 2530 pp.

中坊徹次．2021．絶滅魚クニマスの発見．新潮社，東京．xv+309 pp.

中坊徹次・平嶋義宏．2015．日本産魚類全種の学名　語源と解説．東海大学出版部，秦野．372 pp.

中島淳・内山りゅう．2017．日本のドジョウ．山と溪谷社，東京．224 pp.

中村守純．1963．原色淡水魚類検索図鑑．北隆館，東京．258 pp.

中村守純．1969．日本のコイ科魚類．資源科学研究所，東京．455 pp.

Near, T.J., A. Dornburg, R.I. Eytan, B.P. Keck, W.L. Smith, K.L. Kuhn, J.A. Moore, S.A. Price, F.T. Burbrink, M. Friedman and P.C. Wainright. 2013. Phylogeny and tempo of diversification in the superradiation of spiny-rayed fishes. Proc. Natl. Acad. Sci. USA, 110:12738-12743.

Nelson, J.S., T.C. Grande and M.V.H. Wilson. 2016. Fishes of the world. 5th ed. John Wiley & sons, Inc., Hoboken, xxxii + 707 pp.

Ng, H.H. and M. Kottelat, 2008. Confirmation of the neotype designation for *Trachysurus sinensis* Lacepède, 1803 (Teleostei: Bagridae). Ichthyol. Explor. Freshwat. 19(2):153-154.

日本魚類学会．2015．日本産魚類の追加種リスト：http://www.fish-isj.jp/info/list_additon.html （参照 2015-10-17）

日本魚類学会．2015．シノニム・学名の変更：http://www.fish-isj.jp/info/list_rename.html （参照 2015-10-17）

日本生態学会（編）．2002．外来種ハンドブック．地人書館，東京．390 pp.

Pardee, C., J. Wiley, S. Springer. 2021. Age, growth and maturity for two highly targeted jack species: *Caranx ignobilis* and *Caranx melampygus*. J. Fish Biol., 99 (4): 1247-1255.

パーカー, スティーブ（仲谷一宏・日本語版監修）．2010. 世界サメ図鑑．ネコ・パブリッシング，224pp.

Rosen, D.E. and L.R. Parenti. 1981. Relationships of *Oryzias*, and the group of atherinomorph fishes. Amer. Mus. Novitates, 2719:1-25.

斉藤憲治．2014．コイ科魚類の系統と分類．海洋と生物，36: 116-124.

Saitoh, K., T. Sado, M. H. Doosey, H. L. Jr Bart, J. G. Inoue, M. Nishida, R. L. Mayden and M. Miya. 2011. Evidence from mitochondrial genomics supports the lower Mesozoic of South Asia as the time and place of basal divergence of cypriniform fishes (Actinopterygii: Ostariophysi). Zool. J. Linn. Soc., 161: 633-662.

Sakai, H., K. Watanabe and A. Goto. 2020. A revised generic taxonomy for Far east Asian minnow *Rhynchocypris* and dace *Pseudaspius*. Ichthyol. Res., 67: 330-334.

Santini, F. and J.C. Tyler. 2003. A phylogeny of the families of fossil and extant tetraodontiform fishes (Acanthomorpha, Tetraodontiformes), Upper Cretaceous to Recent. Zool. Jour. Linne. Soc., 139:565-617.

瀬能 宏．2015. ウラウチフエダイ．環境省 (編), pp. 82-83. 日本の絶滅のおそれのある野生生物 , レッドデータブック 2014，4　汽水・淡水魚類 . 自然環境研究センター , 東京 .

瀬能 宏・矢野 維幾・鈴木寿之・渋川浩一．2004．決定版日本のハゼ．平凡社，東京．534 pp.

自然環境研究センター (編著). 2019. 最新　日本の外来生物 . 平凡社 , 東京 , 592 pp.

杉山秀樹．2015. トミヨ属雄物型．環境省 (編), pp. 66-67. 日本の絶滅のおそれのある野生生物 , レッドデータブック 2014，4　汽水・淡水魚類 . 自然環境研究センター , 東京 .

鈴木寿之（笠井雅夫　写真）．2017．西表島浦内川の魚．西表島エコツーリズム協会，33pp.

杉山秀樹・森 誠一．2009. トミヨ属雄物型：きわめて限定された生息地で湧水に支えられた遺存種の命運．シリーズ・日本の希少淡水魚の現状と課題．魚類学雑誌，56(2):171-175.

内田恵太郎．1939．朝鮮魚類誌．杏林社，東京．458 pp.

髙橋一彦・高田啓介．2003. トミヨ属魚類に見られる種間交雑と mtDNA の異種間浸透．後藤　晃・森誠一 (編著), pp. 102-113. トゲウオの自然史—多様性の謎とその保全 . 北海道大学図書刊行会 , 札幌 .

WR I, IUCN, and UNEP. 1992. Global biodiversity strategy. Library Congress Catalogue Card No. 92-60104, vi+244 pp.

Yamasaki,Y, Yo, M. Nishida, T. Suzuki, T. Mukai, K. Watanabe. 2015. Phylogeny, hybridization, and life history evolution of *Rhinogobius* gobies in Japan, inferred from multiple nuclear gene sequences. Molecular Phylogenetics and Evolution, 90: 20-33.

Yuma M., K. Hosoya, Y. Nagata. 1998. Distribution of the freshwater fishes of Japan: an historical overview. Env. Biol. Fish., 52: 97-124.

著者プロフィール

編／監修

細谷和海 （ほそや・かずみ）

1951年東京都生まれ。京都大学大学院農学研究科修了。農学博士。近畿大学名誉教授、環境省絶滅のおそれのある汽水・淡水魚選定委員会座長。専門は魚類学および保全生物学。主な著書に『シーボルトが見た日本の水辺の原風景』（東海大学出版会／編著）、『ブラックバスを退治する』（恒星社厚生閣／共編）、『日本の希少淡水魚の現状と系統保存』（緑書房／共編）など。

写真

内山りゅう （うちやま・りゅう）

1962年東京生まれ。東海大学海洋学部水産学科卒業。"水"に関わる生き物とその環境の撮影をライフワークにしている。特に淡水にこだわり、精力的に作品を発表する。主な写真集に『青の川 奇跡の清流 銚子川』（山と渓谷社）、『水のこと 水の国、わかやま。』（講談社エディトリアル）、『アユ 日本の美しい魚』（平凡社）ほか、主な著書に『くらべてわかる淡水魚』『日本のドジョウ』『日本のウナギ』（山と渓谷社）ほか多数がある。テレビ番組の企画・出演も多い。
公式HP　http://uchiyamaryu.com/

解説

藤田朝彦 （ふじた・ともひこ）

1978年兵庫県生まれ。近畿大学大学院農学研究科修了。農学博士。環境省関東地方環境事務所野生生物課課長補佐。専門は魚類系統分類学、保全生態学および保全分類学。著書（分担執筆）に『シーボルトが見た日本の水辺の原風景』（東海大学出版会）、『日本魚類館』（小学館）、『河川ダイナミクスの生態学』（朝倉書店）など。主な研究対象はウグイ亜科、フナ類、外来魚。

武内啓明 （たけうち・ひろあき）

1984年三重県生まれ。東海大学海洋学部水産学科卒業。近畿大学大学院農学研究科修了。農学博士。専門は魚類系統分類学、漁業資源学。

川瀬成吾 （かわせ・せいご）

1987年滋賀県生まれ。近畿大学大学院農学研究科修了。農学博士。現在、滋賀県立琵琶湖博物館主任学芸員。関西自然保護機構運営・編集委員。専門は魚類系統分類学および保全分類学。著書（分担執筆）に『琵琶湖の魚類図鑑』（サンライズ出版）、『シーボルトが見た日本の水辺の原風景』（東海大学出版会）、『日本魚類館』（小学館）など。主な研究対象はタナゴ亜科、カマツカ亜科、モツゴ類、琵琶湖・淀川水系産淡水魚。

井藤大樹 （いとう・たいき）

第4版以降、新規解説と武内氏担当部分の確認を担当。1988年香川県生まれ。近畿大学大学院農学研究科修了。農学博士。現在、徳島県立博物館主任。日本魚類学会編集委員。専門は魚類系統分類学、比較形態学。著書（分担執筆）に『シーボルトが見た日本の水辺の原風景』（東海大学出版会）など。主な研究対象はホトケドジョウ属魚類、ミミズハゼ属魚類、オイカワ類、四国産魚類など。

ご協力いただいた方々 (五十音順・敬称略)

朝井俊亘	小林大純	穂苅 譲	アトレーユ
浅香智也	小堀龍之	星野和夫	いなべ市教育委員会
足立伸次	斉藤憲治	本間正明	INON
阿部 司	斎藤勇斗	前田 健	魚津水族館
五十嵐洋裕	佐伯智史	前畑政善	NHK エンタープライズ
池田真典	酒泉 満	増田 修	エビとカニの水族館
板井隆彦	桜井保弘	松岡正富	大阪府立環境農林水産総合研究所
市村政樹	桜井裕二	松本清二	沖縄美ら島財団総合研究センター
稲村 修	佐々木賢治	三沢勝也	笠井旅館
乾 隆帝	佐藤拓哉	水越秀宏	株式会社ラング
井上竜駿	佐藤 透	森崎博之	GAN CRAFT
井上信夫	清水義孝	望月健太郎	紀伊民報社
井上龍一	進藤 寛	森 誠一	紀北町
上原一彦	杉山秀樹	森 拓也	キャンプ inn 海山
碓氷星二	勝呂尚之	森 文俊	京都水族館
内田大貴	鈴木寿之	森宗智彦	京都大学総合博物館
漆畑信昭	鈴木規慈	矢島秀一	国立研究開発法人国立環境研究所
大浜秀規	鈴木正明	矢島義嗣	国立科学博物館
岡 慎一郎	鈴木康之	矢辺 徹	西湖漁業協同組合
小勝吉孝	瀬能 宏	山口一夫	さいたま水族館
小川彰信	妹尾優二	山根英征	サケのふるさと千歳水族館
小川力也	竹島久統	山本貴彦	滋賀県立琵琶湖博物館
揖 善継	竹野誠人	横井謙一	標津サーモン科学館
笠井雅夫	高田啓介	脇谷量子郎	島根県立宍道湖自然館・ゴビウス
片山雄太	田上 至	渡辺勝敏	大韓民国水産科学院中部内水面研究所
金尾滋史	土居隆秀	渡邊 俊	天川村漁業協同組合
金川直幸	富永浩史	渡邊貴幸	東京大学総合研究博物館
加納義彦	内藤順一		栃木県水産試験場
川西亮太	中島 淳		長野県水産試験場佐久支場
河村功一	長田芳和		ノアすさみ
菊池基弘	中坊徹次		日高川鮎種苗センター
北川哲郎	中村 亮		姫路市立水族館
北島淳也	中本 賢		フィッシュアイ
北村淳一	西村俊明		プルーフ
亀甲武志	西野麻知子		ペイ丸長
紀平 肇	羽多宏彰		北海道区水産研究所
木村栄次	東 生広		北海道大学七飯淡水実験所
金 治弘	平井厚志		本願清水イトヨの里
草柳佳昭	平嶋健太郎		マリンピア松島水族館
國島大河	広岡一紀		三川屋
熊谷正裕	舟尾俊範		美濃加茂市民ミュージアム
桑原雅之	古瀬文明		民宿やまびこ
			山形県東根市教育委員会
			山梨県水産技術センター忍野支所
			和歌山県立自然博物館

装丁・デザイン	横山明彦（WSB Inc.）
編集協力	本間二郎、早川尚子、高橋潤、吉井章子
初版編集	草柳佳昭
第4版編集	神谷有二（山と溪谷社）、平野健太（山と溪谷社）、大木邦彦（企画室トリトン）

山溪ハンディ図鑑

日本の淡水魚 第4版

2025年8月5日　初版第1刷発行

編・監修	細谷和海
写真	内山りゅう
解説	藤田朝彦　川瀬成吾　井藤大樹
発行人	川崎深雪
発行所	株式会社 山と溪谷社
住　所	〒101-0051 東京都千代田区神田神保町1丁目105番地 https://www.yamakei.co.jp/

●乱丁・落丁、及び内容に関するお問合せ先
　山と溪谷社自動応答サービス TEL.03-6744-1900
　受付時間／11：00-16：00（土日、祝日を除く）
　メールもご利用ください。
　【乱丁・落丁】service@yamakei.co.jp
　【内容】info@yamakei.co.jp
●書店・取次様からのご注文先　山と溪谷社受注センター
　TEL.048-458-3455 FAX.048-421-0513
●書店・取次様からのご注文以外のお問合せ先
　eigyo@yamakei.co.jp

印刷・製本　株式会社シナノ

＊ 定価はカバーに表示してあります。
＊ 乱丁・落丁などの不良品は送料小社負担でお取り替えいたします。
＊ 本書の一部あるいは全部を無断で複写・転写することは著作権者および発行所の権利の侵害とな
　ります。

ISBN978-4-635-07046-1
Copyright©2015 Kazumi Hosoya, Ryu Uchiyama, Tomohiko Fujita, Hiroaki Takeuchi and
　　　　Seigo Kawase All rights reserved.
Printed in Japan